JOE CRAIG

J.C.

AGENT UNTER BESCHUSS

JOE CRAIG

AGENT UNTER BESCHUSS

Aus dem Englischen von
Alexander Wagner

cbj

Sollte diese Publikation Links auf Webseiten Dritter enthalten, so übernehmen wir für deren Inhalte keine Haftung, da wir uns diese nicht zu eigen machen, sondern lediglich auf deren Stand zum Zeitpunkt der Erstveröffentlichung verweisen.

Dieses Buch ist auch als E-Book erhältlich.

Verlagsgruppe Random House FSC® N001967

2. Auflage

Die englische Originalausgabe erschien 2008 unter dem Titel:
»Jimmy Coates – Survival«
bei HarperCollins Children's Books, einem Imprint
der Verlagsgruppe HarperCollins Ltd, London
Übersetzung: Alexander Wagner
Umschlagkonzeption: Isabelle Hirtz, Inkcraft
unter Verwendung der Motive von
© Shutterstock (fotogrin; David Orcea; KidPhotography)
MP · Herstellung: UK
Satz: KompetenzCenter, Mönchengladbach
Druck: CPI books GmbH, Leck
ISBN 978-3-570-16521-8
Printed in Germany

www.cbj-verlag.de

DER GROSSE KNALL

Eben noch war es ein von Menschenhand geschaffenes Weltwunder: *Neptuns Schatten*, die zweitgrößte Ölbohrinsel der Welt. Mit ihren zahllosen Lichtern funkelte sie im düsteren Nebel der Nordsee wie ein außerirdisches Raumschiff. Kräne ragten in alle Richtungen empor, als wollten sie mit ihren metallenen Greifarmen ein Stück aus dem Nachthimmel reißen, während in ihrem Inneren unablässig Maschinen arbeiteten und das schwarze Gold aus dem Herz der Erde heraufpumpten.

Doch schon im nächsten Augenblick explodierte all das in einem gewaltigen Flammeninferno, dessen lodernder Feuerschein bis hinüber an die Küste Dänemarks zu sehen war. Die Detonation schreckte sogar im nördlichen Schottland noch Vögel aus ihren Nestern auf. Und eine der wichtigsten Geldquellen der britischen Regierung flog mit größerer Gewalt in die Luft, als der Vulkan Vesuv es je vermocht hatte.

Am nächsten Morgen wiederholte sich diese Explosion millionenfach auf Fernsehbildschirmen, in Radio- und Zeitungsberichten. Und jeder der Berichte übertrieb das Ausmaß ihrer Gewalt ein wenig mehr, während im Internet die Menschen darüber diskutierten, wie das alles hatte geschehen können – und was der britische Premierminister wohl in dieser Sache unternehmen würde.

Aber vor allem wiederholte sich diese Explosion wieder und wieder vor dem inneren Auge der einen Person, die wirklich vor Ort gewesen war und diese ungeheure Katastrophe überlebt hatte – Jimmy Coates.

KAPITEL 1

Zunächst war es nur ein Blinken auf der Instrumententafel, bald darauf ein Störgeräusch im Motor. Jimmy rechnete bereits seit drei Stunden mit seinem Auftauchen. *Ich könnte das Flugzeug auf dem Wasser notlanden*, dachte er. Er befand sich mitten über dem Atlantik und ein Teil seines Gehirns berechnete schon den besten Winkel für das Landen des *Falcon 20* auf den Wellen. Die Muskulatur seiner Schultern wärmte sich bereits für die wohl längste Schwimmherausforderung seines Lebens auf.

Jimmy biss die Zähne zusammen und starrte aus dem Cockpitfenster. Nein, eine Wasserlandung war keine echte Option. Er musste unbedingt die Küste Europas erreichen. Und plötzlich zeigte sich ihm eine Lösung des Problems.

Sein Flugzeug wurde durchgerüttelt. Ein gewaltiges Dröhnen übertönte das Motorengeräusch des *Falcon*. Jimmy spähte nach oben und blinzelte gegen das helle Sonnenlicht an. Über ihm schwebte der Schatten eines gewaltigen Passagierflugzeugs.

»Ah, da ist ja meine Mitfahrgelegenheit«, flüsterte Jimmy. Er blickte erneut auf die Treibstoffanzeige. Sie stand jetzt tief im roten Bereich. Der junge Agent zog den *Falcon* nach oben, während sich seine Finger über die Armaturen bewegten. Geronnenes Blut bedeckte seine Handflächen und hinterließ klebrige Spuren auf den Instrumenten. Doch die Haut darunter heilte bereits und der Schmerz war kaum mehr zu spüren.

Neben dem *Airbus A490* wirkte Jimmys *Falcon* wie eine Fliege auf dem Hintern eines Nilpferds. Jimmy staunte über die gewaltigen Ausmaße des Flugzeugs. Es war schätzungsweise an die hundert Meter lang und besaß eine noch größere Flügelspannweite. Das tiefe Rumoren der großen Turbinen ließ Jimmys Brust vibrieren.

Rascher als erwartet flog Jimmy direkt unter dem Passagierjet dahin. *Bitte lass es funktionieren*, flehte er. Es waren seine Agenteninstinkte, die ihn zu diesem gewagten Plan getrieben hatten. Der Junge selbst hätte so etwas Verrücktes niemals gewagt.

Die Welt um Jimmy herum verschwamm und er konzentrierte seine gesamte Energie auf einen Punkt tief in seinem Unterbauch. Dort begann sich seine innere Kraft zu regen. Er konnte sich auf sie verlassen. Sie war dazu bestimmt, in riskanten Situationen die Kontrolle zu übernehmen.

Gleich darauf spürte er das vertraute Vibrieren. Seine Muskeln wurden von Kraftwellen durchpulst. Sein Hals prickelte und sein Gehirn erwachte zu voller Leistungsbereitschaft. Jimmy stand unter Hochspannung und war gleichzeitig voller Wut. Dieses Manöver würde ihn vielleicht retten, doch er wusste, dass diese Kräfte ihn eines Tages möglicherweise auch zerstören könnten.

Jimmy zog am Steuerknüppel und sein Flugzeug schoss

auf den Airbus zu. Kurz bevor es zu einer gewaltigen Kollision mitten in der Luft kam, wurde der *Falcon* nach hinten und oben gerissen und schwebte auf einer Art Luftkissen – die gewaltigen Luftwirbel, die die Turbinen des *Airbus* erzeugten, trugen ihn mit sich.

Genau in diesem Moment schaltete Jimmy die Motoren des *Falcon* aus. Ihr Jaulen verstummte und an seine Stelle trat das ohrenbetäubende Donnern des *Airbus* und das Pfeifen der vorbeizischenden Luft. Gewaltige Turbulenzen rüttelten Jimmy auf seinem Sitz durch. Er packte den Steuerknüppel fester und bemühte sich verzweifelt, die ständigen Schwankungen der Maschine im Griff zu behalten. Er surfte auf nichts als Luft.

»Hey, schau dir das an, Pritchie«, sagte der *Airbus*-Pilot und beugte sich in seinem Sitz nach vorne. Ein Stück Salat fiel aus seinem Sandwich.

Sein Co-Pilot hatte die Mütze tief über die Augen gezogen und rührte sich nicht.

»Was gibt's?«, knurrte er.

»Eine Nachricht«, erwiderte der Pilot und biss erneut in sein Sandwich. »Die Flugverkehrskontrolle. Irgendwas wegen einem Radar-Phantom.«

»Phantom?« Unwillig hievte sich der Co-Pilot in eine aufrechte Position und schob seine Mütze zurecht. »Das bedeutet, es gibt zwei blinkende Punkte, wo nur einer sein sollte, oder?«

»Na ja, jedenfalls ist es ganz sicher kein Typ unter einem weißen Bettlaken, oder?«

Beide Piloten checkten jetzt die Monitore im Cockpit und waren plötzlich höchst alarmiert.

»Was gefunden?«, fragte der Pilot.

Pritchie schüttelte den Kopf. »Hey, was ist das?«, rief er. »Eine weitere Nachricht.«

Gemeinsam überprüften sie erneut die Kommunikationssysteme. Schließlich zuckte der Pilot mit den Achseln.

»Merkwürdig«, brummte er. »Muss wohl ein kurzer Störimpuls gewesen sein.«

»Ein Störimpuls?«

»Na ja, wir haben nichts gefunden, und jetzt sagen sie, alles ist wieder in bester Ordnung.«

»Schätze, deshalb nennt man so was auch *Phantom*.«

Sie blickten sich kurz an, um sich zu versichern, ob der jeweils andere eine größere Sache aus dem Vorkommnis machen oder einfach zur Routine übergehen würde.

Irgendwann lächelte Pritchie.

»Na, hoffentlich war es kein Vogelschwarm, der es sich in unseren Turbinen gemütlich machen wollte.« Er stieß ein raues Lachen aus, ließ sich in seinen Sitz zurücksinken und zog die Mütze wieder über die Augen.

»Kann man wohl ausschließen«, schnaubte der Pilot. »Jedenfalls riecht es nicht nach gegrilltem Geflügel.«

Jimmy ritt auf der gewaltigen Luftströmung wie ein Profi. Die geringste Spannungsänderung seiner Muskeln sorgte für Korrekturen in der Balance des Flugzeugs. Stück für Stück manövrierte er nach unten und ins Zentrum des Triebwerkstroms. Wenn er das durchziehen wollte, musste er so dicht wie möglich hinter dem *Airbus* fliegen, um auf den Radarsystemen der Luftverkehrskontrolle nicht als eigenständiges Flugzeug identifiziert zu werden.

Jetzt brauchte er nur noch diese Position halten, bis sie Europa erreicht hatten. Und dann musste er sich Gedanken über die Landung machen. Er hoffte nur, dass er noch nicht zu spät kam.

KAPITEL 2

»Na, Eva, sollen wir dann mal?«, rief Miss Bennett.

Eva Doren fühlte sich wie ein kleines Schulmädchen. Doch im Gegensatz zu den meisten 14-Jährigen ging sie nicht mehr in die Schule. Sie befand sich vielmehr in einem Besprechungsraum in den Bunkern des *NJ7*, des technologisch fortschrittlichsten Geheimdienstes der Welt, tief unter den Straßen Londons.

Vermutlich gab es nicht viele Mädchen, die jeden Tag an einem derartigen Ort arbeiteten: drei massive Betonwände, kahl und grau, bis auf die vielfarbigen Kabelstränge an der Decke und eine vierte, erst kürzlich installierte Glaswand, die etwas Licht vom Korridor hereinließ.

Der Raum hatte keine Tür – es gab kaum Türen im *NJ7*-Hauptquartier. Die ganze Anlage war so gebaut, dass sie im Falle einer Evakuierung innerhalb von zwei Minuten komplett von der Themse geflutet werden konnte, um die Geheimnisse in ihrem Inneren zu schützen.

»Ich dachte, wir warten auf jemanden?«, erwiderte Eva.

»Richtig«, erwiderte Miss Bennett. »Aber er kommt zu spät. Daher fangen wir ohne ihn an.«

Eva zog ihren Pferdeschwanz stramm, dann zückte sie einen Notizblock und einen Bleistift aus der Brusttasche ihrer Bluse. Sie saß an einem gläsernen Konferenztisch für zwölf Personen, an dem im Augenblick aber nur drei Platz genommen hatten.

Miss Bennett saß rechts neben ihr. Auch ihr Haar war straff nach hinten gebunden, aber es war länger als Evas und, wie Eva fand, auch glänzender. Manchmal fragte sich Eva, ob Bennett mit jeder ihrer grausamen Aktionen noch schöner wurde.

Miss Bennett ging einen Stapel Aktenordner durch, alle schlicht und braun bis auf das *NJ7*-Emblem auf der Vorderseite – ein vertikaler, grüner Streifen. Dann zog sie einen winzigen Digitalrekorder hervor und legte ihn in die Mitte des Konferenztischs. Sie drückte den Startknopf, räusperte sich und begann in geschäftsmäßigem Tonfall: »Anwesend sind der *NJ7*-Spezialagent Mitchell Glenthorne und meine persönliche Assistentin Eva Doren …«

Sie nannte einige weitere Details des Meetings, während Eva den ihr gegenübersitzenden Mitchell beobachtete. Er hielt wie üblich den Blick gesenkt, aber seine Schultern schienen noch breiter zu werden, und er wirkte, als platze er förmlich vor Stolz, weil er als *Spezialagent* bezeichnet worden war.

»Oh, und dann ist da natürlich meine Wenigkeit«, fügte Miss Bennett hinzu. »Miss Bennett, Direktorin des *NJ7*.«

Sie hatte kaum geendet, da fiel ein Schatten quer über den Konferenztisch. Im Eingang stand ein unglaublich großer Mann. Eva meinte noch nie einen größeren gesehen zu haben; allerdings wirkte er nicht sehr kräftig und muskulös. Er war so dünn, dass Eva sich fragte, ob ihn irgendjemand in seiner Wachstumsphase künstlich in die Länge gezogen hatte. Er musste sich bücken, um den Raum betreten zu können.

»Ah«, bemerkte Miss Bennett, lehnte sich zurück und lächelte knapp. »Offenbar hat unser Gast sich doch entschlossen, uns Gesellschaft zu leisten.«

Der große Mann ließ sich schweigend auf dem Stuhl Miss Bennett gegenüber nieder. Sein Gesicht erinnerte ein wenig an das eines Indianers und seine Nase war lang und schmal wie der übrige Körper. Sein Haar war pechschwarz und an den Seiten rasiert, was ihn nur noch größer erscheinen ließ.

»Müssen denn bei jedem Meeting Kids dabei sein?«, fragte der Mann, bevor er seine langen Beine unter dem Tisch verstaute. Er starrte Eva an. Ihr Herzschlag beschleunigte sich, aber sie verzog keine Miene. Sie hatte gelernt, ihre Gefühle zu beherrschen. »Ich kann ja verstehen, dass Mitchell dabei ist, aber sie hier ...«

»Eva«, stellte sich Eva vor. Sie fühlte den Drang aufzustehen, unterdrückte ihn aber. Sie hätte sich im Vergleich zu diesem Giganten nur noch kleiner gefühlt. Stattdessen senkte sie den Blick auf ihren Notizblock und begann etwas zu kritzeln.

»Eva hat eine wichtige Rolle beim *NJ7*«, erklärte Miss Bennett. »Und besonders in meinem Büro.«

»Ist es nicht an der Zeit, sie nach Hause zu schicken«, wandte der Mann ein. »Soweit ich weiß, halten ihre Eltern sie für tot.«

Jetzt erst blickte Eva wieder auf. *Mach den Eindruck, als*

hättest du Heimweh, befahl sich Eva. Überraschenderweise stellte sich dieses Gefühl umgehend ein. *Täusche ich es wirklich nur vor? Spiel einfach deine Rolle. Sei das loyale kleine Mädchen.* Sie spürte Mitchells prüfenden Blick auf sich ruhen, fixierte aber weiter das Gesicht des Mannes.

»Wie lange wollen Sie diesen Zustand noch aufrechterhalten?«, fragte er.

»Unbeschränkt«, erwiderte Miss Bennett. »Jemand mit Ihrem Hintergrund müsste eigentlich wissen, wie wertvoll es ist, wenn einen die Welt für tot hält. Übrigens, was *ist* eigentlich ganz genau Ihr Hintergrund?«

Eva entspannte sich ein wenig. Miss Bennett war eine Meisterin im Lenken von Unterhaltungen. Manchmal war es sehr lehrreich, jemanden so Mächtigen wie sie aus der Nähe studieren zu können.

Der Mann schwieg. Er lächelte nur knapp, mit zusammengepressten Lippen.

Mitchell durchbrach die eintretende Stille.

»Ohne Eva«, erklärte er, »hätten wir in New York niemals Jimmy Coates erledigen können.«

Evas Puls beschleunigte sich erneut, aber diesmal vor Erleichterung. Mitchell beobachtete sie immer noch. Daher sorgte sie dafür, dass ihre Miene nicht das Geringste verriet. *Du dienst deinem Land*, dachte sie, um ihren eigenen Körper mit dieser Lüge zu täuschen. *Jimmy war ein Verräter.*

Gleichzeitig summte jede Zelle ihres Körpers vor Freude, dass ihr Freund in Wirklichkeit unerkannt und lebendig New York verlassen hatte.

Schließlich zuckte der Mann mit den Achseln und zog seine Akten heraus.

»Das ist William Lee«, erklärte Miss Bennett Eva und Mitchell. »Der neue Chef des Spezialkommandos. Er ersetzt Paduk.«

Der lange Mann streckte ihnen die Hand hin und zeigte mit einem übertriebenen Grinsen seine strahlend weißen Zähne.

Eva schüttelte ihm die Hand, doch Mitchell weigerte sich.

»Sie haben Ihren Posten jetzt schon angetreten?«, fragte Mitchell. »Wo Paduks Leiche möglicherweise noch nicht mal richtig kalt ist. Wo auch immer sie sich befinden mag.«

»Unwahrscheinlich, dass seine Leiche noch warm ist«, erwiderte Lee gelassen. »Er ist in tausend kleine Stücke zerfetzt und im Radius von zehn Quadratkilometern über die Nordsee verstreut worden. Ganz zu schweigen von den Stückchen, die bereits von den Fischen gefressen ...«

»Danke für diese etwas dramatische Darstellung«, unterbrach ihn Miss Bennett. »Ich glaube, wir haben verstanden.«

»Ach, Sie finden diese Vorgänge also nicht dramatisch?«, fragte Lee ironisch. »Wenn unsere größte Ölbohrplattform explodiert? Wenn mein Vorgänger bei seinem Rettungseinsatz versagt und in die Luft gesprengt wird? Oder wenn unsere Wirtschaft und unsere Energieversorgung in eine massive Krise geraten?«

Schweigen machte sich breit, und alle vermieden es, sich anzublicken.

»Das ist eine der Angelegenheiten, die wir diskutieren

wollen«, murmelte Miss Bennett schließlich und deutete auf ihre Akten.

»Dann legen Sie doch mal los«, erwiderte Lee.

Miss Bennett breitete eine Reihe von Papieren auf dem Tisch aus.

Eva beugte sich vor, obwohl sie die Unterlagen bereits kannte. Es waren einige Fotos der Ölbohrinsel darunter, doch das meiste waren eng beschriebene Seiten – der Bericht des *SAS*. Auf allen Papieren prangte der leuchtende grüne Streifen.

»Laut meinem Spurensicherungsteam«, begann Miss Bennett, »weist alles darauf hin, dass es der Sabotageakt eines einzelnen Agenten war«.

»Ein einzelner Agent?«, wiederholte Lee. »Ein Agent, der offenbar nicht die Absicht hatte, sich zusammen mit der Plattform in die Luft zu sprengen, richtig?«

»Es war ein Mädchen«, schaltete sich Mitchell ein. Alle drehten sich zu ihm.

»Mitchell war dort«, erklärte Miss Bennett. »Er war Teil des *SAS*-Teams.«

»Verstehe«, brummte Lee. »Und du hast den Agenten gesehen?«.

Mitchell nickte.

»Sie war maskiert und mit Öl verschmiert, aber von ihrer Statur und ihren Fähigkeiten her war es eindeutig Zafi.«

»Und Zafi ist …«, William Lee studierte einen Augenblick seine eigenen Akten, »… die französische Kinderagentin, richtig? Mitchells Gegenstück? Eine weitere genetisch programmierte, humanoide Agentin?« Er stieß ein trockenes Lachen aus.

»Humanoid?«, rief Mitchell aufgebracht. »Was erlauben Sie sich –«

»Genau«, unterbrach ihn Miss Bennett scharf. »Zafi ist die französische Kinderagentin.«

»*War*«, verbesserte sie Mitchell. »Sie flog zusammen mit der Plattform in die Luft, schon vergessen?«

»Ist ihre Leiche gefunden worden?«, fragte Lee.

»Ich sagte, sie ist in die Luft geflogen, Sie wissen schon: – *Bumm!*« Mitchell deutete mit den Händen eine Explosion an. »In tausend kleinen Stückchen über zehn Quadratkilometer Nordsee verteilt, um Sie zu zitieren. Wollen Sie etwa, dass ich die Fische fange, von denen Sie gesprochen haben, und Ihnen Proben ihrer Ausscheidungen liefere?«

»Schon gut. Also haben die Franzosen die Plattform in die Luft gesprengt, wobei immerhin ihre wichtigste Agentin ausgeschaltet wurde. Auf welche Art werden wir zurückschlagen?«

»Der Premierminister hat mein Dossier zu dieser Fragestellung bereits erhalten«, erklärte Miss Bennett.

»Der Premierminister hat Ihr Dossier sogar gelesen. Aber ich fürchte, er fühlt sich im Augenblick nicht gut. Im Moment treffe *ich* alle Entscheidungen in dieser Angelegenheit.«

»Sie?« Miss Bennett war empört, zügelte sich aber rasch wieder.

Lee ordnete seine Akten, dann fuhr er fort, wobei er Miss Bennett vollständig ignorierte.

»Mutam-ul-it«, verkündete er. Das rätselhafte Wort stand eine Weile unkommentiert im Raum. »Ich habe den starken Verdacht, dass dies unsere beste Option ist. Alle sollen sich bereithalten.«

Er erhob sich und Eva staunte erneut über seine Körpergröße. Fast kam es ihr so vor, als wäre er während des Meetings noch gewachsen.

Als er seine Papiere einsammelte, kam dem Mann ein weiterer Gedanke.

»Haben Sie übrigens das Memo über die morgige Gedenkfeier für meinen Vorgänger gelesen?«

»Ich lese jedes Memo«, fauchte Miss Bennett.

»Es findet am Kriegerdenkmal der Handelsmarine statt«, fuhr er fort. »Der Premierminister erwartet Ihre Anwesenheit. Paduk war sein Freund.«

»Natürlich werden wir anwesend sein«, erklärte Mitchell. »Paduk war auch unser Freund.«

»Und noch eines«, fügte Lee hinzu, der Mitchells bissigen Kommentar ignorierte. »Was ist mit diesem Jimmy Coates? Müssen wir uns da noch Sorgen machen?«

»Die Akte ist geschlossen.« Miss Bennett zog einen einfachen braunen Ordner aus dem Stapel und warf ihn quer über den Tisch. Dabei rutschte eine Seite heraus. Auf ihrer oberen rechten Ecke befand sich ein grobkörniges Foto von Jimmys Gesicht neben einem weiteren grünen Streifen. Große rote Buchstaben waren quer über seine Stirn gestempelt: LIQUIDIERT. Darunter stand in Druckbuchstaben: *New York, USA.*

»Das weiß ich alles längst«, knurrte Lee und starrte auf

die Akte. »Aber hat man inzwischen seine Leiche gefunden?«

»Ein weiteres schmackhaftes Mahl für die Fische«, unterbrach ihn Mitchell mit einem Grinsen.

»Es gibt keine Fische im East River«, erklärte Lee, während er die Akte studierte. »Zu viel Umweltverschmutzung.«

Nach einem kurzen Augenblick des Schweigens schob er die Akte zurück über den Tisch und sah die anderen erwartungsvoll an. »Und?«

»Taucher haben den Fluss abgesucht«, erklärte Miss Bennett seufzend.

»Keine Leiche?«, erkundigte sich Lee.

»Zu viele Leichen.«

»Kinder?« Lee wirkte geschockt.

»Wir reden hier von New York.« Miss Bennett zuckte mit den Achseln. »Wir sind nicht die einzige Organisation, die Kinder und Jugendliche einsetzt. Da gibt es die Mafia, die Triaden ...«

Der bloße Gedanke jagte Eva einen kalten Schauer über den Rücken. Konnte es wirklich sein, dass so viele skrupellose Menschen auf der Welt bereit waren, Kinder zu töten oder als Killer einzusetzen?

»Jedenfalls konnte Jimmy unter Wasser atmen«, warf Mitchell ein. »Möglicherweise ist er noch Kilometer weit abgetrieben, bevor er schließlich gestorben ist.«

Miss Bennett stimmte ihm zu. »Der Suchbereich ist viel zu groß für unsere Möglichkeiten«, erklärte sie mit einem weiteren Achselzucken. »Und ohne politische oder juristische Handhabe ...«

»Aber wir sind sicher, dass er tot ist«, insistierte Lee und stützte sich dabei mit einer Hand auf den Tisch.

Er und Miss Bennett fixierten einander. Dann nickte Miss Bennett langsam.

»Bei so vielen Kugeln, wie er sie abgekriegt hat? Da können wir definitiv sicher sein.«

Lee dachte kurz darüber nach, dann nickte er und marschierte ohne ein weiteres Wort aus dem Raum.

Miss Bennett gab Mitchell ein Zeichen, ebenfalls den Raum zu verlassen. Er salutierte etwas unbeholfen vor seiner Chefin und warf Eva noch einen nervösen Blick zu, bevor er ging.

Eva wollte den beiden anderen schon folgen, doch Miss Bennett hielt sie mit erhobener Hand auf. Sie stützte sich auf den Tisch und stoppte den Digitalrekorder. Ihre gerunzelte Stirn verriet Anspannung.

»Finde etwas über diesen Mann heraus«, flüsterte sie, ohne aufzublicken.

»William Lee?«, staunte Eva. »Was soll ich da herausfinden?«

»Alles. Wo er herkommt, wer er ist und was er will.«

»Was er will? Was meinen Sie damit?«

»Alle wollen irgendetwas.« Miss Bennett tippte langsam mit dem Zeigefinger auf den Tisch, dann hob sie den Blick. »Und wenn du herausfindest, was es ist, dann kennst du auch ihre Schwächen.«

KAPITEL 3

Jimmy war gejagt, getreten, gewürgt und beschossen worden. Man hatte versucht, ihn in die Luft zu jagen, in Öl zu ertränken und in Brand zu stecken. Aber was im Grunde am schlimmsten war, waren die Lügen hinter alldem.

Jimmy zitterte heftig. Die vielen Stunden in zehntausend Meter Höhe forderten jetzt ihren Preis. Ohne das Klimakontrollsystem eines großen Passagierflugzeugs war es hier oben fast so kalt wie in der Arktis. Der *Falcon* war nicht für solche Flughöhen gebaut und Jimmy war definitiv nicht dafür angezogen. Seine Jeans waren zerrissen und sein dünner Kapuzenpullover wärmte ihn kaum.

Dadurch wurde es noch schwieriger, das Flugzeug unter Kontrolle zu halten. Er bewegte den Steuerknüppel inzwischen mit seinen Schultern, weil er sich nicht mehr auf seine Hände verlassen konnte – seine Finger waren wie abgestorben. Außerdem rang er verzweifelt nach Atem. Seine Rippen fühlten sich an wie von Stacheldraht umschlossen.

Doch trotz seiner Schmerzen musste Jimmy ständig an die Lügen denken, die ihn überhaupt erst in diese Situation gebracht hatten. Zuerst hatte ihn der Direktor der *CIA* unter Vorspiegelung falscher Tatsachen überredet, eine britische Ölbohrinsel in die Luft zu jagen. Und jetzt beschuldigten die Briten die Franzosen deswegen und wollten Vergeltung üben. Jeden Augenblick konnte ein Krieg zwischen Frankreich und Großbritannien losbrechen. *Und das ist zum Teil meine Schuld*, dachte Jimmy. Sein Magen krampfte sich zusammen, und das nicht wegen der Luftturbulenzen.

Sein ganzes Leben wurde von Lügen und Geheimnissen bestimmt. Und eines der größten Geheimnisse bestand darin, dass er offiziell gar nicht mehr am Leben war. Der britische Geheimdienst ging davon aus, dass Jimmy in New York getötet worden war.

Und dann waren da noch die Lügen, die ihm sein angeblicher Vater zwölf Jahre lang aufgetischt hatte, bis er ihm schließlich offenbart hatte, dass Jimmy gar nicht sein Sohn war. Und nun, wo Ian Coates auch noch Premierminister war, hatte er den Befehl gegeben, Jagd auf Jimmy zu machen und ihn zu töten.

Lügen diktieren sein Leben, dachte Jimmy. *Er ist ein richtiger Profi darin geworden.*

Selbst ich bin eine Lüge.

Zu 38 Prozent menschlich. Mit schonungsloser Klarheit erinnerte Jimmy sich an den Moment, als er diese Worte zum ersten Mal gehört hatte. Er dachte an das Entsetzen, das sie in ihm ausgelöst hatten. Er hatte erfahren, dass er vom britischen Geheimdienst genetisch programmiert worden war, um mit achtzehn Jahren als Agent und Killer zum Einsatz zu kommen. Bis zu diesem Zeitpunkt hätte er als scheinbar normales Kind aufwachsen sollen, ohne selbst von seinem Geheimnis auch nur zu ahnen.

Doch anstatt abzuwarten, bis Jimmy das Erwachsenenalter erreicht hatte, wollte ihn die Regierung vorzeitig auf eine Mission schicken. *Obwohl ich noch ein Kind war, sollte ich für sie töten.* Er wollte sich nicht vorstellen, was aus ihm geworden wäre, hätte er diese Mission tatsächlich durchgezogen und sich nicht im letzten Moment geweigert. Aus diesem Grund hatte ihn der *NJ7* nun zum Staatsfeind Nummer 1 erklärt.

Jimmys besondere Agentenfähigkeiten hatten sich seit dieser Zeit kontinuierlich weiterentwickelt und ihm nichts als Ärger eingebracht. *Und jetzt veranlassen sie möglicherweise sogar einen Krieg,* dachte er voller Schrecken.

Jimmy suchte verzweifelt nach Wegen, den Krieg zu verhindern. Der einfachste Weg schien ihm, einzugestehen, dass *er* die Ölbohrinsel in die Luft gejagt hatte – und nicht die Franzosen. Doch bei einer Rückkehr nach Großbritannien würde er sofort wieder zur Zielscheibe des Geheimdienstes. *Damit werde ich fertig,* dachte er. *Wenn es einen Krieg verhindert, dann ist es das wert.*

Doch so einfach war es leider nicht. Seine Mutter, seine Schwester und sein bester Freund waren in London. Britische Agenten überwachten jeden ihrer Schritte. Sobald Jimmy dort auftauchte, würden alle seine geliebten Menschen erneut in höchste Gefahr geraten. Im besten Fall würden sie verhaftet; im schlimmsten Fall … Jimmy wagte nicht, sich vorzustellen, welche schrecklichen Methoden der *NJ7* anwenden würde, um an Informationen über ihn zu kommen.

Er schauderte und richtete seine Energie wieder auf die

Steuerung des Flugzeugs. Doch innerlich fühlte er sich völlig zerrissen. Es war eine einfache Gleichung: Entweder er verhinderte einen Krieg und lieferte damit seine Familie dem Geheimdienst aus, oder er blieb im Verborgenen und schützte seine Familie, gefährdete damit aber den fragilen Frieden in Europa.

Inzwischen mussten sie irgendwo hoch über den Bergen an der französisch-spanischen Grenze fliegen. Jimmy hatte das Funksystem des *Falcon* auf den Kanal des *Airbus* eingestellt. Auf dem Sitz neben sich und am Cockpitboden hatte er sämtliche verfügbaren aeronautischen Karten ausgebreitet. Jeder Funkspruch des *Airbus* wurde automatisch wiederholt – eine Standardsicherheitsprozedur bei kommerziellen Flügen. Auf die Art hatte Jimmy ausreichend Hinweise über die Flugroute erhalten.

In seinem Kopf reifte eine Idee. *Frankreich*, dachte er. *Vielleicht liegt dort die Lösung?* Würde ihm dieses Land ermöglichen, seine Familie zu schützen und gleichzeitig einen Krieg zu verhindern? *Nicht aufgeben.* Die Stimme in seinem Kopf drängte ihn, weiter in diese Richtung zu überlegen, doch sein Gehirn war durch den Sauerstoffmangel wie benebelt. Jimmy erstickte langsam, aber sicher. Er musste die Flughöhe reduzieren, egal wo er sich befand. Immer wieder wanderte sein Blick zwischen den Karten und der Nase seines Flugzeugs hin und her, um die beständigen Änderungen der Luftströmung zu erspüren und Kurskorrekturen vorzunehmen.

Zeit, nach unten zu gehen, ermahnte er sich und drückte den Steuerknüppel zur Seite.

Es war, als würde er vom Rücken eines Rodeo-Bullen geschleudert. Der gewaltige Rumpf des *Airbus* donnerte weiter, während sich der Abstand zwischen ihnen vergrößerte. Bald war das Passagierflugzeug nur noch ein grauer Schatten weit über ihm.

Jimmy befand sich jetzt im freien Fall. Mit seinen blau gefrorenen Händen hämmerte er auf die Zündung und legte zwei Schalter um. Die Motoren des *Falcon* sprangen an.

Ich schaffe es nach Frankreich, dachte er triumphierend in seinem zunehmend klarer werdenden Kopf. *Ich warne sie vor britischen Attacken und stelle einen Kontakt zu Uno Stovorsky her.*

Er war Uno Stovorsky bei seiner ersten Reise nach Frankreich begegnet – Uno war ein Agent des französischen Geheimdiensts. Der Mann war nicht sonderlich umgänglich, aber er hatte Jimmy und seiner Familie geholfen. Jimmy hoffte, dass der Mann ihm erneut beistehen würde.

Und dann setzten die Motoren aus.

Panik überfiel Jimmy. Doch gleichzeitig regten sich in ihm seine besonderen Kräfte. Erneut drückte Jimmy die Zündung. Ohne Erfolg. Wieder und wieder versuchte er die Turbinen des *Falcon* zu starten, aber sie stotterten nicht einmal. Seine Hände bewegten sich ruhig über das Kontrollpaneel, während er fieberhaft überlegte.

Kein Treibstoff. Kein Schub. Kein Treibstoff. Kein Schub. Die Worte hallten wie ein Trommelrhythmus in seinem Kopf wieder.

Doch Jimmys Konditionierung hatte bereits eine Strategieänderung eingeleitet. Jemand anderes schien jetzt in seinem Kopf Befehle zu erteilen, aber so schnell, dass er sie kaum verstehen konnte. Und plötzlich wusste Jimmy genau, was zu tun war.

Er fuhr die Steuer- und Landeklappen an den Tragflächen aus, bis das Flugzeug durch die Luft schwebte, anstatt wie ein Stein nach unten zu sacken. Die Bauweise des *Falcon* half ihm dabei – er war prädestiniert für Gleitflüge.

Doch Jimmy konnte natürlich nicht ewig hier oben schweben. Er sah sich nach einem Fallschirm und einem Ausstiegsmechanismus um. Doch dann fiel es ihm siedend heiß wieder ein: Jeder der Passagiere und Crewmitglieder hatte seinen Fallschirm dabeigehabt, als Jimmy mitten in der Luft die Kontrolle über das Flugzeug übernommen und sie aus der Maschine geworfen hatte. Er hatte selbst dafür gesorgt, dass alle einen Fallschirm hatten, denn schließlich sollte niemand zu Tode stürzen. Doch diese Entscheidung bedeutete nun sein eigenes Ende.

Jimmy segelte in einem winzigen Flugzeug in mehreren Tausend Meter Höhe ohne Antrieb und Fallschirm.

Plötzlich kippte das Flugzeug nach links. *Das war's*, dachte Jimmy. Eine starke vertikale Thermik zog das Flugzeug nach unten.

Jimmy wurde übel. Er stürzte durch die Wolkendecke und sah unter sich mit Schneekappen bedeckte Gipfel.

Das Flugzeug schoss direkt auf eine Bergflanke irgendwo in den Pyrenäen zu.

Jimmys sämtliche Muskeln spannten sich. Das schrille Pfeifen des Sturzflugs schien sich direkt in sein Gehirn zu bohren und seine Panik zu verdoppeln. Trotzdem bewegte er sich so rasch, dass er es selbst kaum begreifen konnte.

Er sprang aus seinem Sitz und kletterte zum Heck des Flugzeugs, die Nägel in den Teppichboden krallend. Die Bewegung brachte wieder etwas Gefühl in seine tauben Finger.

Als er die Passagierkabine erreicht hatte, umklammerte er die Anschnallgurte eines Sitzes und schwang seine Beine mit aller Kraft in Richtung Notausgang. Die Tür flog mit solcher Gewalt auf, dass die Scharniere brachen und sie nach draußen gerissen wurde. Ein gewaltiger Windstoß erfasste Jimmy und schleuderte ihn zurück gegen die Sitze. Doch er spannte seine Bauchmuskeln und zwang seinen Körper aus dem Notausstieg. Dabei straffte er die Arme, um die Sitzgurte aus ihrer Befestigung zu reißen. Er landete draußen auf der Tragfläche und rutschte auf ihr entlang, wobei sein Kopf auf das Metall donnerte.

Jimmy kämpfte mit aller Kraft gegen den Wind an. Seine Hände arbeiteten verzweifelt. Er war sich nicht einmal sicher, was er da überhaupt tat. Er war fast blind, weil seine Augen wie verrückt tränten. Er musste sich darauf verlassen, dass seine Agenteninstinkte ihn lenkten, und seine Panik eindämmen.

Er schwang die beiden Sitzgurte über den vorderen Rand der Tragfläche, wo sich die Schließen verhakten. Dann wandte er sich in Richtung Bergflanke, ging in die Hocke und hielt sich mithilfe der Sitzgurte in Position. Der Wind zerrte so stark an seinem Gesicht, dass er fürchtete, die Haut könnte reißen.

Er spannte die Beine, bewegte sich rasch auf und ab und rüttelte an der Tragfläche. Über das Tosen des Windes hinweg hörte er ein Knirschen. Die Verbindungen der Tragfläche zum Flugzeugrumpf lockerten sich. Jimmy hüpfte weiter auf und ab, während das Knirschen lauter wurde. Dann krachte es laut, und dann noch einmal.

Der Berg schoss auf ihn zu. Er konnte jetzt einzelne Felsen und steinige Stellen im Schnee erkennen. Jimmy bündelte seine gesamte Energie in den Beinen und rüttelte verzweifelt an der Tragfläche. Und schließlich kam das erlösende Geräusch.

KRACH!

Die Tragfläche löste sich vom Rumpf des Flugzeuges.

Jimmy wurde fast heruntergeschleudert. Er warf den Kopf und die Schultern nach hinten, drückte die Fersen fest gegen das Metall und umklammerte weiter fest die Sitzgurte. Durch die Verlagerung seines Körpergewichtes brachte er den Flügel direkt unter sich. Er stand jetzt auf einer horizontalen Plattform und nutzte den Luftwiderstand, um seinen Sturz zu bremsen.

Die Tragfläche schwankte gewaltig unter seinen Füßen. Immer wieder drohte sie, zu einer Seite abzuschmieren, doch Jimmy ließ es nicht zu. Jimmy *surfte* durch die Luft. Doch anders als vorhin im *Falcon* gab es keine hilfreichen Luftströmungen, nur einen rasanten senkrechten Fall.

Die Bergflanke schoss auf ihn zu. In diesem Augenblick krachte der Rest des *Falcon* gegen die Felsen. Der letzte Treibstoff im Tank jagte gewaltige schwarze und orangefarbene Flammen in den Himmel. Jimmy fühlte die Hitze, noch bevor er die Detonation hörte. Doch genau das würde ihn retten.

Die aufsteigende heiße Luft sorgte für Auftrieb unter Jimmys Tragfläche, gleichzeitig brachten ihn die wilden thermischen Wirbel aus der Balance. Er stürzte nach vorne und sein Kinn knallte gegen die Vorderkante des Flügels.

Dann fand sein Sturz ein abruptes Ende. Die Tragfläche landete mit einem brutalen Krachen im Schnee. Jimmy klammerte sich verzweifelt daran fest, während er einen steilen Hang hinuntersauste. Die Rutschpartie war unglaublich rasant, nicht viel anders als der freie Fall von eben. Allerdings konnte Jimmy nun zudem das bösartige Kratzen von hartem Schnee und Eis unter sich hören.

Sein Surfbrett war zum Snowboard geworden. Jimmy drückte die Arme durch und brachte seinen Körper wieder in aufrechte Position. Vor sich sah er nichts außer einer emporgewirbelten Schneefontäne. Er verlagerte sein Gewicht beständig von einem Fuß auf den anderen, um sich dem holprigen Terrain anzupassen.

Die Flügelkante schnitt durch das Eis, wirbelte scharfkantige Splitter in Jimmys Gesicht und gegen seine Brust. Es war ihm egal. Langsam verringerte sich sein Tempo.

Dann krachte er gegen einen Felsen. Die Tragfläche wurde in die Luft katapultiert und Jimmy mit ihr. Er wurde mit solcher Gewalt emporgeschleudert, dass er befürchtete, seine sämtlichen Glieder würden aus den Gelenken gerissen. Er hörte seinen eigenen Aufschrei, fremdartig und aus großer Entfernung. Die Kälte biss in seine Haut und er sah nichts als strahlendes Weiß.

Und dann: *BÄMM!*

Er knallte irgendwo dagegen und das totale Weiß um ihn wurde zu einem totalen Schwarz.

KAPITEL 4

Eva beobachtete die Schatten der vorbeiziehenden Wolken auf dem Londoner Tower, um sich von der stickigen Luft und dem angespannten Schweigen im Inneren des Wagens abzulenken. Sie und Mitchell parkten hier seit mindestens einer Stunde und hatten den Befehl, den Wagen nicht zu verlassen. Eva war im Grunde froh, dass sie nichts sagen musste, doch irgendwann brach Mitchell das Schweigen.

»Deine Eltern glauben also, dass du tot bist?«, brummte er.

Netter Anfang für eine Unterhaltung, dachte Eva. Sie zuckte mit den Achseln und blickte jetzt aus dem anderen Fenster hinüber zum Trinity Square, wo sich die Menge um das Kriegerdenkmal der Handelsmarine versammelt hatte. Außer einer Reihe von Rücken in etwa zwanzig Meter Entfernung war nicht viel zu erkennen. Sie fand es ungewöhnlich, dass so viele Menschen bei dieser Gedenkfeier so strahlende Farben trugen. Vermutlich hing es damit zusammen, dass die Militärangehörigen alle in ihrer Galauniform erschienen waren. Die Beamten und Journalisten waren natürlich alle in Schwarz gekleidet und so wirkte das Ganze wie eine bunt gemischte Schar aus Raben und Pfauen.

»Macht es dir denn gar nichts aus, dass sie dich für tot halten?«, fuhr Mitchell fort. »Sie könnten dich ja vermissen, oder?«

Eva seufzte. »Meine Eltern und ich, wir sind ohnehin nicht gut miteinander klargekommen«, erklärte sie. »Und meine Brüder wissen zum Glück, dass ich am Leben bin. Das ist alles, was zählt.«

»Du hast Glück, dass du deine Eltern überhaupt kennst«, murmelte Mitchell.

Für einen kurzen Augenblick spürte Eva so etwas wie einen Anflug von Sympathie. Mitchell hatte noch nie über seine eigene Familie gesprochen. Eva hätte ihm beinahe erzählt, dass sie einiges über seine Vorgeschichte wusste: dass seine Eltern bei einem Autounfall ums Leben gekommen waren, als er noch ganz klein gewesen war; er von seinen Pflegeeltern abgehauen war und dass sein Bruder ihn geschlagen hatte. Aber sie wusste auch noch etwas anderes über ihn: Mitchell war genetisch optimiert und sollte zu einem Agenten und Auftragskiller der Regierung heranwachsen.

Eva schauderte und schob ihr Mitgefühl beiseite. Der Junge neben ihr war der Feind. Das durfte sie niemals vergessen. Schon mehrmals hatte man ihn losgeschickt, um Jimmy Coates zu töten. Der Gedanke daran ließ ihren Atem stocken. Jimmys Schwester war ihre beste Freundin. Und für Jimmy und Georgie Coates riskierte Eva täglich ihr Leben beim *NJ7*.

Sie langte nach vorne zum Fahrersitz und drehte den Zündschlüssel, damit sie ihr Fenster herunterlassen konnte.

»Hey«, protestierte Mitchell. »Die Wagenfenster sind nicht umsonst dunkel getönt, klar?«

Reflexartig beugte er sich zu ihrer Seite hinüber, um den Schalter für den Fensterheber zu drücken. Doch als er merkte, wie nahe er ihr dabei kam, erstarrte er.

Eva funkelte ihn wütend an.

»Es sind doch nur ein paar Zentimeter, okay?«, zischte sie leise.

Mitchell zog sich zurück.

»Wenn irgendjemand herausfindet, dass der britische Geheimdienst zwei 14-Jährige beschäftigt, wird Miss Bennett durchdrehen.«

»Wer sollte das denn rausfinden?«, fragte Eva. »Selbst wenn uns die Journalisten entdecken, dürfen sie nichts darüber bringen, oder? Alles muss mit der Pressestelle der Regierung abgesprochen sein.«

»Keine Ahnung. Miss Bennett wollte, dass wir uns im Hintergrund halten. Das ist alles. Ansonsten würden wir ja mit da drüben stehen, oder etwa nicht?«

Er nickte in Richtung der Menschenmenge. »Ich sollte auf jeden Fall dort sein. Du weißt schon, um ihm meinen Respekt zu erweisen, oder was auch immer. Schließlich war ich auf einer gemeinsamen Mission mit Paduk. Und er hat mich trainiert.«

»Du trainierst dich selbst«, schnappte Eva. »Du bist mit ihm joggen gegangen, das war alles.«

Mitchell schwieg. Natürlich hatte sie recht. In Details war sie immer sehr genau und Mitchell wollte sie nicht provozieren. Außerdem hatte er keine Lust, sich über die fast unheimliche Art von Entwicklung zu verbreiten, die in seinem Körper vor sich ging: wie seine Muskeln sich während des Schlafs von selbst trainierten, seine Programmierung Tausende von Signale durch seine Synapsen schickte und er in jeder Sekunde neue Fähigkeiten erwarb, mit denen er niemals gerechnet hätte. Die Fähigkeiten eines Agenten und Auftragskillers.

Sie waren beide froh, als sie von der Stimme des Premierministers abgelenkt wurden, die mit der kühlen Luft herüberwehte.

»Paduk ist im Dienst für sein Land gefallen, während er eine unserer wichtigsten Einrichtungen vor ausländischer Sabotage zu schützen versuchte …«

Die beiden mussten die Ohren spitzen. Immer wenn draußen ein Wagen vorbeifuhr, übertönte er die Rede.

»Unsere Antwort wird auf diplomatischem Wege erfolgen … um eine friedliche Lösung zu finden … aber wenn man uns angreift, sind wir auch bereit …«

Eva wollte das alles nicht hören. Was auch immer der Mann sagte, es war vermutlich eine Lüge. Aber es waren nicht mal so sehr seine Worte, die sie aufregten. Es war diese Stimme – gelassen, autoritär, aber eben nicht nur die Stimme des Premierministers, sondern auch die des Vaters ihrer besten Freundin.

Wenige Minuten später kam Ian Coates in Mitchells und Evas Richtung marschiert, auf beiden Seiten von Geheimagenten in schwarzen Anzügen flankiert. Die Sonne glitzerte auf ihren schwarzen Sonnenbrillen und brachte die grünen Streifen auf ihren Revers zum Leuchten. Es waren große kräftige Männer, doch der Premierminister war kaum kleiner.

Eva musste daran denken, dass sie ihn immer für einen ganz normalen Geschäftsmann gehalten hatte. Dabei war er in Wahrheit ein Agent des *NJ7* gewesen, ebenso wie Georgies Mutter Helen. Seit er Premierminister war, trainierte er offensichtlich wieder intensiv. Seine Muskeln zeichneten sich unter seinem Anzug ab.

Eva musterte ihn, während er mit entschlossen vorgerecktem Kiefer auf sie zukam. Irgendetwas stimmte nicht. Er schwankte leicht beim Gehen, sein Gesicht war blass, und unter seinen Augen zeigten sich gelbe Tränensäcke.

Mit einer gezwungen wirkenden Geste winkte er den Journalisten zu, bevor er von weiteren Geheimagenten umringt wurde. Offenbar hatte er keine Zeit, dem gefallenen Helden seinen privaten Tribut zu erweisen. Allerdings schien ihn das auch nicht weiter zu stören.

Evas und Mitchells Wagen war einer von fünfen im Konvoi. Ihr Fahrer erschien aus dem Nichts, öffnete die Hecktür und forderte Mitchell auf, Platz für Miss Bennett zu machen.

Der Wagen des Premierministers stand direkt vor ihnen. Nachdem Ian Coates einen Fuß in den Wagen gesetzt hatte, drehte er den Kopf erneut in Richtung der Gedenkfeier.

Eva folgte seinem Blick und bemerkte, wie Miss Bennett sich über die Wiese näherte. Sie bewegte sich elegant und mit einem leichten Hüftschwung. Eva war überrascht, wie mühelos sie in hochhackigen Schuhen auf diesem Untergrund gehen konnte. Einer ihrer Mundwinkel war zu einem halben Lächeln nach oben gezogen, und als ein Sonnenstrahl auf ihren engen Rock fiel, leuchteten die feinen, in den Stoff eingewobenen grünen Streifen auf.

Als Miss Bennett den Wagen des Premierministers erreichte, sprachen sie rasch miteinander, wobei sie sich beständig ins Wort fielen.

Eva konnte sie nur schlecht verstehen, aber es war offensichtlich, dass sie über irgendetwas stritten. Eva öffnete ihr Fenster ein wenig weiter, um sie zu belauschen.

Mitchell erhob Einspruch. »Was tust du …?«

»Psst!«, zischte Eva. »Hast du irgendeine besondere Fähigkeit, um die beiden besser hören zu können?«

Mitchell stieß ein höhnisches Lachen aus. Aber bevor er etwas erwidern konnte, wurde er von einem lauten Klicken unterbrochen. Die Hecktür auf der anderen Seite der Limousine des Premierministers flog auf.

Eva und Mitchell beugten sich gespannt nach vorne. Aus dem Wagen stieg William Lee.

Seine Erscheinung ließ Miss Bennett verstummen.

Ian Coates blickte zwischen Lee und Miss Bennett hin und her. Für einen Augenblick schwiegen alle drei. Dann spähte der Premierminister hinauf in den Himmel, bevor er einen Befehl gab, den Eva nun deutlich verstand. Allerdings ergab er für sie nicht den geringsten Sinn.

»Mutam-ul-it. Holen wir es uns.«

Lees Antwort war über alle Hintergrundgeräusche hinweg vernehmlich.

»Ich schicke den *Zerstörer.*«

Eva drehte sich zu Mitchell, aber an seiner Miene war abzulesen, dass ihm das Ganze genauso rätselhaft war wie ihr.

Kurz darauf nahm Miss Bennett neben ihnen Platz.

»Was ist los?«, erkundigte sich Eva, obwohl Miss Bennett nun klar sein musste, dass sie gelauscht hatten. »Und wer ist *der Zerstörer*. Was hat er damit gemeint?«

»Das bedeutet, es kommt Arbeit auf uns zu«, erwiderte Miss Bennett ruhig. Dann verdüsterte sich ihre Miene. »Es bedeutet, dass wir Frankreich angreifen.«

KAPITEL 5

Felix' Finger zitterten auf der Glastür. Normalerweise hatte er keine Schwierigkeiten damit, einfach in ein Restaurant zu spazieren, aber an diesem Abend zögerte er. Sein Arm schien wie gelähmt. Er starrte auf sein Spiegelbild: große, braune, ein wenig zu weit auseinanderstehende Augen und ein Wust schwarzer Locken auf seinem Kopf. Doch vor seinem inneren Auge sah er etwas ganz anderes.

Er erinnerte sich an eine Glastür genau wie diese, fast fünftausend Kilometer entfernt in China Town, New York. Und wieder einmal spulte sich diese Szene vor ihm ab. *Er selbst steht verborgen in der Dunkelheit, während eine schwarze Limousine vorfährt. Zwei große Männer in schwarzen Anzügen springen heraus, packen seine Eltern und werfen sie zu Boden. Seine Mutter blickt vom Asphalt auf und gibt Felix ein Zeichen zu verschwinden.*

»Ist schon in Ordnung«, ertönte ein Flüstern hinter ihm und schreckte ihn aus seinen Erinnerungen. »Es ist nicht wie in China Town.«

Das war Georgie. Obwohl Felix zwei Jahre jünger war, fühlte er sich in letzter Zeit Georgie ebenso nahe wie früher ihrem Bruder Jimmy. Hinter Georgie stand ihre Mutter Helen. Beide lächelten ihn auf die gleiche beruhigende

Weise an, mit geschlossenen Lippen und leiser Besorgnis im Blick.

Also stieß Felix die Tür auf und betrat eines der letzten Sushi-Restaurants im Zentrum Londons. Es hatte einmal Zeiten gegeben, da war die Innenstadt voller solcher Lokale gewesen, und sie waren immer voll besetzt – mit Touristen, Einheimischen, Angestellten. Aber Felix und Georgie waren zu jung, um das erlebt zu haben, und in dieser Nacht war die Brewer Street in Soho menschenleer.

Bevor Georgie und Helen Felix folgten, spähten beide instinktiv die Straße entlang. Ihnen war klar, dass jeder ihrer Schritte vom *NJ7* überwacht wurde, entweder per Kamera oder durch Agenten. Beständig einen Blick über die Schulter zu werfen, war für Helen eine alte Gewohnheit und inzwischen für Georgie eine neue geworden. Eine mehr als nützliche Angewohnheit.

Gerade als Georgie über die Schwelle des Lokals treten wollte, huschte ein Mann die Straße entlang, so schnell, dass er fast schon wieder an ihnen vorbei war, als Georgie den Nachhall seines Flüsterns vernahm:

»Nasu Miso.«

Nasu Miso? Georgie wiederholte die Worte lautlos. War es eine Art geheimer Botschaft oder einfach nur ein Ausländer, der *Entschuldigung* sagte? Sie verfolgte die Silhouette des Mannes, der die Straße entlangflitzte. Sein Kopf und sein Körper waren kugelrund, fast wie eine Orange, die oben auf einer Melone balanciert.

Ihre Mutter schubste sie in das Restaurant.

Es war ein schmaler Raum, mit einer niedrigen Bar und

etwa dreißig leeren Stühlen. Ein kleines Förderband wand sich durch den ganzen Raum und transportierte Dutzende von Schälchen mit Speisen. Japanische Kellner mit blütenweißen Schürzen und ernsten Mienen standen mit den Armen hinter dem Rücken herum.

»Drei grüne Tees, bitte«, verkündete Felix nervös, während er sich auf den nächsten Stuhl pflanzte.

Sie wollten hier nichts essen. Es sollte nur so aussehen, um den *NJ7* zu täuschen.

Georgie wusste, dass sie alle das Gleiche dachten: Sie hofften, einen Mann zu treffen, der ihnen bei der Suche nach Felix' Eltern helfen konnte. Er war von einer französischen Organisation, die von der britischen Regierung verschleppte Menschen aufspürte.

Georgie war ohnehin nicht hungrig, ihr war eher ein bisschen übel.

Kaum hatte sie sich gesetzt, als ihre Mutter verkündete: »In Ordnung, lasst uns gehen.«

»Moment«, stotterte Felix. »Wollen wir nicht …« Er blickte sich zu den Kellnern um. Die Männer beobachteten sie. Felix wusste, dass er nichts preisgeben durfte, aber seine Miene drückte tiefe Sorge aus.

»Er kommt vielleicht zu spät«, flüsterte Felix. »Wir sollten warten. Das könnte der einzige Weg sein, meine …«

Helen brachte ihn mit einem Lächeln zum Schweigen. Sie hatte ein einzelnes Schälchen von dem Förderband genommen: Auberginenstückchen in einer bräunlichen Soße. Die lilafarbene Schale des Gemüses glänzte im matten Licht.

Georgie warf einen raschen Blick auf die Speisekarte und studierte die Bilder. Dann entdeckte sie es. »*Nasu Miso*«, murmelte sie.

»Kommt schon, gehen wir«, wiederholte Helen leise. Sie schob ihre Finger unter das Schälchen und zog drei Kinokarten hervor. »Wir wollen schließlich die Trailer nicht verpassen.«

Als Helen, Georgie und Felix ihre Plätze in der Mittelreihe des Kinos eingenommen hatten, waren Werbung und Voranzeigen bereits vorüber. Dem schwarz-weißen Vorspann zufolge hieß der Film *Die Lady von Shanghai*, dann begannen die Schauspieler mit amerikanischem Akzent zu sprechen.

»Was für eine komische Art von Kino ist das?«, flüsterte Felix verwundert. »Wieso dürfen die hier amerikanische Filme zeigen?«

»Alte Filme sind in Ordnung«, flüsterte Helen zurück. »Der hier ist 1947 gedreht worden.«

Felix verzog das Gesicht, als würden die Bilder auf der Leinwand einen üblen Geruch absondern.

»Die erwarten ernsthaft, dass Leute sich einen Film angucken, der älter ist als Methusalem, in Schwarz-Weiß und von irgendeiner chinesischen Frau handelt? Kein Wunder, dass hier alles leer ist.« Er ließ sich zurücksinken und begann an dem abgewetzten Samt seines Kinostuhls herumzuzupfen.

Doch es gab noch weitere Personen im Kinosaal – ein einsamer Mann in der ersten Reihe, auf dessen Glatzkopf sich das flackernde Licht der Projektion spiegelte, und zwei junge Frauen.

Felix vermutete, dass es Studentinnen waren, und fragte sich, ob sie wohl feste Freunde hatten. Er wollte sich unbedingt vom wahren Grund ihres Hierseins ablenken, daher zwang er sich, dem Film zu folgen.

Plötzlich ertönte ein Flüstern in der Reihe hinter ihnen.

»Nicht umdrehen.«

Die Stimme hatte einen französischen Akzent.

Felix und Georgie erstarrten in ihren Sitzen, doch dann konnte Felix es sich nicht verkneifen, ganz langsam nach hinten zu schauen.

»Gefällt euch der Film?«, zischte der Mann. Er beugte sich so weit vor, dass Felix das Popcorn in seinem Atem riechen konnte.

Felix wandte sich rasch wieder nach vorn, noch bevor er den Mann wirklich gesehen hatte.

Helen drehte sich gar nicht um, selbst als sie zu sprechen begann.

»Ich vermute, Sie haben meine Nachricht erhalten?«

Felix' Pulsschlag beschleunigte sich. Vielleicht wusste der Mann bereits, wo seine Eltern sich aufhielten. Doch seine Hoffnungen wurden fast augenblicklich enttäuscht.

»Eine Menge Menschen sind verschwunden, seit diese Regierung an der Macht ist«, erklärte der Mann. »Meine Organisation ist bereits völlig überlastet. Jeden Tag erhalten wir neue Nachrichten von verzweifelten Familienmitgliedern, Freunden, Lehrern. Tausende davon. Menschen mit Ansichten, die diese Regierung nicht toleriert. Menschen, die irgendwann einmal Sympathie für Christopher Viggo geäußert haben. Sie alle verschwinden. Warum denken Sie, dass Ihr Fall so besonders ist?

»Wenn er nichts Besonderes ist, warum wollten Sie uns dann treffen? Warum sind Sie das Risiko eingegangen?«, konterte Helen.

»In Ihrer Nachricht hieß es, der *NJ7* benutzt Ihre Freunde möglicherweise für politische Zwecke. Das ist ungewöhnlich. Was haben Sie damit gemeint? Diese Leute waren keine Politiker. Waren sie wichtige Personen des öffentlichen Lebens? Wissenschaftler vielleicht?«

»Nein.«

»Dann verschwenden Sie meine Zeit.«

Felix hörte, wie der Mann aufstand. Er wollte nach hinten greifen oder laut rufen, um ihn zum Bleiben zu bewegen.

Doch völlig überraschend wirbelte nun Helen Coates herum und bemerkte laut: »Ich habe für die gearbeitet.«

Der Mann kam langsam zu ihnen zurück.

Der Kahlkopf vorne im Kino drehte sich um und machte laut: »Psst!«

»Für die Eltern dieses Jungen?«, erkundigte sich der Franzose und hockte sich hinter Helens Sitz.

»Nein – für den *NJ7*.«

Es entstand eine Pause, in der die Stimmen von der Leinwand deutlich zu vernehmen waren.

»Es ist viele Jahre her. Ich war beim britischen Geheimdienst, aber ich bin ausgestiegen, als ...« Sie unterbrach sich und blickte sich besorgt um.

»Schon in Ordnung«, beruhigte sie der Mann. »Dieses

Gebäude hat noch mit Blei verkleidete Wände. Das macht es fast unmöglich für den *NJ7*, uns zu belauschen oder zu beobachten, ohne einen Agenten hier drin zu haben.«

»Nun, das ist schon alles.« Helen ging nicht weiter auf ihre Vergangenheit ein.

»Verstehe.« Der Mann dachte einen Augenblick nach und schaufelte dabei eine Handvoll Popcorn aus einer Tüte. »Das erklärt manches. Ihre Art, uns anzusprechen und dieses Treffen zu fordern.«

Felix spähte nach hinten. Er wollte kein einziges Wort verpassen. Und jetzt sah er zum ersten Mal das Gesicht des Mannes – es war rundlich und feist, mit einem fein säuberlich gestutzten blonden Schnurbart.

Plötzlich zuckte der Schnurrbart. »Neil und Olivia Muzbeke könnten doch wichtiger sein als zuerst vermutet«, verkündete der Mann.

Felix erschauderte bei der Erwähnung seiner Eltern. *Sie sind wichtig!*, schrie er innerlich. »Werden Sie uns helfen?«, rief er in einer plötzlichen Gefühlsaufwallung. Es gelang ihm kaum, seine Stimme zu dämpfen.

Der Mann ignorierte ihn und sprach weiter direkt in Helens Ohr.

»In Ihrer Nachricht hieß es, man hätte die beiden in New York entführt. Folglich könnten sie sich in einem der vielen Dutzend britischen Internierungslager auf der ganzen Welt befinden. Aber aus Ihren Erzählungen schließe ich, dass sie vermutlich noch leben.«

Felix fühlte einen dicken Kloß in seinem Hals. Er kämpfte gegen die Tränen an.

»Was ist, wenn ich Sie erneut kontaktieren muss?«, fragte Helen.

»Sie werden mich nie wiedersehen«, erwiderte der Franzose. »Aber es wird jemand mit Ihnen Kontakt aufnehmen.«

Der Mann verließ sie, nachdem er sie angewiesen hatte, bis zum Ende des Filmes zu bleiben und dann direkt nach Hause zu gehen.

Felix hockte in der Dunkelheit und konnte an nichts anderes als an seine Eltern denken und daran, wie wundervoll es sein musste, ein Franzose zu sein.

KAPITEL 6

Jimmy schlug die Augen auf. Er war von Weiß umgeben. Das Weiß war so strahlend, dass seine Augen schmerzten.

Er versuchte an seinem Körper hinabzublicken, aber die Bewegungsfreiheit seines Kopfes war eingeschränkt, als würde er von einer Klammer festgehalten. Seine Haut prickelte vor Kälte. Und je wacher er wurde, desto mehr trat der Schmerz in sein Bewusstsein und fühlte sich an wie tausend Dolchstöße.

Das Pochen seines Herzens und das Rauschen des Blutes in seinen Ohren waren die einzigen wahrnehmbaren Geräusche. Sonst herrschte absolute Stille. Doch schon die geringste Bewegung erzeugte ein Knirschen, das im Vergleich dazu wie ein Donnerschlag wirkte. *Was ist das nur?*, fragte Jimmy sich. Gleich darauf wurde ihm klar, dass es der dicht gepresste Schnee um ihn herum war.

Nun erst erinnerte Jimmy sich an seinen Absturz in den Pyrenäen und erkannte, dass er in einer Schneewehe feststecken musste. Seine Körperwahrnehmungen waren weniger verstörend, jetzt wo er eine Erklärung dafür hatte. Aber dann überfiel ihn eine weitere Erinnerung – der Grund dafür, warum er überhaupt hier war.

Großbritannien will Frankreich angreifen. Wie lange war ich bewusstlos? Ich muss die Franzosen warnen.

Doch höchstwahrscheinlich war es schon zu spät.

Jimmy wollte seine rechte Hand heben, um sich übers Gesicht zu wischen, aber sie steckte im Schnee fest. Er riss an seinem Arm, was einen stechenden Schmerz in seinem Brustkorb erzeugte.

Er bemühte sich, einen klaren Gedanken zu fassen, zu erkennen, wo oben und unten war. Er wollte ausspucken, aber sein Mund war so trocken, dass es ihn einige Anstrengung kostete. Die Spucke lief an seiner Wange entlang und gefror dann direkt unter seinem Auge.

Großartig, dachte er. *Ich liege hier kopfunter begraben.*

Endlich gelang es ihm, genügend Schnee wegzuschaufeln, bis er rückwärts umfiel. Es war nur ein kurzer Sturz, doch der Aufprall verdoppelte den Schmerz in seinem Körper. Er umklammerte die rechte Seite seines Brustkorbs und stieß einen Schmerzensschrei aus, der von den Felsen widerhallte.

Die Welt um Jimmy herum war immer noch fast ausschließlich weiß. Nebelfetzen wehten vorbei, teilten sich nur gelegentlich und gaben den Blick auf die umliegenden Berge frei. Gewaltige Gipfelketten ragten auf und schienen auf ihn herabzustarren.

Abgesehen von diesen kurzen Lichtblicken betrug Jimmys Sichtweite höchstens ein paar Meter. Er besaß zwar die Fähigkeit, im Dunkeln besser zu sehen als normale Menschen, und das hatte ihm in der Vergangenheit häufig in schwierigen Situationen geholfen. Aber das hier war keine Dunkelheit, es war eher das Gegenteil. Hier würde ihm seine Nachtsichtfähigkeit kein bisschen weiterhelfen.

Er blickte zurück und erkannte mit Mühe das Loch, in dem er eben noch gesteckt hatte. In einer Wand aus Schnee und Eis hatte sein Körper einen perfekten Abdruck hinterlassen.

Jimmy hievte sich hoch, wobei er weiter seinen Brustkorb hielt. Ohne genau zu wissen, was er tat, hatten sich seine Handflächen auf die Rippen gelegt. Als er den schmerzhaftesten Punkt ertastete, stieß er einen weiteren Schrei aus. *Zwei Rippen gebrochen*, dachte er. Seine Konditionierung unternahm eine Bestandsaufnahme seines Körperzustandes, um besser für sein Überleben sorgen zu können. Ohne seine besonderen Fähigkeiten wäre er sicher bereits vor Stunden erfroren.

Jimmy zog die Kapuze seines Sweatshirts über den Kopf und versuchte sich zu beruhigen. Er atmete ein paar Mal tief durch, aber die eisige Luft brannte in seiner Kehle. Jetzt, wo er sein schützendes Schneeloch verlassen hatte, ließ ihn der eisige Wind erschauern.

Jimmy fühlte die tödliche Gefahr. Er zitterte heftig und unkontrolliert. Dann blickte er auf seine Hände hinab und erkannte, dass die beiden gebrochenen Rippen sein geringstes Problem waren. Seine Fingerspitzen waren gelb und weiß gefleckt.

Sofort wandte Jimmy sich von dem Schneeloch ab und lief los. Jeder Schritt jagte einen höllischen Schmerz durch seinen Körper. Vermutlich wiesen seine Füße die gleiche

Farbe auf wie seine Finger, aber er hatte keine andere Wahl. Er musste sich bewegen. Er trat beim Gehen bewusst fest auf, um seine Konditionierung anzustacheln, in seinem Körper schmerzstillende Stoffe freizusetzen. Nur so konnte er sich zum Weitergehen motivieren.

Bald entwickelte Jimmy einen gleichmäßigen Laufrhythmus und endlich schaltete sich auch seine Programmierung ein. Sie schien eine extra Schutzschicht gegen die Kälte aufzubauen, wie eine Fließjacke direkt unter seiner Haut. Trotzdem traf ihn der eiskalte Wind immer noch wie mit Peitschenhieben, drang in jede seiner Poren.

Der Schnee um ihn herum war jetzt immer dichter mit schwarzen verkohlten Trümmern gesprenkelt. Bald darauf entdeckte er das Wrack. Es war ein wildes Durcheinander aus Trümmern, kaum mehr als Flugzeug erkennbar. Unter dem Schnee schimmerten einzelne Rumpfteile und einige bizarr emporragende Metallteile klapperten im Wind.

Jimmy stürmte darauf zu, so schnell sein Körper es erlaubte. Er krabbelte in das Wrack, verzweifelt nach Schutz suchend und in der Asche nach irgendetwas Hilfreichem wühlend. Er steckte sein Kapuzenshirt in die Hose und schaufelte Hände voll Asche als zusätzliche Isolierung in sein Oberteil. Etwas davon stopfte er auch in seine Hosenbeine, bis er sich fühlte wie in einem Fat-Suit.

Seine Hände waren mittlerweile völlig unbrauchbar geworden. Sie waren völlig taub und er konnte seine Finger kein bisschen mehr bewegen. Trotzdem drückte er sie in den Schnee und grub weiter.

Schließlich wühlte er unter den Trümmern einen halb

verbrannten Waschbeutel hervor. Die Stofftasche hatte ihren Inhalt erstaunlich gut geschützt. Jimmy zog eine Schlafbrille, eine Minizahnbürste, eine kleine Tube Zahnpasta und einen Schuhlöffel hervor.

Den Schuhlöffel brach er in der Mitte auseinander und verwendete das Gummiband der Schlafmaske, um die beiden Stücke unten an seine Schuhe zu binden. Ihre gebogene Form würde ihm helfen, im Eis mehr Halt zu finden.

Dann öffnete er die kleine Tube Zahnpasta, quetschte sie aus und zwang sich, den Inhalt zu schlucken.

Nimm alle Energie auf, die du kriegen kannst, ermahnte er sich. *Du hast einen ziemlich weiten Weg vor dir.*

Die Wellen donnerten mit solcher Gewalt an die Küste, als wollten sie tief ins Landesinnere vordringen. Doch trotz der wilden Brandung vermochte das Meer nichts gegen die Tatsache auszurichten, dass nur wenige Meter weiter die größte Wüste der Erde begann. Hier stießen Tausende Quadratkilometer Wasser auf Tausende Quadratkilometer Sand, an der Westküste Afrikas.

Auf einem Hügel oberhalb des Strandes stand eine schlanke aufrechte Gestalt. Sie schien im Wind zu schwanken und spähte durch einen *Zeiss Ikon*-Feldstecher. Hinter ihr wehte eine Mähne schwarzer Haare und ihre Glieder hoben sich vor dem hellen Sand ab wie Ebenholzäste vor Schnee.

Plötzlich erstarrte die Gestalt. Sie hatte durch ihr Fernglas etwas entdeckt.

Ein gewaltiges Schiff näherte sich wie ein Monster, das

Afrika im Alleingang bezwingen wollte. Ein Zerstörer vom Typ 48; ein Kriegsschiff mit 7500 Bruttoregistertonnen.

Die Gestalt bemerkte die auffallend kantigen Linien der Brücke und den schlanken pfeilförmigen Bug. In der Mitte erhob sich ein Aufbau, der an eine ägyptische Pyramide erinnerte. Rechts und links davon ragten kugelförmige Radaranlagen empor, und wenn die Sonne daraufschien, funkelten sie wie wütende Augen.

Der Zerstörer jagte durch die Fluten direkt auf den Strand zu. Sie schätzte seine Geschwindigkeit auf über dreißig Knoten. Am Heck flatterte die englische Flagge.

Die Briten kommen, dachte das Mädchen, und Angst überfiel sie.

Sie blickte nach links die Küste entlang und richtete den Fokus ihres Fernglases neu ein. Von hier aus hatte sie einen perfekten Blick auf die einzigen Gebäude weit und breit. Einige deutlich markierte Wege verliefen durch den Sand in Richtung Süden und führten zu hohen Zäunen. Diese umgaben einen Komplex niedriger Gebäude und ein Dutzend große Lagerhäuser direkt am Wasser. Auf zwei Betonwachtürmen wehten von der Sonne gebleichte blau-weiß-rote Fahnen – die französische Trikolore.

Trotz der Entfernung konnte das Mädchen menschliche Gestalten am äußeren Zaun erkennen. Rannten sie davon? Ja. Und nun war sie sich endgültig sicher.

In Mutam-ul-it bereiteten sie sich auf einen Angriff vor.

Und das sollten wir auch tun, dachte sie und straffte sich. *Zeit, Alarm zu schlagen.*

KAPITEL 7

Jimmy war jetzt seit mehreren Stunden unterwegs. Das Terrain war zerklüftet und die Luft dünn. Sein Gehirn registrierte jedes Detail der Umgebung. Er musste über der Schneegrenze in etwa dreitausend Meter Höhe sein. Also befand er sich auf einem der höchsten Gipfel im Zentrum der Gebirgskette. Aber wie unwegsam das Gelände auch sein mochte, wenn er überleben wollte, musste er in Bewegung bleiben. Außerdem war da diese quälende Angst, die ihn antrieb: Großbritannien wollte Frankreich demnächst angreifen. Er musste das um jeden Preis verhindern.

Der Schmerz, der seinen Körper bei jedem Schritt durchzuckte, war fast zu einer beruhigenden Konstante geworden. Er versicherte ihm, dass er noch am Leben war und sich weiterhin bewegte. Seine Beine waren so schwer, dass die Füße beim Gehen über den Boden schleiften.

Er marschierte in einer schnurgeraden Linie durch das immer steiler abfallende Gelände. Wenigstens hatte sich der Nebel etwas gelichtet, sodass er den vorausliegenden Weg erkennen konnte.

Bei dem Absturz war Jimmy auf einem Steilhang gelandet und jetzt bezahlte er den Preis dafür. Alle paar Minuten kam er an einen unüberwindlich scheinenden Felsabhang.

Doch die Herausforderungen schienen seinen Körper nur anzustacheln und mit neuer Energie zu versehen. Trotz seiner erfrorenen Hände und Füße und der gebrochenen Rippen kletterte Jimmy ohne Hilfsmittel, als wäre er der geborene Bergsteiger. Die Bruchstücke des Schuhlöffels an seinen Sohlen dienten ihm als behelfsmäßige Steigeisen. Mit zusammengekniffenen Augen und einem sich das Letzte abfordernden Körper kämpfte Jimmy sich weiter.

Doch die eigentlichen Qualen waren in seinem Kopf. Das flirrende Weiß um ihn herum schien bis in das Innerste seines Gehirns vorzudringen und die Angst, die Sorgen und vor allem auch seine Wut zu verstärken.

Während er die Steilwand hinunterkraxelte, dachte er an jene erste Nacht zurück, als der *NJ7* ihn hatte holen wollen. Von diesem Augenblick an hatte ihn fast jeder vertraut wirkende Mensch betrogen. Er hatte geglaubt, Miss Bennett wäre seine Klassenlehrerin, und er hatte sie sogar um ihren Schutz gebeten. Doch bald hatte sich erwiesen, dass genau diese Frau Jimmy unbedingt beseitigen wollte. Danach war es wieder und wieder geschehen. Evas Eltern hatten behauptet, sie wollten ihn schützen, hatten ihn aber an den *NJ7* verraten. Oberst Keays hatte Jimmy übel reingelegt, als er ihm die Unterstützung des *CIA* versprochen hatte.

Jimmys Magen krampfte sich zusammen, wenn er an seine eigene Leichtgläubigkeit dachte. Wie hatte er diesen Leuten nur vertrauen können? Er war sogar so weit gegangen, seine besonderen Fähigkeiten in Oberst Keays' Dienst zu stellen.

Nie wieder, dachte Jimmy. Er schwor sich, in Zukunft

auf seine Worte zu achten – falls er es je aus den Pyrenäen und bis zu Uno Stovorsky schaffen sollte, einem Agenten des französischen Geheimdiensts.

Vertraue deinen Instinkten, ermahnte Jimmy sich.

Allerdings wusste er tief in seinem Herzen, dass er sogar seinen eigenen Instinkten mit Misstrauen begegnen musste. Manchmal entsprangen sie seinem menschlichen Gefühlsanteil, wie Angst oder Loyalität. Aber manchmal war es auch der Agent in ihm, der ihn zum Überlebenskampf und zur Gewalttätigkeit drängte. Vielleicht sogar zu Mord.

Woher sollte er wissen, welchen Instinkten er vertrauen durfte und welchen er widerstehen musste?

Um Jimmy herum dämmerte es. Mit Einbruch der Dunkelheit würde die Temperatur noch weiter sinken. Aber es blieb keine Zeit, sich einen Unterschlupf für die Nacht zu graben. Er musste weitermarschieren. Krieg drohte.

Der größte Zerstörer der britischen Marine ging sechzehn Kilometer vor der Küste Westsaharas vor Anker. Die Wellen donnerten gegen den Schiffsrumpf, aber dem Kommandanten und der Crew der *HMS Enforcer* waren die Wetterbedingungen gleichgültig. Zweihundertfünfzig Männer und Frauen in makellos weißen oder marineblauen Uniformen bewegten sich mit maschinenartiger Präzision durch das Kriegsschiff.

In kürzester Zeit waren die *Tomahawk*-Marschflugkörper ausgerichtet. Die Ziele waren im Steuersystem der Raketen einprogrammiert. Alles lief wie am Schnürchen. Keiner brauchte auch nur ein einziges Wort zu sagen.

Bis auf einen.

Der vordere Teil des Mittelschiffs beherbergte das Kommandozentrum, ein dreieckiger Raum mit niedriger Decke und einer Tür auf jeder Seite. Es war gewissermaßen das Gehirn des Schiffes. An der längsten Wand, der Basis des Dreiecks, befand sich ein großes Fenster mit Blick über den Bug des Schiffs. Unter dem Fenster befand sich etwa auf Hüfthöhe das Steuerpult. Von dort aus trafen die höherrangigen Offiziere ihre Entscheidungen und gaben Befehle.

Nur ein Mann fiel völlig aus dem Rahmen. Er trug einen Anzug und eine Schwimmweste und war mindestens einen halben Meter kleiner als alle anderen.

»Bitte, denken Sie daran«, sagte er mit bebender Stimme, »wir dürfen nicht …«

Er wurde durch einen kurzen, stählernen Seitenblick des Kommandanten Luke Love zum Schweigen gebracht. Das hereinfallende Sonnenlicht ließ das goldene Rangabzeichen an seinem Ärmel aufblitzen – zwei Streifen mit einer einfachen Schlaufe.

»Nur eine einzige fehlgeleitete Explosion …«, flüsterte der andere Mann, völlig eingeschüchtert durch den Blick des Kommandanten. »Es ist so eine sensible Umgebung. Außerdem wissen wir nicht, welche Sicherheitssysteme Mutam-ul-it hat. Sie wissen schon, für die …«

»Keine Sorge, Dr. Giesel«, erwiderte Love ruhig. »Wir wissen genug.« Seine Stimme klang freundlich und zugleich ernst und entschlossen, wie die eines erfahrenen Schulrektors. »Ihr Bericht macht deutlich, welche Gebäude getroffen und welche verschont werden sollen«, erklärte er. »Die Anlage wird funktionsfähig und fast völlig intakt bleiben, sodass Ihr Team sie problemlos übernehmen kann.«

Der Kommandant lächelte grimmig. Dann legte er die Hand auf ein numerisches Tastenfeld am Steuerpult und gab einen achtstelligen Code ein.

»Also los«, verkündete er leise. »Zeit, dieses Höllenloch unserer Nation einzuverleiben.«

An den Mauern der Stadt Tlon konnte man die wechselvolle Geschichte des Staates Westsahara ablesen. Über ein Jahrhundert hinweg waren sie mit allen möglichen Parolen beschmiert worden. Die ältesten protestierten gegen die Herrschaft der Spanier, die das Land einst kolonisiert hatten. Sie waren allerdings kaum noch sichtbar unter den vielen anderen Klagen, die dort niedergeschrieben waren: gegen die Marokkaner (die Nachbarn im Norden), die Amerikaner (erst wegen ihrer Anwesenheit, dann wegen ihres Abzugs), gegen ein Dutzend verschiedene Fußballmannschaften (aus den Zeiten, als die Politik so komplex war, dass selbst die Einheimischen nicht wussten, gegen wen sie protestieren sollten) und schließlich in jüngster Zeit: gegen die Franzosen.

An jedem Gebäude waren die Spuren von Unruhen und Instabilität abzulesen. Die Wände waren rissig und die Löcher in den Dächern mit zerfetzten, sonnengebleichten Planen abgedeckt. Die Spalten in den Wänden ließen sich nicht mehr reparieren, obwohl die Ratten dort eindrangen, denn durch sie führten die Kabel der primitiven Stromversorgung und der Telefonsysteme. Außerdem waren sie unerlässlich, wenn man sich mit geheimen Signalen verständigen wollte.

Eine Serie von Lichtreflexen blitzte auf einem niedrigen Hausdach auf. Niemand hätte je die unter der Plane verborgene dunkle Gestalt mit dem Spiegel bemerkt. Fünfhundert Meter weiter wurde das Signal mit einem weiteren Aufblitzen beantwortet und dann in einem neuen Winkel weitergegeben. In einiger Entfernung, im Zentrum der Stadt, wurde es erneut bestätigt.

Bald blitzte es überall auf den Dächern von Tlon. In das übliche Lärmen des Gassenlabyrinths mischten sich weitere Geräusche. In der ganzen Stadt klingelten Telefone, hörten wieder auf zu klingeln, bevor sie erneut läuteten. Dann erst wurden die Hörer abgehoben. Aber es wurde kein Wort gesprochen, es ertönten nur Folgen von Klopf- und Atemgeräuschen.

Auf dem kleinen Marktplatz der Stadt ertönte plötzlich ein wildes Schnattern und Gackern. Ein Junge war unter einem der Stände hindurchgekrabbelt, womit er eine kleine Schar Hühner in Aufruhr versetzt hatte. Dann sprintete er in einer von ihm selbst aufgewirbelten Staubwolke quer über die Straße. Er schlüpfte an einem Stand mit illegal kopierten DVDs vorbei und stürzte in ein drei Stockwerke hohes und fast völlig hinter einer großen Coca-Cola-Reklametafel verborgenes Gebäude.

Er betrat einen kahlen dunklen Raum, in den nur wenige schmale Lichtstreifen fielen, die den Boden wie einen Zebrastreifen aussehen ließen. An der hinteren Wand des

Raumes befand sich eine weitere Tür, halb versteckt hinter einem fleckigen roten Vorhang.

Davor stand ein junger Wachposten mit einer Maschinenpistole quer über der Brust und einer Metallprothese, wo eigentlich sein linkes Bein hätte sein sollen. Als er den Jungen erkannte, lächelte er.

Doch der Junge reagierte nicht darauf.

»Mutam-ul-it«, keuchte er.

Das Lächeln des Wachpostens verschwand. Er nickte und klopfte an die Tür hinter dem Vorhang. Gleich darauf flog sie auf. Im Türrahmen stand ein kräftiger Mann, dessen Silhouette sich vor dem grellen Licht einer nackten Glühbirne abhob.

Einem Europäer wären möglicherweise sein wilder roter Bart, seine tief liegenden blauen Augen und seine orangefarbene Haarmähne aufgefallen. Doch für die Bewohner dieser Stadt war er einfach nur *der weiße Mann.* Und ganz sicher schenkte niemand hier seiner dünnen schwarzen Krawatte Aufmerksamkeit, die er locker um den Hals trug, oder seinem staubigen schwarzen Anzug. Ebenso wenig hätte jemand wohl dem kleinen grünen Streifen auf seinem Revers Bedeutung beigemessen.

Der Mann sprach ein grammatikalisch perfektes Arabisch, allerdings mit einem starken nordenglischen Akzent.

»Ich habe dir doch gesagt, dass so etwas passieren würde«, verkündete er und winkte den Jungen aus dem Raum. Dann wandte er sich an den Wachposten. »Hol die Lastwagen. Sofort.«

KAPITEL 8

Jimmy konnte fühlen, wie es langsam wärmer wurde. Die Sonne ging auf, doch durch den dichten Nebel war bisher nur wenig von ihr zu sehen. Er hatte die Nacht überlebt. Aber die weiße Welt schloss ihn immer noch von allen Seiten ein. Und plötzlich begann sich alles zu drehen.

Wenn ich jetzt stehen bleibe, dann sterbe ich, ermahnte er sich selbst. Doch seine innere Stimme klang schwach, als würde er langsam taub. *Lauf weiter*, fuhr sie fort, kaum mehr vernehmlich. Dann hörte Jimmy den Widerhall des Satzes, den er beständig wiederholt hatte, seit er losmarschiert war: *Finde Uno Stovorsky. Warne Frankreich.* Aber sie klangen wirr und der Wind schien sie davonzuwehen.

Dann verstummte auch dieses Geräusch. Jimmy hatte keine Ahnung mehr, wo er war oder wohin er ging. Einen Augenblick lang schien es, als wären seine Gedanken völlig von seinem Körper losgelöst. Da war nur noch der Schmerz überall in seinen Gliedern …

Nein, hörte er. *Finde Stovorsky … Frankreich …* Doch die Worte hatten keine Bedeutung mehr für ihn.

Ein Licht blendete ihn. Irgendetwas Silbernes glitzerte. Es schien Jimmy anzuziehen. Es schien das Wunderbarste zu sein, was er je gesehen hatte. Das Weiß um ihn herum wurde plötzlich grau, dann blau und schließlich schwarz. *Wird es denn schon wieder Nacht?*, wunderte sich Jimmy.

Es war sein letzter Gedanke, bevor er der Länge nach in den Schnee fiel.

»Die Vögel sind gestartet, Sir«, hörte Kommandant Love durch seine Sprechanlage. »Der Abschuss lief perfekt.«

Dr. Giesel strich nervös über seine Schwimmweste, dann rückte er seine Krawatte zurecht.

»Und sie werden ihr Ziel punktgenau treffen?«, flüsterte er. »Denn wenn sie nur geringfügig davon abweichen –«

»Wir sind die britische Marine«, unterbrach ihn Love. »Wir weichen nicht geringfügig ab.« Sein Blick war auf die Gebäude am Horizont gerichtet. Über ihnen blitzten die Marschflugkörper. Und in seinen Augen funkelte eine Spur von Stolz. Aber als er die besorgte Miene des anderen Mannes bemerkte, wurde sein Ausdruck weicher. »Die Raketen sind GPS-gesteuert«, erklärte er. »Und ihre Ziele können sich nicht bewegen. Es sind Gebäude. Keine Menschen.«

Einen Augenblick wirkte Dr. Giesel erleichtert, doch dann verzog er erneut ängstlich sein Gesicht.

»Was ist?«, erkundigte sich Love. »Machen Sie sich etwa Sorgen, dass ein paar Franzosen ein Haar gekrümmt werden könnte?«

Dr. Giesel schnappte entsetzt nach Luft. Wie konnte dieser Mann nur so zynisch sein? War ihm denn nicht klar, dass er gerade einen Krieg anzettelte?

»Keine Sorge«, gluckste Love. »Sosehr es mir auch Vergnügen bereitet hätte, ein paar Franzosen in die Luft zu jagen, so wissen wir doch durch unsere Satelliten, dass sie den Ort evakuiert haben, sobald sie uns am Horizont entdeckt hatten. Unsere Raketen brauchen etwa neunzig Sekunden, um ihr Ziel zu erreichen. Das lässt dem verbleibenden Personal mehr als genug Zeit, sich aus dem Staub zu machen. Und dann gehört der Laden uns.« Er zwinkerte Giesel zu und drehte sich wieder zum Fenster in Erwartung des Raketeneinschlags. »Es ist fast schon zu einfach, oder?«

Erneut knackte die Sprechanlage. »Der letzte französische Lastwagen hat den Ort verlassen, Sir. Kein Mensch mehr dort.«

Love drehte sich zu Dr. Giesel und machte eine Geste, die besagen sollte: *Hab ich's doch gesagt.*

»Schicken Sie mir die Satellitenbilder auf meinen Monitor«, befahl Love über die Sprechanlage.

Eine Sekunde später erschien auf Loves Monitor ein gestochen scharfes Satellitenbild der Küste sechzehn Kilometer vor ihnen. Der Wüstensand war von einem wunderschönen Orangerot, auf dem sich ein Ensemble von rechteckigen weißen Gebäuden und sich kreuzende Wagenspuren abzeichneten. In der Nähe des Strandes befanden sich sechs größere Bauwerke in einer Reihe. Von diesen entfernten sich Dutzende kleiner schwarzer Punkte in Richtung der Ränder des Monitors.

Für einen Augenblick verharrten alle auf der Brücke schweigend, während die französischen Jeeps und Lastwagen aus der Siedlung flohen. Sie wirkten wie Bakterien, die sich unter einem Mikroskop bewegten. Einige von ihnen wechselten plötzlich die Richtung, als wüssten sie nicht genau, wohin.

Das ist kein geordneter Rückzug, dachte Dr. Giesel.

Im Gegensatz zu der Hektik auf dem Monitor war die Stimmung auf dem Zerstörer völlig gelassen.

»Nur ein paar Menschen haben je diese Bilder gesehen«, sagte Love leise. »Man findet diesen Ort jedenfalls nicht auf Google-Maps, so viel ist sicher. Nur einige wenige wissen, was dort wirklich vor sich geht.« Er schaute zu Dr. Giesel. »Schon bald werden Sie dort das Kommando führen.«

Plötzlich wurde der Monitor weiß. Dr. Giesels Blick zuckte vom Monitor zum Horizont. Zwei schwarze Rauchsäulen stiegen in den Himmel. Und Sekundenbruchteile später leuchteten orangefarbene Flammen auf. Dann erst folgte das Geräusch. Zwei heftige Detonationen ließen den Boden der Brücke vibrieren. Dr. Giesel stützte sich am Steuerpult ab, bis er bemerkte, dass er als Einziger so reagierte.

»Bereiten Sie Ihr Team vor«, verkündete Love so beiläufig, als hätte er sich nach dem Menü des Mittagessens erkundigt. »Mutam-ul-it wird in Kürze unter Ihrer Kontrolle sein.«

Dr. Giesel war hochbesorgt, welcher Schaden dort angerichtet worden war, gleichzeitig konnte er den Blick nicht abwenden.

Nachdem der Rauch sich etwas verzogen hatte, wurde die Anlage wieder über Satellit sichtbar. Genau dort, wo sich vorher zwei weiße Quadrate befunden hatten, prangten nun zwei schwarze, von einem Flammenring umgebene Flecken. Die Präzision der Treffer war unglaublich.

Doch dann bemerkte der Doktor etwas am Rande des Monitors.

»Was ist das?« Nervös beugte er sich vor und legte einen Finger auf den Bildschirm.

Die schwarzen Punkte, die sich vorher zielstrebig vom Gelände entfernt hatten, sausten nun in alle möglichen Richtungen. Einige waren komplett zum Stillstand gekommen und nach ein paar Sekunden wendeten sie und kehrten auf demselben Weg zurück.

Kommandant Love starrte auf den Monitor. »Was geht da vor?«, knurrte er ins Mikro. »Sind die Franzosen zu dumm, um zu evakuieren? Warum kehren die zurück?«

Es entstand eine kurze Pause, dann ein Knacken. »Es scheinen nicht die Franzosen zu sein, Sir.«

»Was?«

»Es sind andere Truppen.«

»*Andere* Truppen?«

Alle auf der Brücke waren völlig verblüfft.

»Richtig«, bestätigte die Stimme. »Offenbar übernehmen diese Leute die französischen Fahrzeuge und –«

»Ich kann sehen, was sie tun!«, polterte Love. »Aber warum tun sie das? Und wie sollen wir sie daran hindern?« Er wirbelte zu seinen Offizieren herum.

Sie starrten alle ausdruckslos geradeaus.

»Und wer zum Teufel sind diese Leute?«, bellte Love.

Eben war Mutam-ul-it noch da gewesen; im nächsten Augenblick schon verschwand es in einer dichten schwarzen Rauchwolke. Rings um das Mädchen regnete es heiße Asche, und dann hagelte es Steine, die sich aus dem bei der Explosion geschmolzenen Sand gebildet hatten.

Das Mädchen barg das Gesicht im Sand und schützte ihren Kopf mit den Armen. Doch sie durfte nicht zu lange zögern. Seit sie zurückdenken konnte, hatte sie auf diesen Augenblick gewartet. Und sie wusste, dass viele weitere Menschen in ihrer Umgebung gerade denselben Gefühlssturm aus Unglauben, Freude und Furcht durchlebten. Einige von ihnen waren viel älter als sie, einige sogar jünger, aber sie alle blickten zu ihr als Anführerin auf.

Für einen Augenblick fühlte sie so etwas wie Stolz. Ihr Vater hätte es niemals für möglich gehalten, dass eine Frau an der Spitze dieser Bewegung stehen könnte, geschweige denn ein sechzehn Jahre altes Mädchen. Noch dazu seine eigene Tochter. Unmöglich. Aber niemand in der Generation ihrer Eltern hatte so hart trainiert und eine so gründliche strategische Ausbildung erhalten wie sie.

Dann wich ihr Stolz einem Gefühl der Trauer. Nur wenige aus der Generation ihrer Eltern hatten überlebt. Sie zwang sich, den Gedanken beiseitezuschieben. Es war Zeit loszuschlagen. Jetzt galt es zu beweisen, dass die anderen mit Recht zu ihr aufsahen.

Sie versicherte sich, dass die Kämpfer in ihrer unmittelbaren Nähe zu ihr blickten. Dann machte sie den einzelnen Teams ein Zeichen, zu welchem Fahrzeug sie sich begeben sollten, so wie sie es trainiert hatten.

Ihre Signale wurden weitergegeben. Und wie ein einziger Mann erhob sich die Einheit hinter dem Hügel und rannte los. Sie bildeten ein ruhiges Element in dem ganzen Chaos. Überall ertönten französische Schreie, Motoren röhrten, und in Mutam-ul-it wütete die Feuerhölle. Doch ihre Einheit stürmte schweigend voran.

Und keiner war schneller als sie selbst. Das schwarze Haar flatterte hinter ihr wie eine Rebellenflagge. Und bevor Furcht in dem Mädchen aufkommen konnte, warf sie sich in den Weg eines französischen Jeeps.

Er versuchte ihr schleudernd auszuweichen, rauschte aber so dicht an ihr vorbei, dass sie die Stoßstange packen konnte. Emporgewirbelter Sand und Auspuffgase schienen tief in ihre Haut zu dringen. Doch sie straffte die Arme und klammerte sich an dem Jeep fest. Obwohl sie schlank war, hatte sie einen beachtlichen Bizeps. Ihr Körper schien nur aus Sehnen, Muskeln und brennender Leidenschaft zu bestehen. *Es ist genau wie im Training*, beruhigte sie sich und versuchte die Anflüge von Panik in ihrem Inneren zu ignorieren. Sie kletterte an der Rückseite des Fahrzeugs empor und weiter auf das breite Trittbrett zwischen den Kotflügeln.

Im Jeep saßen zwei große Soldaten in Tarnanzügen. Aber das Mädchen überraschte die beiden. Sie rammte ihren Handballen gegen die Nase des Beifahrers. Blut spritzte durch die Kabine. Jetzt hatte sie einen festen Stand auf dem Trittbrett und packte den blutenden Mann an den Schultern. Er war bewusstlos, was ihn als Rammbock brauchbar machte.

Sie donnerte den Kopf des Soldaten mitten in das Gesicht des Fahrers. Der tastete nach der Waffe in seinem Gürtel, doch das Mädchen erwischte mit ihrem Ellbogen seine Schulter. Sie traf ihn mit solcher Kraft und Präzision, dass sie den Knochen knacken hörte. Der Mann schrie schmerzerfüllt auf, und die Pistole fiel ihm aus der Hand, während der Jeep durch den Sand schleuderte.

Sie musste den Wagen wieder auf Kurs bringen, daher packte sie den Türgriff und stieß die beiden Soldaten nacheinander aus dem Jeep. Unfassbare Mengen von Adrenalin pumpten durch ihre Adern. Ihre Hände zitterten.

Schließlich bekam sie den Jeep unter Kontrolle. Tränen stiegen ihr in die Augen, aber sie schluckte die Angst hinunter und steuerte das Fahrzeug direkt zurück nach Mutam-ul-it.

Durch den dichten Rauch konnte sie gerade eben das Nötigste erkennen. Ihre Teams hatten den Rückzug durcheinandergewirbelt: Die französischen Soldaten mussten jetzt zu Fuß flüchten. Einige hatten sich hingeworfen und ergeben; andere versuchten davonzurennen, stolperten und stürzten im Sand. Alle französischen Jeeps waren jetzt unter ihrer Kontrolle. Und alle fuhren zurück Richtung Mutam-ul-it.

Mit einem Lächeln trat sie das Gaspedal durch.

Auf der *HMS Enforcer* herrschte pures Chaos. Crew-Mitglieder stürmten in die Kommandozentrale und verließen sie ebenso hektisch wieder, reichten einander Dokumente, brüteten über Karten und führten leise Gespräche.

Dr. Giesel hatte längst den Überblick verloren. Er bekam plötzlich Atemnot und musste sich hinsetzen.

»Wir vermuten, dass es sich um eine lokale Rebelleneinheit handelt, Sir«, drang die Stimme aus dem Lautsprecher, weniger selbstbewusst als noch einige Minuten zuvor.

»Sie vermuten es?« Das Gesicht des Kommandanten war rot vor Zorn. Er marschierte vor dem Fenster auf und ab. »Wer hat sie trainiert? Wieso sind die zu so was imstande?«

Er zerrte sich die Mütze vom Kopf und darunter kam sein kurz geschorenes braunes Haar zum Vorschein. Wütend massierte er seine Kopfhaut, dann befahl er: »Machen Sie zwei weitere Raketen scharf.«

Dr. Giesel sprang von seinem Sitz auf und stürzte zum Kommandanten.

»Sir«, keuchte er. »Das dürfen wir nicht.«

Love wirbelte herum und starrte ihn mit einem dämonischen Funkeln in den Augen an.

Trotzdem insistierte Dr. Giesel: »Es gibt kein weiteres sicheres Ziel.«

»Aber wir dürfen nicht zulassen, dass diese Leute dort einmarschieren und den Ort besetzen«, erwiderte Love, und seine Stimme hallte in der Kommandozentrale wider.

Giesels Antwort war zwar weniger laut, folgte aber unmittelbar.

»Wir wissen nicht, welche andere Gebäude –«

»Dann schießen wir eben noch einmal auf dieselben Ziele.«

»Aber die Hitze der Explosionen ...«

Die beiden Männer standen einander Auge in Auge gegenüber, aber Giesel war sich seiner Sache gewiss. Er würde sich nicht einfach mundtot machen lassen. »Es ist bereits so schon riskant genug. Und ein weiterer Raketenschlag könnte –«

»Wollen Sie etwa mit denen verhandeln?«

Love setzte seine Mütze wieder auf und marschierte zurück zum Steuerpult. Er donnerte seinen Daumen mit solcher Wucht auf die Plastikabdeckung des numerischen Tastenfelds, dass sie zu splittern drohte.

»Nein!«, schrie Giesel.

Love ignorierte ihn.

Giesel holte tief Luft und warf sich auf das Steuerpult.

Love schubste ihn beiseite, ohne ihn eines Blickes zu würdigen, und drückte dann die letzten Ziffern.

Giesel hievte sich hoch und starrte fassungslos aus dem Fenster des Kontrollzentrums.

Eine Sekunde später zischten zwei Raketen durch die Luft.

»In Ordnung«, verkündete der Kommandant und wischte sich mit einem Taschentuch übers Gesicht. »Bringen Sie Ihr Team an Bord des Helikopters. Wir schicken Sie rein.«

»Das geht nicht.«

»Was?« Love funkelte ihn so wütend an, als wollte er Laserstrahlen mit seinen Augen direkt in Giesels Stirn jagen.

»Ich habe versucht, Sie zu warnen«, sagte Giesel ruhig. »Sir.« Er betonte demonstrativ das letzte Wort. »Laut meinem Bericht wird die Lage in Mutam-ul-it nur dann stabil bleiben, wenn Sie diese beiden besonderen Ziele treffen.«

»Aber wir haben nur diese Ziele getroffen!«, donnerte Love. »Und wir werden sie erneut treffen.«

»Aber meine Kalkulationen basierten auf jeweils einem einzigen Schlag. Die Hitze erneuter Explosionen gefährdet alles.«

Love erstarrte.

Giesel wartete, bis der Kommandant diese Information verarbeitet hatte, doch es sah nicht so aus, als würde der Mann ihm noch weiter zuhören.

»Verstehen Sie jetzt?«, fragte Giesel, so ruhig er konnte. »Nachdem die Raketen dort eingeschlagen sind, wird der ganze Ort unsicher. Wir können auf keinen Fall dorthin.«

Der Kommandant wandte sich ab und legte die Hände auf das Steuerpult. Sein Kopf hing zwischen den Schultern und er verbarg sein Gesicht. Dann hustete er und kratzte sich unter dem Kragen.

»Nachricht an den Flottenadmiral«, flüsterte er ins Mikro. »Informieren Sie ihn, dass wir ein Problem haben.«

KAPITEL 9

Jimmys Augenlider fühlten sich tonnenschwer an, als er sie zu öffnen versuchte. Jeder einzelne Teil seines Körpers war entweder taub oder schmerzte höllisch.

Schmerzen bedeuten, dass ich am Leben bin, versicherte er sich, doch es beruhigte ihn nicht wirklich.

Plötzlich spürte er eine Hitzewelle in seiner Brust aufsteigen. In kürzester Zeit durchströmte sie seinen gesamten Körper und verbreitete eine sanfte Wärme, als wäre er in einen Pool mit warmem Honig eingetaucht. Es beseitigte den Schmerz zwar nicht vollständig, machte ihn aber wesentlich erträglicher.

Jetzt nahm Jimmy auch Notiz von seiner Umgebung. Als Erstes fielen ihm das sanfte beigefarbene Licht auf und der große Deckenventilator, der sich über seinem Kopf drehte. Ein scharfer Geruch stach in seine Nase. Er erinnerte ihn an seine alte Schule zu Beginn des Schuljahrs und auch an das Mittel, mit dem er sich einmal die Haare gefärbt hatte, um sich zu tarnen. *Chlorbleiche*, dachte Jimmy. *Ich bin in einem Krankenhaus.*

Hinter seinem Kopf spürte er etwas Weiches, vermutlich ein Kissen, aber als er danach tastete, hatte er kein Gefühl in seinen Händen.

Dann hörte er das leise Quietschen von Gummisohlen auf Linoleum und ein Schatten fiel über sein Gesicht. Gleichzeitig regte sich eine starke Kraft in seinem Inneren. Seine Konditionierung arbeitete offenbar nicht nur an der Linderung seiner Schmerzen. Sie war in voller Alarmbereitschaft. *Haben sie mich bereits untersucht?*, fragte sich Jimmy. *Und wenn ja, was haben sie dabei entdeckt?* Möglicherweise hatte man ihn aber nur der normalen Prozedur für Erfrierungsopfer unterzogen und bisher nichts Ungewöhnliches gefunden.

»Uno Stovorsky?«, ertönte eine hohe, männliche Stimme.

»Ja«, versuchte Jimmy zu rufen, aber seine Kehle fühlte sich an wie von einem Messer zerschlitzt. Er beachtete es nicht weiter. Wer auch immer sich hier um ihn kümmerte, hatte offenbar herausgefunden, dass Jimmy dringend Uno Stovorsky treffen musste.

»Hallo, Uno«, sagte der Mann mit einem starken französischen Akzent. »Bist du Engländer?«

Jimmys Herz krampfte sich zusammen. Warum sollte irgendjemand davon ausgehen, dass *er* Uno Stovorsky war? Er reckte seinen Hals, um einen Blick auf den Arzt zu werfen. Es war ein kleiner Mann mittleren Alters, mit Narben im Gesicht und einem säuberlich gestutzten Kinnbart. In der Brusttasche seines blütenweißen Arztkittels steckte eine Reihe von Stiften in Habachtstellung.

»Ich bin nicht Uno«, erklärte Jimmy. Seine Stimme klang überraschend tief und rau. Er wiederholte seine Worte, entspannte aber Lippen und Zunge und ließ seine

Konditionierung übernehmen. Diesmal sagte er: »*Je ne suis pas Uno Stovorsky.*«

Der Arzt entschuldigte sich, verblüfft darüber, dass sein Patient perfekt französisch sprach. Er fuhr in Französisch fort: »Das ist der Name, den du gemurmelt hast, als sie dich hierherbrachten. Du hast ihn ständig wiederholt. Da du keinen Ausweis bei dir hattest, dachten wir, es ist dein Name. Sag mir …«

»Wer hat mich gebracht?« Jimmy hatte keinen Nerv für langwierige Vorstellungsprozeduren und noch weniger Interesse daran, diesem Mann zu erklären, wie es ihn in die Pyrenäen verschlagen hatte.

»Du hast den Alarm ausgelöst, als du den Grenzzaun berührt hast.« Das Gesicht des Arztes verzog sich unwillig wegen Jimmys Unterbrechung. »Er befindet sich etwa fünf Kilometer von hier. Wir kriegen hier nicht viele Patienten, die eine Wanderung über die Berge überlebt haben. Und noch weniger so junge, die alleine unterwegs sind …« Er unterbrach sich, als erwarte er von Jimmy eine Erklärung.

Doch als Jimmy schwieg, zuckte der Mann mit den Achseln. »Die Patrouille hat dich aufgelesen.«

Früher war die französisch-spanische Grenze unbewacht gewesen, Reisende konnten jederzeit von einem Land in das andere wechseln. Doch das war längst Vergangenheit. Trotz eines einigermaßen friedlichen Verhältnisses zwischen den beiden Ländern gab es starke Sicherheitsvorkehrungen. Inzwischen war die Grenze wieder deutlich markiert, mit Zäunen und Grenzposten versehen.

Jimmy erinnerte sich an das silberne Glitzern, das er vor

seinem Zusammenbruch gesehen hatte. Er war stolz auf seine Leistung. Er hatte es bis zur Grenze geschafft.

»Uno Stovorsky ist Agent des französischen Geheimdienstes *DGSE*«, erklärte Jimmy. »Können Sie ihn für mich kontaktieren? Es ist dringend.«

Langsam spannte er die Armmuskeln, um seinen Oberkörper aufzurichten.

»Du darfst nicht aufstehen«, protestierte der Arzt. Er versuchte Jimmy sanft, aber entschlossen wieder nach unten zu drücken. »Vielleicht kommt es dir nicht so vor, weil du so starke Schmerzmittel bekommen hast, aber du bist sehr krank.«

»Kein Problem«, beharrte Jimmy. »Ich nehme Vitamintabletten.« Er bewegte seinen Oberkörper hin und her, um den Arzt abzuschütteln, doch das Manöver jagte einen fiesen stechenden Schmerz durch seine Rippen. Jimmy zuckte zusammen, richtete sich aber trotzdem weiter auf. Gleich darauf saß er aufrecht da. In dem Krankenzimmer befanden sich fünf weitere Betten, die aber alle leer waren.

»Ich glaube, du verstehst nicht«, erklärte der Arzt. »Selbst wenn du aufstehen könntest, dürftest du nicht gehen.«

Jimmy starrte den Arzt an, um herauszubekommen, was er damit meinte. Und dann bemerkte er einige Details seiner Umgebung, die er bisher übersehen hatte.

»Gitter vor den Fenstern«, murmelte Jimmy. »Stahltüren mit Sichtfenstern aus Panzerglas. Was für eine Art von Krankenhaus ist das?«

Der Arzt schwieg, blickte aber über die Schultern auf die

massive Sicherheitstür. Währenddessen rollte Jimmy seine Schultern, ohne genau zu wissen, warum. Dann wurde es ihm klar. Seine Konditionierung testete seine Beweglichkeit.

Er hob die Hände, um die Erfrierungsschäden zu untersuchen, doch sie waren vollständig bandagiert. Jimmy blickte nach unten. Dasselbe war bei seinen Füßen der Fall. Die Verbände wirkten wie vier große Marshmallows am Ende seiner Gliedmaßen. Außerdem stellte Jimmy fest, dass ein Infusionsschlauch in seinem Arm steckte, der zu einem Ständer neben seinem Bett führte.

»Ich brauche das nicht«, verkündete Jimmy und war überrascht über seine Selbstsicherheit. Diese nahm noch zu, während die Konditionierung ihn weiter stärkte. Die Wirkung einer mehrere Wochen währenden Erholung wurde komprimiert auf wenige Minuten. Es war faszinierend. Jimmy schob eine seiner Bandagen unter die Infusionsnadel und riss sie aus seinem Arm. »Vielen Dank für Ihre Hilfe, Doktor. Aber ich gehe jetzt.«

»Bleib, wo du bist«, befahl der Arzt. »Dies ist kein Krankenhaus. Es ist die medizinische Abteilung des Untersuchungsgefängnisses der Grenzkontrolle.«

»Untersuchungsgefängnis?«, wiederholte Jimmy und testete, wie weit er seine Knie beugen konnte.

»Hier halten wir Personen fest, die die Grenze illegal zu überqueren versuchen, bis wir sie identifiziert haben und …«

»Werden Sie mir jetzt helfen oder nicht?«

»Wir helfen dir ja bereits. Und deshalb kann ich dich nicht gehen …«

Bevor der Mann seinen Satz beenden konnte, drehte Jimmy sich im Bett um. Er streckte ein Bein aus, schob den Fuß in das Unterteil des Infusionsständers und wirbelte ihn nach oben. Der Fuß des Ständers traf den Arzt am Hinterkopf. Der Mann stolperte vorwärts.

Jimmy packte den Ständer und rammte ihn gegen die Bremse an den Rollen seines Bettes. Dann stieß er sich von der Wand ab und schlitterte auf seinem Bett quer durchs Zimmer.

Der Arzt tastete verzweifelt nach der Trillerpfeife um seinen Hals und blies hinein. Das Geräusch war kaum verklungen, da flog die Tür auf, und zwei bewaffnete Wachleute kamen auf Jimmy zu. Einer griff nach dem Schlagstock an seinem Gürtel, der andere nach einer Pistole.

Jimmy rollte weiter, wobei er den Metallständer wie ein Paddel verwendete. Er duckte sich tief auf dem Bett und wartete bis zur letzten Sekunde. Seine Konditionierung verlieh seinem Körper erstaunliche Kräfte, als wäre sie dankbar, endlich wieder entfesselt zu werden. Zur gleichen Zeit übernahm sie die Kontrolle über Jimmys Bewusstsein und jede seiner Handlungen.

In dem Augenblick, als die beiden Wachen sich auf ihn stürzen wollten, schwenkte Jimmy in eine scharfe Kurve. Dann wirbelte er den Ständer über seinem Kopf und donnerte ihn einem Wachposten ins Gesicht. Der Schwung hatte das Bett einmal kreiseln lassen, sodass Jimmy in die falsche Richtung blickte. Er brachte den Ständer wieder unter Kontrolle und stieß ihn nach hinten, unter seinem Arm hindurch. Der Fuß des Ständers erwischte die Brust des zweiten Wachmannes und schleuderte ihn nach hinten.

Die beiden Wachposten sackten zu Boden und rührten sich nicht mehr. Doch draußen stürmte bereits Verstärkung heran.

Jimmy blieb ruhig. Er rieb seine Füße aneinander, um die Verbände zu lockern, dann zwang er seine rechte Hand darunter. Innerhalb von Sekunden hatte sich der Verband gelöst und sein schwarzer, verdrehter linker Fuß kam zum Vorschein. Jimmy starrte ihn kurz an und war erleichtert, dass er ihn wegen der Schmerzmittel kaum fühlen konnte.

Weitere Wachposten stürmten durch die Tür des Krankenzimmers.

Jimmy schleuderte die losen Bandagen nach oben in den wirbelnden Ventilator, zog sich daran hoch und schwang seine Knie in die Gesichter der beiden Wachposten, die sofort zu Boden gingen.

Inzwischen hatten sich die beiden ersten Wachen zur Seite gedreht und versuchten sich aufzurappeln, doch sie kamen zu spät.

Jimmy war bereits durch die Tür entwischt. Er rannte auf den Bandagen schlitternd den Korridor hinunter.

Ein rascher Seitenblick auf den Fluchtwegeplan verriet ihm den Grundriss des Gebäudes. Er bog um eine Ecke in Richtung des nächsten Notausgangs.

Ein weiterer Wachposten saß vor dem Notausgang und las eine Zeitung. Als er Jimmy erblickte, sprang er auf und hob eine Hand, um ihn zu stoppen.

Ob das je funktioniert?, fragte sich Jimmy und beschleunigte noch sein Tempo, während der Wachposten nach seinem Walkie-Talkie und der Pistole kramte. Doch da war Jimmy bereits bei ihm. Er rammte seine Schulter in den Solarplexus des Mannes und die beiden gingen zu Boden. Jimmy krabbelte inmitten eines Wusts aus Zeitungspapier zum Ausgang. Er stieß ihn auf und ein Alarmsignal schrillte durch das ganze Gebäude.

Die eiskalte Luft ließ Jimmy erschaudern. Sofort erinnerte er sich an seine schreckliche Wanderung durch die Berge. Als er sich umblickte, fand er sich in einem Innenhof mit einem Wachtturm wieder. Die Zeitung des Wachmannes flatterte überall durch den Hof.

»Sofort stehen bleiben«, ertönte eine Stimme auf Englisch, aber mit französischem Akzent. »Andernfalls machen wir von der Schusswaffe Gebrauch.«

Merkwürdigerweise erfüllte Jimmy ein Gefühl der Freude. Angesichts der bevorstehenden Auseinandersetzung vibrierten seine Agentenkräfte im ganzen Körper. Sein Gehirn stellte tausend Berechnungen gleichzeitig an – der Schusswinkel, die Geschwindigkeit der Kugel, die Distanz zwischen ihm und der Mauer …

Zu seinem eigenen Entsetzen verzog sich sein Mund sogar zu einem breiten Grinsen. Er fühlte, wie seine Muskeln sich für den Sprint spannten, und genoss es fast.

Doch dann fiel sein Blick auf die Titelseite der Zeitung und sein Herz stand fast still. Plötzlich wusste Jimmy, dass es sinnlos wäre, den französischen Scharfschützen zu überlisten. Stattdessen blieb er einfach stehen und hob die Hände. Die Titelseite der Zeitung flatterte über den Beton.

Auf ihr prangte ein großes Bild: die Ruine eines ausgebrannten Gebäudes und dahinter am Horizont ein großes Kriegsschiff. Auf dem Schiff wehte die englische Flagge.

Gleich darauf umringten ihn vier Wachposten, stießen ihn zu Boden und legten ihm Handschellen an. Er leistete keinen Widerstand. Jimmy wusste, dass es dazu bereits zu spät war.

KAPITEL 10

Mitchell sprang aus der Dusche und packte sein Handtuch. Das rote Licht über dem Waschbecken blinkte. Es spiegelte sich auf den schwarzen Kacheln und verlieh dem Wasserdampf eine unheimliche Farbe.

Er eilte ins Wohnzimmer und trocknete sich dabei flüchtig ab. Tropfen rannen von seiner Nase herab bis zu seinem kräftigen Kinn und fielen auf den Teppich. Er beugte sich über seinen Laptop, wobei er sorgfältig vermied, ihn nass zu machen. Mitchell fand dort genau das vor, was er erwartet hatte. Das rote Licht leuchtete immer auf, wenn eine E-Mail von Miss Bennett eingetroffen war.

Er öffnete die Mail und zog seinen Schreibtischstuhl mit dem Fuß heran. Vor der Dusche war er völlig in den *SAS*-Nahkampfsimulator vertieft gewesen. Er war eigentlich als Teil des Trainings für Rekruten gedacht, aber für Mitchell war es eines der besten Computerspiele, das er je gespielt hatte. Der Controller lag auf dem Boden neben einer Packung Chips und auf dem Bildschirm flimmerte immer noch das Standbild eines erledigten Feindes.

Sein Zimmer war ziemlich klein, aber er hatte hier alles Nötige. Ja, er besaß alles, was er sich immer gewünscht hatte: ein TV-Gerät, einen HD-DVD-Player und importierte Luxusgeräte wie ein *Bose SoundDock*-System. Selbst die Dusche reagierte auf Stimmkommandos.

Natürlich gab es einen Preis für dieses Luxusleben. Wenn Mitchell sich in dem Zimmer mit dem schicken schwarzen und roten Design umsah, rief ihm vor allem ein Detail seine Situation deutlich vor Augen: Es gab keine Fenster. Der britische Geheimdienst war so sehr Teil seines Lebens geworden, dass Mitchell jetzt in einem der unterirdischen Apartments des *NJ7*-Netzwerkes wohnte.

Miss Bennetts E-Mail enthielt keinen Text, aber ein Video öffnete sich automatisch. Mitchell lehnte sich zurück, um es zu betrachten.

Das Bild war wackelig, als wäre es per Hand gefilmt worden, vielleicht mit einem Handy. Zuerst war es zu dunkel, um überhaupt etwas zu erkennen. Mitchell erhöhte den Kontrast auf dem Monitor.

Die Aufnahme schien in einer Billardhalle gemacht worden zu sein. Man hörte das Klacken der Kugeln und in einer Ecke leuchtete grünes Billardtuch. Überall um die Kamera herum standen Menschen, sodass nichts Genaueres zu erkennen war. Doch bald bemerkte Mitchell, worauf die Kamera fokussiert war.

Eine große Gestalt redete zu der Menge. Der Mann wirkte entspannt, aber kraftvoll. Mitchell drehte die Lautstärke auf. Er konnte über das Knallen der Billardkugeln und das Gemurmel der Menge hinweg nur Bruchstücke der Rede des Mannes verstehen.

»Die britische Regierung ist zu einer Diktatur verkommen«, verkündete der Mann. »Sie haben das System der

Neodemokratie entwickelt, um willkürlich herrschen zu können.«

Das Gemurmel in der Menge schwoll an, aber ganz offensichtlich begannen alle, dem Mann zuzuhören. Die übrigen Hintergrundgeräusche verebbten.

»Möglicherweise finden einige von Ihnen es ganz bequem, dass sie nicht mehr wählen gehen müssen«, fuhr der Mann fort. »Doch inzwischen handelt die Regierung rücksichtslos und brutal und wir haben nicht mehr den geringsten Einfluss darauf.«

Mitchell sah näher hin. Etwas an diesem Mann kam ihm bekannt vor, aber das Bild war zu unscharf, um sicher sein zu können.

»Sie werden nichts darüber in den britischen Medien finden«, setzte der Mann seine Rede fort. »Denn die werden von Ian Coates und seinen Geheimdienst-Lakaien kontrolliert. Doch in Frankreich wird die Nachricht überall öffentlich verbreitet: Ein britischer Zerstörer hat eine französische Einrichtung in Westsahara angegriffen.«

Die ganze Halle lauschte jetzt wie gebannt.

Doch Mitchell hörte schon bald nicht mehr zu; er studierte das Bild und analysierte die Stimme.

»Wollen Sie wirklich zulassen, dass diese Regierung einen ungerechtfertigten, illegalen Krieg beginnt?«, fragte der Redner leidenschaftlich. Laute Protestrufe ertönten aus der Menge.

»Wollen Sie diese Regierung wirklich in Ihrem Namen handeln lassen, ohne dass sie Ihren wahren Interessen dient?«

Wieder erschollen Protestrufe, diesmal noch lauter als zuvor.

»Oder wollen Sie mir helfen, beim Stürzen dieser …«

Der Satz ging in den Begeisterungsrufen der Menge unter.

Der Mann hob die Arme und schlenderte an den vorderen Rand seines Rednerpodestes, wo er den Applaus entgegennahm.

Mitchell bemerkte erst jetzt, dass der Mann seine Rede auf einem der Billardtische gehalten hatte. Das Deckenlicht wurde von dem grünen Stoff reflektiert und beleuchtete das Gesicht des Mannes von unten. Mitchell grinste. Natürlich kannte er ihn.

Christopher Viggo: der Anführer der einzig ernst zu nehmenden Opposition gegen die Regierung. Der Mann, den der *NJ7* schon lange beseitigen wollte. Nur wurde dummerweise Jimmy Coates auf diese Mission geschickt. Und damit hatten all die Probleme begonnen – Jimmy hatte seinen Killerinstinkt überwunden und sich stattdessen Viggo angeschlossen. Mitchell war bestens darüber informiert. Er erinnerte sich, wie bedacht Miss Bennett darauf gewesen war, dass er selbst seine eigene Konditionierung nicht in derselben Weise anzweifelte.

Und nun war Jimmy tot. Alles drehte sich in Mitchells Kopf, wenn er daran dachte. Es war zwar schon eine Weile her, fühlte sich aber immer noch merkwürdig an. Wenn Jimmy sich nicht auf Viggos Seite geschlagen hätte, würden er und Mitchell heute vielleicht sogar Seite an Seite für den *NJ7* kämpfen? Vielleicht hätten sie sogar Freunde werden können. Schließlich hatten sie mehr gemeinsam gehabt als die meisten anderen Menschen.

Wir waren Halbbrüder, dachte Mitchell. Er schauderte und schüttelte diesen Gedanken ab. Es war das Letzte, woran er jetzt denken wollte. Höchstwahrscheinlich war es sowieso eine Lüge.

Das Video endete und gleich darauf klingelte das Telefon auf Mitchells Schreibtisch. Er zuckte zusammen. Dann nahm er ab, und bevor er etwas sagen konnte, drang bereits Miss Bennetts Stimme aus dem Hörer.

»Genug gesehen?«

Mitchell konzentrierte sich wieder auf das Video. Er strich mit dem Finger über den Monitor, dort wo hinter Viggos Kopf gerahmte Bilder an der Wand hingen. Sie waren klein und unscharf, aber das Computerteam des *NJ7* hatte sie sicher vergrößern können.

»Wo wurde das gefilmt?«, fragte er

»In einer Billardhalle in Camden.« Miss Bennetts Stimme klang ruhig, aber Mitchell hatte genug Zeit mit ihr verbracht, um einen besonderen Tonfall darin wahrzunehmen. *War es Angst?*, fragte er sich. Nein. Es klang eher wie Erregung.

»Er war keine sechs Kilometer von dem Ort entfernt, wo du jetzt sitzt«, sagte sie. »Und er hat es gewagt, eine solche Rede zu halten.«

»Haben wir seine Spur?«, fragte Mitchell. »Hat derjenige, der diesen Film gedreht hat –«

»Er hat seine Spur verloren. Es war kein Agent, nur ein regierungstreuer Bürger. Viggo taucht aus dem Nichts in einer Billardhalle auf, hält eine Ansprache, verschwindet wieder. Wer weiß, wie oft er das vorher schon an anderen Orten getan hat? Und es könnte jederzeit wieder geschehen.«

»Mit wem arbeitet er zusammen? Er braucht Hilfe, um untertauchen zu können.«

»Nein, eben nicht«, zischte Miss Bennett. »Er ist ein Ex-*NJ7*-Agent. Vielleicht arbeitet er auf eigene Faust oder vielleicht hat er sich auch inzwischen eine eigene Privatarmee zugelegt. Es spielt keine Rolle ...«

Mitchell drehte es den Magen um. Dabei spielten sowohl seine erwachenden Agenteninstinkte als auch seine furchtsame menschliche Psyche eine Rolle. Für einen Moment quälte ihn die Übelkeit, bis sie sich in Stärke verwandelte. Seine Stimme klang jetzt selbstbewusster als je zuvor.

»Sie wollen also, dass ich –«

»Ich will, dass du ihm eine Einladung zu deinem fünfzehnten Geburtstag schickst.«

Ein Augenblick herrschte Schweigen. Offenbar hatte Miss Bennett einen Scherz gemacht, aber warum lachte sie dann nicht?

»Muss ich es dir noch extra buchstabieren?«, fauchte sie. »Finde ihn. Töte ihn.«

Dann legte sie auf.

Jimmys Hände und Füße waren wieder verbunden, aber diesmal war sein rechtes Handgelenk mit Handschellen ans Bett gekettet. Die Ärzte hatten ihm nicht glauben wollen, dass die Verbände unnötig und die Handschellen zwecklos waren. Wenn er ausbrechen wollte, so könnte er das jederzeit tun. Doch er sah nicht, welchen Zweck das noch hätte haben sollen.

Einige Seiten der Zeitung lagen offen auf seinem Schoß. Einer der Wachmänner war so verängstigt, dass er Jimmy fast jeden Wunsch erfüllte. Er hatte die Zeitung im Hof aufgesammelt und ihm gebracht, und Jimmy fand fast so etwas wie Vergnügen darin, die Seiten mit seinen dick bandagierten Händen durchzugehen.

Er starrte auf die Titelseite. Jimmy brauchte den Text gar nicht zu lesen; das Foto dort sagte alles. Sein Verstand drehte sich im Kreis, immer wieder dieselben Fragen, immer wieder dieselbe wütende Verzweiflung. Großbritannien hatte zugeschlagen, ganz offensichtlich als Vergeltungsmaßnahme für die französische Zerstörung der britischen Ölbohrinsel. Nur hatten die Franzosen die Ölbohrinsel gar nicht gesprengt. Jimmy war es gewesen.

Soweit Jimmy erkennen konnte, hatte ein britischer Zerstörer in Westafrika eine französische Einrichtung namens Mutam-ul-it in die Luft gejagt. Die Zeitung lieferte nur wenig Details über die tatsächlichen Vorfälle, klagte aber ausgiebig darüber, wie sehr Frankreich unter der grausamen Diktatur seines Nachbarlandes zu leiden hatte. *Versucht erst einmal dort zu leben*, dachte Jimmy.

»Für einen toten Jungen erholst du dich aber ziemlich gut.«

Jimmy wurde aus seinen Gedanken gerissen. Die Stimme war tief und monoton, aber das Englisch war bis auf einen leichten französischen Akzent perfekt. Jimmy blickte auf.

In der Tür des Krankenzimmers stand ein kleiner Mann mit schütterem Haar und einem zerknautschten Gesicht. Seine Schultern waren nach oben gezogen, als wollte er seine Ohrläppchen wärmen, und sein langer grauer Regenmantel schleifte auf dem Boden.

»Uno Stovorsky«, keuchte Jimmy. Unbewusst wechselte er ins Französische. »Sie sind tatsächlich gekommen. Woher wussten Sie …«

»Jeder, der aus einer Einrichtung der Einwanderungsbehörde zu fliehen versucht –«

»Sie meinen aus der Untersuchungshaft?«

»Ich meine es so, wie ich es gesagt habe«, konterte Stovorsky mit hochgezogener Augenbraue. »Das ist *meine* Muttersprache, nicht deine, schon vergessen?«

Er kam langsam auf Jimmy zu und baute sich am Fuß des Bettes auf. Er schnappte sich das Clipboard, das dort hing, und tat, als würde er die Papiere darauf studieren.

»Jeder, der aus so einer Einrichtung zu fliehen versucht, kommt automatisch auf die Fahndungslisten und wird vom *DGSE* unter die Lupe genommen. Und wenn die Person zwölf Jahre alt ist und außerdem ein halbes Dutzend Wachleute bewusstlos geschlagen hat, dann erhält dieser Fall noch ein wenig mehr Aufmerksamkeit als üblich.«

»Ich bin dreizehn.«

Stovorsky blickte auf, überrascht über Jimmys scharfen Tonfall.

»Na, da schau einer an«, sagte er mit gespielter Anerkennung. »Da ist jemand fast erwachsen geworden.«

Jimmy zwang sich ruhig zu bleiben.

»Wie auch immer«, fuhr Stovorsky fort. »Ich habe erfahren, dass jemand nach mir gefragt hat, daher habe ich mir die Sache vorgenommen. Denn die meisten Menschen, die meinen Namen kennen, sind bereits tot.«

»Ebenso wie ich.«

»Genau.«

Die beiden fixierten einander mit ausdruckslosen Gesichtern.

»Schön, dass Sie gekommen sind«, sagte Jimmy bitter. »Nur leider ein bisschen zu spät.«

Er schob seine Hand unter die Zeitung und warf sie in Stovorskys Richtung, der sie auffing und, ohne auch nur einen Blick darauf zu werfen, sofort zu einem kleinen Ball zerknüllte.

»Jimmy, du bist ein netter Junge«, sagte er mit geballter Faust. »Aber ich bin nicht zum Plaudern gekommen, oder um mich über deinen Gesundheitszustand zu informieren. Glaubst du ernsthaft, ich wäre hier aufgetaucht, wenn es bereits zu spät wäre?«

Jimmy schwieg, daher redete Stovorsky weiter.

»Verrate mir, ob ich richtigliege«, sagte er leise. »Du hast diese Bohrplattform in die Luft gejagt. Hast herausgefunden, dass die Briten Zafi für die Attentäterin halten und sich dafür in irgendeiner Form an Frankreich rächen wollen. Und du wolltest sie aufhalten. Richtig so weit?«

Jimmy nickte widerwillig. Es gefiel ihm nicht, seine eigenen quälenden Zweifel und Ängste laut ausgesprochen zu hören.

»Aber du hattest ein kleines Problem«, fuhr Stovorsky

fort und genoss jetzt Jimmys volle Aufmerksamkeit. »Du konntest den Briten nicht offenbaren, dass du die Plattform in die Luft gejagt hast, weil sie dich ja für tot halten. Und wenn sie erfahren hätten, dass du lebst, dann wärst du wieder am Nullpunkt angelangt.«

»Schlimmer noch als am Nullpunkt«, unterbrach ihn Jimmy.

»Natürlich – deine Familie.«

»Der *NJ7* beobachtet sie. Und bei dem geringsten Verdacht, dass sie in Bezug auf meinen Tod gelogen haben könnten …«

Stovorsky hob eine Hand, um ihn zu unterbrechen. »Genug«, flüsterte er.

Eine Weile lang herrschte Schweigen.

Stovorsky umrundete Jimmys Bett.

Was er wohl denkt?, überlegte Jimmy. *Warum ist er gekommen?*

»Wird Frankreich zurückschlagen?«, fragte Jimmy schließlich.

»Vermutlich«, erwiderte Stovorsky achselzuckend. »Aber dafür bin ich nicht zuständig.«

»Und wird Großbritannien dann erneut angreifen?«

»Das ist kein Schachspiel, Jimmy. Man wechselt sich nicht einfach gegenseitig ab. Alles Mögliche könnte geschehen.«

»Aber ich kann es verhindern«, beharrte Jimmy. Er richtete sich auf und seine Handschellen rasselten am Bettgestell. »Ich kann der Regierung zeigen, dass sie einen Fehler gemacht hat und es keinen Grund für einen Krieg gibt.«

»Die brauchen keinen *Grund*«, knurrte Stovorsky. »Sie *wollen* ihn.« Seine Augen funkelten wütend. »Glaubst du ernsthaft, wenn du dort auftauchst und der britischen Regierung beichtest, dass du einen Fehler gemacht hast, blasen die ihren Krieg ab? Die kämpfen nicht wegen der Ölbohrplattform oder wegen Politik und nicht mal deinetwegen, Jimmy. Die ziehen in den Krieg, weil es ihnen in den Kram passt. Und bald schon werden sie die Öffentlichkeit darüber informieren, einfach um sie in Furcht und Schrecken zu halten. Wenn Miss Bennett erfahren sollte, dass du noch am Leben bist, dann bringt dich das lediglich in größte Gefahr. Wenn sie wirklich kämpfen will, dann wirst du sie niemals aufhalten können.«

»Aber wenn ich den Menschen beweisen kann, dass der Anlass für den Krieg eine Lüge ist, dann müssen sie damit aufhören.«

Ein kurzes raues Lachen drang aus Stovorskys Kehle. »Lügen tun ihre Wirkung, Jimmy. Sie verletzen, und sie können sogar töten, aber sie wirken – besonders, wenn man ein ganzes Volk belügt. Millionen von Menschen erkennen die Lüge, aber sie ignorieren sie.«

»Mich werden sie nicht ignorieren«, fauchte Jimmy. Seine eigene Vehemenz überraschte ihn, aber ihm gefiel der Klang seiner Worte. »Jedermann in Großbritannien wird –«

Stovorskys lautes Lachen unterbrach ihn. »Das ist der wahre Geist, Jimmy! Schick jedermann in Großbritannien eine Postkarte. Ich spendiere dir auch die dafür nötigen Briefmarken.«

Jimmy wollte protestieren, aber Stovorsky amüsierte sich einfach zu blendend.

»Ich sag dir was«, verkündete er. »Ich organisiere dir einen Auftritt im französischen Fernsehen. Oder besser noch – du brauchst mich gar nicht. Raub einfach eine Bank aus, winke in die Überwachungskameras, und schon bist du in den Nachrichten. Alle werden wissen, dass der kleine Jimmy Coates noch am Leben ist.«

»Niemand in Großbritannien würde diese Aufnahmen zu sehen bekommen!«, schrie Jimmy. »Das wissen Sie genau. Die kontrollieren das Fernsehen und das Internet. Das Einzige, was geschehen würde ...« Jimmy rang nach Worten. »Meine Familie. Sie werden vom *NJ7* überwacht. Das habe ich Ihnen doch gesagt. Meine Mutter. Meine Schwester. Und auch Felix. Sobald der Geheimdienst erfährt, dass ich am Leben bin, werden sie mit Sicherheit ...«

Stovorsky seufzte übertrieben. »Jetzt kommen wir zum wahren Kern des Problems. Du willst die Welt retten, aber niemandem aus deiner kostbaren Familie soll ein Haar gekrümmt werden.«

Jedes von Stovorskys hämischen Worten war wie ein Stich in Jimmys Herz. Er brauchte Hilfe und nicht jemanden, der sich über ihn lustig machte.

Stovorsky fuhr fort, bevor Jimmy etwas erwidern konnte. »Wäre es dir lieber, wenn stattdessen zwei Länder gegeneinander in den Krieg ziehen?«

»Lieber als was? Als meine Familie in Gefahr zu bringen?«

»Du bist ein bisschen selbstsüchtig, oder?«

Jimmy wurde übel. Uno verdrehte ihm die Worte im Mund und ließ sie verwerflich erscheinen. Seine Übelkeit wich einer plötzlichen Verzweiflung. Sein ganzes Gesicht legte sich in Falten.

»Und du wolltest mich sehen«, sagte Stovorsky gelassen, »weil du dachtest, ich könnte deine Familie in Sicherheit bringen. Richtig?«

Jimmy zuckte mit den Achseln. »Können Sie das denn?«, fragte er kleinlaut.

»Wieso glaubst du, ich wüsste überhaupt, wo sie stecken?«

Plötzlich explodierte Jimmys Sorge in einem Anfall von Ärger. »Sie können sie finden, oder etwa nicht?«, brüllte er.

»Ich kann versuchen, dir zu helfen, Jimmy«, sagte Stovorsky sanft und kam näher. Langsam öffnete er seine Faust und entfaltete die Titelseite der Zeitung. Dann strich er auf dem Bett das Bild von Mutam-ul-it glatt.

»Aber vor allem bin ich hier«, flüsterte er, »weil ich *deine* Hilfe brauche.«

KAPITEL 11

»Mutam-ul-it«, verkündete Stovorsky, drehte den Laptop in Jimmys Richtung und schob ihn über den Tisch. »An der Küste von Westsahara. Es ist die größte Uranmine der Welt.«

Jimmy ignorierte den Laptop und konzentrierte sich weiter auf seinen Burger. Er schlang ihn innerhalb von Sekunden herunter und lehnte sich dann in seinem Stuhl zurück, zum ersten Mal seit einer Ewigkeit satt und zufrieden. Sie waren zur nahe gelegenen Filiale einer Burger-Kette gefahren, um Jimmy etwas zu essen zu besorgen.

Es war schon eine Weile dunkel draußen. Jimmy hatte völlig den Überblick verloren, wie spät es war. Er wusste nur, dass er noch vor wenigen Sekunden beinahe vor Hunger gestorben wäre. Inzwischen schlängelten sich nur noch die Angestellten und eine Reinigungskraft mit ihrem Wischmopp durch die Landschaft aus Plastikmöbeln.

»Sie war immer unter französischer Kontrolle«, erläuterte Stovorsky und schob den Laptop noch näher zu Jimmy. »Bis jetzt. Wir vermuten, dass die Briten die Mine nicht allzu sehr beschädigen wollten, um sie selbst zu übernehmen. Aber sie haben es vermasselt.«

»Wollten sie das Uran?«

Während sie redeten, klickte sich Jimmy durch Dutzende

von Fenstern und saugte Bilder, Diagramme und Landkarten in sich auf. Innerhalb von Sekunden war er vertraut mit dem gesamten Minengelände, dessen Lage an der Küste und all den damit verbundenen Docks und Hafenanlagen. Außerdem war da ein Plan der nächstgelegenen Stadt Tlon, die sich zwölf Kilometer in nördlicher Richtung die Küste hinauf befand.

Die ganzen Informationen lenkten Jimmy von den Schmerzen in seinen Händen und Füßen ab. Seine Finger waren jetzt graugelb, aber etwas Gefühl war in sie zurückgekehrt. Immerhin konnte er sie schon wieder so gut benutzen, dass er einen Burger essen und den Laptop bedienen konnte.

»Nein«, erwiderte Stovorsky. »*Actinium*. In Uranerz befindet sich fein verteilt und in minimalen Mengen neunzig Prozent des Actiniums der Erde.«

Jimmy hatte noch nie davon gehört. Er versuchte sich zu erinnern – hatten sie Actinium in der Schule erwähnt? Er hatte in Naturwissenschaften allerdings nie sonderlich gut aufgepasst.

»Ich habe ein paar Chemiestunden verpasst«, sagte Jimmy. »Dieses Actinium – ist es sehr wertvoll? Oder gefährlich?«

»Beides«, erklärte Stovorsky. »Es ist hochgradig radioaktiv und unglaublich selten. Alles auf der Welt natürlich vorkommende Actinium würde zusammengenommen einen Klumpen nicht größer als deinen Burger bilden. Ohne diese Mine müsste die französische Regierung es künstlich durch Neutronenstrahlung herstellen.«

»Wie funktioniert das?«

»Es ist wie Kuchenbacken, nur mit mehr Lasern.«

»Sehr witzig.«

»Woher soll ich wissen, wie das funktioniert?« Stovorsky zuckte mit den Achseln und blickte beiseite. »Aber ganz offensichtlich kostet die Herstellung Milliarden.«

»Milliarden?«

»Ich würde zwanzig Ölbohrplattformen für eine Hand voll Actinium bekommen. Das ungefähr ist die Größenordnung.«

Jimmy musterte den Mann. Aber ganz offensichtlich meinte er es ernst.

»Für was braucht man dieses Actinium?«, wollte Jimmy wissen.

»Spielt das eine Rolle? Du kannst mir glauben«, beharrte er und beugte sich vor. »Wenn es nur um Uran ginge, wäre Mutam-ul-it keinen Krieg wert.«

Jimmy zögerte. *Vertraue niemals einem Mann, der sagt »vertraue mir«.*

»Dann schicken Sie doch die Armee dorthin«, schlug er vor. »Dazu brauchen Sie nicht mich.«

Jimmy erhob sich und wandte sich zum Gehen. Er hatte keine Ahnung wohin, aber das war ihm im Augenblick völlig egal.

»Warte«, rief Stovorsky ihm hinterher.

Jimmy wirbelte herum. »Wenn dieses Actinium der Regierung so viel bedeutet«, zischte er wütend, »dann soll doch Ihre Armee die Mine stürmen. Postieren Sie eine Einheit in Tlon, eine weitere im Süden und –«

»Die Armee kann nicht dort hin.«

»Sie lügen.«

»Die Einschläge der britischen Raketen haben möglicherweise das Uran und das Actinium ionisiert. Wir wissen es nicht. Aber wenn es so ist, dann ist es hochgradig instabil, und niemand darf sich dorthin wagen, bis es sachgemäß isoliert ist.«

»Und wieso ist es nicht sowieso sachgemäß isoliert?«

»Unter normalen Bedingungen ist Uran nicht gefährlich, daher lagern sie es in Aluminiumbehältern. Es war schließlich nicht vorherzusehen, dass jemand so bescheuert ist, es durch einen Raketenangriff zu destabilisieren. Aber wenn es jetzt ionisiert ist, dann wird jedes menschliche Wesen in der Nähe der Mine einer tödlichen radioaktiven Bestrahlung ausgesetzt. Daher brauchen wir dich –« Stovorsky zögerte plötzlich.

Jimmys Gesicht war kreidebleich.

»Weil ich nicht … menschlich bin?« Jimmys Stimme war nur noch ein raues Zischen. Seine Worte hallten in dem Lokal wieder und schienen noch eine ganze Weile in der Luft zu hängen. Jimmy wischte sich übers Gesicht und starrte hinab auf den Plastiktisch. »Woher wissen Sie, dass es ungefährlich für mich ist, wenn es nicht einmal sicher für eine … eine ganze Armee ist?«

»Wir wissen alles über dich, schon vergessen? Wir haben dich studiert …« Stovorsky senkte die Stimme und rutschte auf seinem Stuhl nach vorne. »Und wir haben Zafi studiert. Sie ist wie du.«

Jimmy wusste nicht, wie er reagieren sollte. Ihm wurde

leicht schwindlig und er musste sich am Tisch abstützen. »Warum schicken Sie dann nicht Zafi?«, fragte er.

»Ist es nicht sinnvoller, dass sie in Großbritannien bleibt und deine Familie dort rausholt, während du diese Mission ausführst?«

»Zafi ist in Großbritannien?«

Stovorsky nickte. »Du hast mein Wort, Jimmy«, sagte er leise. »Wenn du das für mich erledigst, dann bringe ich im Gegenzug deine Mutter, deine Schwester und Felix in einen sicheren Unterschlupf. Alles, was du dafür tun musst, ist Folgendes: Gehe in die Mine und hole im Kontrollzentrum Computerausdrucke über den Status des radioaktiven Materials. Also über das Uran und das Actinium. Schicke mir diese Informationen. Falls das Zeug instabil ist, wird ein Spezialistenteam dir über Funk den Sicherungsvorgang erklären, anschließend kommen sie, holen das Actinium und setzen die Mine wieder in Betrieb. Du musst das für mich tun, Jimmy.«

Stovorskys Tonfall wurde jetzt drängender. »Der britische Zerstörer lauert immer noch vor der Küste. Ein *Zerstörer*, Jimmy.«

Er betonte das Wort, doch Jimmy stand immer noch starr und mit ausdruckslosem Gesicht da. Er war innerlich zerrissen. *Ich bin ein Mensch*, wollte er schreien. Aber seine Konditionierung ließ es nicht zu. Es vibrierte in jeder Faser seines Körpers: *38 Prozent*, schien sie zu flüstern. *Du bist nur zu 38 Prozent menschlich.*

»Sie nennen es nicht ohne Grund Zerstörer«, fuhr Stovorsky fort. »Nicht einfach nur ›großes Schiff‹. Wenn den

Briten klar wird, dass dort nichts zu holen ist, werden sie die Mine zerstören.« Er raufte sich verzweifelt die Haare und stieß ein Grunzen aus. »Dabei ist es so einfach!«, schrie er. »Ich könnte sogar einen Affen für diese Aufgabe trainieren, wenn ich nur die Zeit dazu hätte.«

»Und anstelle eines Affen setzen Sie jetzt mich ein.« Jimmy fühlte, wie eine schwarze Wolke seine Wahrnehmung umnebelte. Er kämpfte um Klarheit. »So haben Sie sich das also gedacht«, murmelte er.

»Was meinst du damit?«

»Sie manipulieren mich, damit ich auf eine Mission gehe, die nichts mit mir zu tun hat. Und das nur, weil Sie mich für den Einzigen halten, der den Auftrag erledigen kann.«

Für einen Augenblick wirkte Stovorsky verdutzt. »Du hast dich verändert«, stellte er fest.

»Früher hab ich mich leichter täuschen lassen.« Jimmy konnte seinen Unmut kaum zurückhalten. »Ich sage Ihnen, dass ich unbedingt zurück nach Großbritannien muss, aber Sie wollen mich nach Afrika schicken.«

Ein Lächeln überzog Stovorskys Gesicht. Auf seinen Wangen bildeten sich tiefe Falten und seine Augen wurden zu schmalen Schlitzen. »Du bist jedenfalls besser in Geographie als in Chemie«, bemerkte er. »Ich mache dir keinen Vorwurf, wenn du mir nicht vertraust.«

»Warum?«, knurrte Jimmy. »Weil Sie lügen?«

»Nein.« Stovorskys Lächeln verschwand. »Weil ich keinen Grund habe, dir die Wahrheit zu sagen.«

Jimmy war platt. Er wollte diesem Mann vertrauen, aber er erinnerte sich, wie falsch er bei Oberst Keays gelegen hatte. War Stovorsky anders? Jedenfalls wirkte er aufrichtig verzweifelt.

Vertrau deinen Gefühlen nicht, ermahnte Jimmy sich selbst. Stattdessen schloss er die Augen und suchte in seinem Inneren nach der Führung seiner Instinkte.

Du musst das nicht tun, dachte er. *Geh einfach weg. Stell dich weiter tot.* Ein Zucken ging durch all seine Muskeln. Seine Konditionierung warnte ihn und es schrillte wie eine Alarmglocke in seinen Ohren. *Ich darf ihm nicht vertrauen*, dachte Jimmy und versuchte, das Geräusch beiseitezuschieben.

In diesem Augenblick verschmolz die Angst um seine Familie mit dem gewaltigen inneren Drang nach Kontrolle. Er wollte seine Familie außerhalb der Reichweite des *NJ7* wissen, und der beste Weg dazu war, die Möglichkeiten des *DGSE* zu nutzen, über die Stovorsky verfügte. Danach konnte er tun, was immer er wollte – verschwinden, nach Großbritannien zurückkehren, um den Krieg zu verhindern ... *oder um den NJ7 zu zerstören.* Jimmy erschauderte heftig. Woher kam auf einmal dieser Gedanke?

Jimmy traf eine Entscheidung. *Es spielt keine Rolle, ob er lügt. Lass ihn in dem Glauben, dass er dich manipuliert. Manipuliere du ihn.*

Er starrte Stovorsky an. Plötzlich schien das grelle Licht des Lokals durch Jimmys Haut einzudringen und ihn zu elektrisieren. Er setzte sich und schnappte sich den Laptop. Er zog in näher heran, um das Zittern seiner Hände zu verbergen. In seinem Kopf herrschte immer noch Aufruhr. Drei Worte hallten dort wider: *Keine. Fehler. Mehr.* Wenn es sicherer war, Stovorsky nicht zu trauen, dann würde er das tun. *Diesmal spielen wir nach meinen Regeln*, dachte er. *Meine Mission*.

Als er aufblickte, grinste ihn Stovorsky an. »Danke dir, Jimmy.«

Jimmy ignorierte ihn.

»Wir sind jetzt auf derselben Seite«, fuhr Stovorsky fort. »Also mach dir keine Sorgen mehr. Ich werde dir helfen.«

»Ich weiß«, erwidert Jimmy. *Weil ich dich dazu zwingen werde*.

KAPITEL 12

Jimmy saß aufrecht auf der Rückbank des Geländewagens. Zu seiner Rechten erstreckte sich das Meer, links von ihm die Wüste. Sie schienen in Konkurrenz darum zu stehen, wer sich weiter ausdehnen konnte. Aber Jimmy hatte jetzt keinen Sinn für die Landschaft.

Er holte tief Luft und hoffte, die leichte Ozeanbrise würde seine Übelkeit etwas lindern, aber die Luft war so heiß und trocken, dass sie ihm durch seine Nasennebenhöhlen bis direkt ins Gehirn zu brennen schien. Ihm wurde nur noch schlechter und er umklammerte krampfhaft seine Magengegend.

Der *Panhard PVP 360* donnerte mit Höchstgeschwindigkeit an der Küste von Westsahara in Richtung Süden. Er flog über Bodenwellen hinweg, als wollte er abheben. Doch der Fahrer machte nicht die geringsten Anstalten, vom Gas zu gehen. Normalerweise war das Verdeck geschlossen. Doch da es durch kugelsicheren Stahl verstärkt war, hätte es den Satellitenempfang von Uno Stovorskys Laptop zu sehr eingeschränkt.

Nasser Sand spritzte Jimmy ins Gesicht. Er wischte ihn mit dem Ärmel ab. Der Stoff seines Wüstentarnanzugs war rau, und er roch, als wäre er seit dem letzten Gebrauch nicht mehr gewaschen worden. Aber zumindest passte er besser als die Kleider, die Jimmy vorher getragen hatte.

Jimmy bemerkte, dass Stovorsky noch immer seinen Anzug und seinen Regenmantel trug. *Das hier ist die Wüste*, dachte er. *Und du lockerst nicht mal deine Krawatte?*

»Glücklicherweise hat Actinium eine sehr kurze Halbwertszeit«, schrie Stovorsky über den Motorenlärm und den Wind hinweg. Er saß zurückgelehnt neben Jimmy. Sein einer Arm hing auf der Seite des *PVP* hinaus, während er mit der anderen Hand etwas in den Laptop auf seinen Knien tippte. »Es wird trotzdem noch ein Jahr dauern, bis wir die Mine sicher wieder in Betrieb nehmen können, aber ohne dein Eingreifen würde es mindestens hundert Jahre dauern – oder sogar noch länger.«

Jimmy verstand kein Wort, aber es war ihm auch egal. Er wünschte nur, der Mann wäre endlich still, damit er seine Aufmerksamkeit darauf konzentrieren konnte, sich nicht zu übergeben. *Aber warum eigentlich nicht*, dachte Jimmy. *Vielleicht sollte ich mich übergeben. Vielleicht würde er dann endlich die Klappe halten.*

»Da gibt es nur noch eine Sache, die du wissen musst«, fuhr Stovorsky fort.

Jimmy war mit seiner Geduld am Ende.

»Ach, nur noch eine Sache?«, knurrte er. *Eine Sache, die du in den letzten sechs Stunden endlosen Geplappers nicht erwähnt hast?* »Das ist ja mal eine echt gute Nachricht.«

»Dein Sarkasmus stört mich nicht, Jimmy«, erwiderte Stovorsky, immer noch mit dieser lauten, monotonen Stimme und ohne von seinem Laptop aufzublicken. »Aber spätestens mit achtzehn wird der Killer in dir damit aufgeräumt haben. Zumindest, wenn du bis dahin überlebt hast.«

In Jimmy kochte Ärger hoch, aber er wusste nichts zu erwidern. Stovorskys Prognose war beängstigend, weil sie möglicherweise zutraf.

»Höchstwahrscheinlich wirst du im Minenkomplex auf Leichen stoßen«, sagte Stovorsky und ignorierte Jimmys wütenden Blick.

»Sie hatten doch behauptet, das französische Team hätte alle evakuiert.«

»Das haben sie auch. Aber auf ihrem Weg nach draußen kamen ihnen ein paar Irre entgegen, die sich ihren Weg hineinkämpften.«

Jimmy atmete tief durch, schloss die Augen und versuchte die Stöße und Erschütterungen der unruhigen Fahrt auszublenden, um sich auf die möglicherweise überlebenswichtigen Informationen zu konzentrieren.

»Deshalb kann ich auch kein Spezialistenteam dort reinschicken«, fuhr Stovorsky fort. »Wenn dort drinnen noch irgendjemand lebt, ist er möglicherweise gefährlich.«

Das wird ja immer besser, dachte Jimmy.

»Und Sie sind sicher, dass ich keinen Schutzanzug oder etwas Ähnliches brauche?«, rief er.

»Ich hab es dir doch schon gesagt«, erwiderte Stovorsky. »Du brauchst keinen. Ein Schutzanzug würde nur deine Beweglichkeit massiv einschränken. Du musst schnell rennen können und nötigenfalls auch verteidigungsbereit sein.«

Jimmy warf ihm einen unsicheren Blick zu.

»Über Jahre hinweg«, erklärte Stovorsky, »gab es in der Gegend eine lokale Widerstandsbewegung. Die Einheimischen hatten ein Problem damit, dass die Franzosen die Mine betreiben. Sie fanden, dass man ihnen das überlassen sollte. Sie haben irgendeine Art nationalistische Bewegung auf die Beine gestellt. Die meiste Zeit über waren sie nicht sonderlich effektiv, aber in letzter Zeit scheinen sie etwas besser organisiert.« Er zuckte mit den Achseln. »Nichts, worüber du dir den Kopf zerbrechen musst. Die Briten haben die meisten von ihnen in die Luft gejagt. Bei dem Raketenangriff, über den wir uns Sorgen machen – weil er möglicherweise das Actinium ionisiert hat.«

Jimmy konnte nicht fassen, wie gelassen Stovorsky das alles nahm. Menschen waren ums Leben gekommen. Jimmy fragte sich, wie viele. Er wollte sich gerade erkundigen, doch da lief ihm ein kalter Schauer den Rücken hinunter. Ihm wurde klar, dass er es bald mit eigenen Augen sehen würde.

»Ich schätze, wir sollten diesen Leuten sogar dankbar sein«, fuhr Stovorsky fort. »Sie sind vermutlich der Grund dafür, warum die Briten es vermasselt haben. Andernfalls würde jetzt wahrscheinlich schon die englische Flagge dort wehen.«

Stovorsky deutete mit dem Finger in Fahrtrichtung, immer noch ohne aufzublicken.

Für einen Augenblick hatte Jimmy keine Ahnung, was Stovorsky meinte. Doch dann entdeckte er am Horizont einen Schemen. Jimmy blinzelte gegen den aufgewirbelten Sand und den Fahrtwind an.

Vor ihnen erstreckte sich kilometerweit der Strand. Er flimmerte in der Hitze und am Horizont verschmolz das Blau des Himmels mit dem Sand und dem Meer. Irgendwo in dem flirrenden Dunst erhoben sich schwarze Umrisse. Selbst von hier aus konnte Jimmy die Silhouette der gewaltigen Lagerhallen von Mutam-ul-it und die immer noch aus ihnen aufsteigenden Rauchfahnen erkennen.

»Hier ist dein Funkgerät, Jimmy.« Endlich blickte Stovorsky auf und drehte sich zu Jimmy. Er warf ein großes weißes Funk-Set in Jimmys Schoß. »Die Signale sind verschlüsselt und die Lithium-Batterien halten vierundzwanzig Stunden. Du kannst es also immer anlassen, für den Fall, dass wir dich erreichen müssen, bevor du uns kontaktierst. Und wir beobachten dich, um zu sehen, ob es dir gut geht.« Dabei tippte er auf den Monitor seines Laptops.

Um zu kontrollieren, ob es mir gut geht, dachte Jimmy, *oder ob ich auch schön nach deiner Pfeife tanze?*

Stovorsky beugte sich vor und boxte dem Fahrer leicht gegen die Schulter.

»Näher dürfen wir nicht heran«, verkündete er.

Der Fahrer trat auf die Bremse und der *PVP* kam rutschend auf dem Sand zum Stehen.

»Jetzt ist es an dir.«

Jimmy befestigte das Funkgerät an seinem Gürtel und starrte hinaus in Richtung Mine. Noch hatte er die Wahl. Noch konnte er sich weigern. In ihm bildete sich eine schwarze Wolke, so dunkel und so heiß wie der über der Mine hängende Qualm.

Die Grenze zwischen seiner Konditionierung und seinem

eigenen Verstand war feiner als je zuvor. Er hatte keine Ahnung mehr, wer die Entscheidungen traf – Jimmy Coates, der Junge, oder Jimmy Coates, der Agent.

Spielt es überhaupt eine Rolle?, fragte er sich und unterdrückte mit einer gewaltigen mentalen Anstrengung das Flattern in seinem Magen. *Ich weiß, was ich will.* Er fixierte Stovorsky. *Und du wirst es mir geben.*

Dann stieß er die Wagentür auf, sprang hinaus und begann über den Sand zu traben.

Zafi Sauvage tauchte die Spitze des kleinen Fingers in den Schaum ihrer heißen Schokolade und versuchte einen Smiley zu zeichnen. *Sieht mehr aus wie ein totes Kaninchen*, dachte sie grinsend. Sie lutschte ihren Finger ab und ging wieder dazu über, aus dem Fenster des Cafés zu starren. Regentropfen rannen in langen Fäden die Fensterscheibe hinab. Das und ihre tief ins Gesicht gezogene Kappe würden verhindern, dass Mitchell Glenthorne sie bemerkte.

Eigentlich sollte er ja die Fähigkeiten eines Top-Agenten besitzen, dachte sie und wollte schon hämisch kichern, riss sich dann aber wieder zusammen. Im Augenblick war das Glück auf ihrer Seite – er war nur deshalb so leicht zu beschatten, weil er selbst mit der Observation von jemand anderem beschäftigt war.

Im Augenblick saß ihr Zielobjekt gegenüber vom Café zurückgelehnt auf einer Parkbank und tat so, als würde er in einem Filmmagazin lesen. Zafi kam der Gedanke, dass die von ihm beobachtete Person möglicherweise in demselben Café saß wie sie. Aber das war egal. Hauptsache, sie hatte ihr Ziel fest im Visier; jetzt musste sie nur auf den richtigen Moment warten.

Genau in diesem Augenblick wurde sie von einer leichten Vibration in ihrer Hosentasche abgelenkt. Sie zog ihr Handy heraus und checkte diskret die Nachricht. Natürlich war sie verschlüsselt. Wer auch immer sie geschickt hatte, hatte einen Geheimdienst-Computer oder ein Handy verwendet, das alles über den *DGSE*-Server schickte. Aber Zafi brauchte keine Software, um den Text zu entschlüsseln. Schon in ganz jungen Jahren hatte sie die Fähigkeit entwickelt, unglaublich lange Kolonnen von Zahlen und Buchstaben in ihrem Kopf zu speichern. Komplexe Algorithmen konnte sie auf einfache Codes reduzieren, als würde sie die Symbole dreidimensional vor sich sehen.

Die Nachricht war von Stovorsky.

Ihr Inhalt ließ Zafi ein enttäuschtes Seufzen ausstoßen. Dann kippte sie ihre heiße Schokolade mit einem Schluck hinunter und flitzte hinaus in den Regen Londons. Ihr Zielobjekt würde warten müssen. Sie war zuversichtlich, dass sie ihn ohne größere Probleme wieder finden würde.

Ihr neuer Auftrag war merkwürdig: *Suche die Mutter und Schwester von Jimmy Coates. Stelle Kontakt zu ihnen her.* Doch dann sollte sie bis zum Eintreffen einer weiteren Nachricht nichts unternehmen – sie weder töten noch schützen. Zafi sollte einfach nur herausfinden, wo der *NJ7* sie untergebracht hatte, und Verbindung aufnehmen, ohne dass der britische Geheimdienst etwas davon mitbekam.

Während Zafi die Rolltreppe zum U-Bahnhof Camden Town hinunterjoggte, machte sich in ihrem Inneren ein seltsames Rumoren breit. Hatte das etwas zu bedeuten, oder war es einfach nur die Wirkung einer britischen heißen Schokolade? Langsam breitete sich dieses Rumoren von ihrer Magengrube bis in ihren Kopf aus. War es bloß Verwirrung, weil man ihr nicht den Auftrag zum Ausschalten der neuen Zielobjekte gegeben hatte? Oder war es die Furcht, dass sie es vielleicht doch noch tun müsste?

KAPITEL 13

Je näher Jimmy Mutam-ul-it kam, desto düsterer wurde seine Stimmung. Der Ort war verlassen. Selbst die Hubschrauber der französischen Nachrichtenmedien mussten wegen des Qualms auf Abstand bleiben. Sie konnten Jimmy unmöglich erspähen, was für ihn von großem Vorteil war. Denn sollte die Mannschaft des britischen Zerstörers auf irgendeinem Weg von seiner Anwesenheit hier erfahren, würde sie mit Sicherheit weitere Raketen auf die Mine abfeuern.

Er konnte ihre Präsenz förmlich spüren, wie sie dort draußen vor der Küste lauerten. Möglicherweise entwickelten sie in diesem Moment bereits ihre eigene Strategie, die Mine begehbar zu machen und sie dann wie geplant zu übernehmen. Vielleicht war auch ihnen die Idee gekommen, einen genetisch modifizierten Agenten zu schicken, und Mitchell war bereits auf dem Weg. *Oder vielleicht ist er sogar schon da*, überlegte Jimmy.

Er straffte sich, und seine Konditionierung begann, unter seiner Haut zu prickeln. Was, wenn die britische Satellitenüberwachung ihn entdeckte? Er versuchte, seine Zweifel zu zerstreuen, indem er noch schneller marschierte. *Umso wichtiger ist es, dass Stovorsky meine Mum, Georgie und Felix tatsächlich in Sicherheit bringt*, dachte er. Solange er auf dem Minengelände war, mussten die Franzosen tun, was er verlangte. Und sie konnten ihn nicht kontrollieren.

Die Toreinfahrt des Komplexes erhob sich bedrohlich über ihm, deformiert und rußgeschwärzt, als würde sie sich vor der gewaltigen schwarzen Rauchsäule verbeugen.

Jimmy trabte durch das Gelände.

Doch plötzlich war nichts mehr so einfach, wie es noch auf Stovorskys Laptop erschienen war. Der Rauch hing tief und dicht. Und die einzelnen Gebäude waren nicht leicht zu identifizieren. Keines der Schilder hatte die Explosion überstanden.

Jimmy versuchte, sich an die Pläne zu erinnern, aber wann immer er endlich durchzublicken glaubte, zeigt ihm eine Lücke im Qualm eine völlig unerwartete Örtlichkeit. Wo war das zentrale Kontrollzentrum, das ihm etwas über das wahre Ausmaß des Schadens verraten würde? Und wo war das Actinium gelagert?

Jimmy musste immer wieder husten und schützte nun sein Gesicht mit dem Arm. Während er sich durch den Komplex bewegte, wurde der Rauch bald so dicht, dass er die Hand nicht mehr vor Augen sehen konnte. Außerdem war da ein fieser Geruch – bitter in seiner Kehle und zugleich Übelkeit erregend süß.

Der Boden war überall mit Blut bedeckt. Und dann wurde ihm klar, dass der schreckliche Geruch von verbrannten menschlichen Körpern herrührte. Jimmy schnappte immer nur kurz nach Luft, um sich am Erbrechen zu hindern. *Wie bin ich nur in diesen Albtraum geraten?*, fragte er sich.

Voller Schrecken bahnte er sich einen Weg durch die verstreuten Leichenteile. Sein Abscheu verwandelte sich in brodelnde Wut. War es denn der britischen oder der französischen Regierung völlig gleichgültig, dass so viele Menschen wegen ihnen getötet worden waren? Wie konnten sie dieses Blutbad nur vor sich selbst rechtfertigen, egal, wie viel Geld auf dem Spiel stand?

War er denn der Einzige, der noch zwischen Recht und Unrecht unterscheiden konnte? War die ganze übrige Welt schon so verkommen? Vielleicht sollte er Großbritannien und Frankreich sich in einem blödsinnigen Krieg selbst vernichten lassen. Sie standen einander an Schlechtigkeit in nichts nach.

Aber dann wurde Jimmy klar, dass die Opfer überall um ihn herum *echte Menschen* waren, losgelöst von ihren Regierungen. Außerdem gab es mindestens drei weitere Menschen in dieser Welt, die nicht schlecht waren. Und diese drei geliebten Menschen in London säßen bei einem Krieg in der Falle.

Er versuchte sich zu beruhigen, indem er an sie dachte, aber die aufkeimende Angst und Sorge feuerten Jimmys Wut nur noch mehr an. Seine Familie war so weit weg und trotzdem musste er von hier aus für ihre Sicherheit sorgen.

Plötzlich ertönte ein Geräusch. Jimmy zuckte zusammen. Es war leise und wurde vom Wind sofort wieder verweht, doch es war überraschend und irgendwie fehl am Platz. Es klang wie das Anspringen eines Motors. Waren Stovorsky und sein Fahrer ihm doch auf irgendeinem Weg gefolgt?

Jimmy blickte sich um und versuchte festzustellen, woher das Geräusch gekommen war. Dann erspähte er ein schwarzes Rechteck, das aus dem Qualm direkt auf ihn zuschoss. Es war der Kühlergrill eines Jeeps.

Jimmys erster Impuls war es, beiseitezuspringen, aber seine Glieder bewegten sich nicht. Es war nicht die Angst, die ihn wie angewurzelt dastehen ließ. Seine Muskeln waren nicht angespannt. Im Gegenteil. Ein Gefühl ruhiger Bereitschaft strahlte von ihnen aus. Und erneut spürte Jimmy in dieser brenzligen Situation so etwas wie freudige Erregung. Die Gefahr mochte extrem sein, aber der Reiz des Kampfes war noch größer.

Er wartete, bis der Jeep nahe genug war, dass er den Fliegendreck auf den Scheinwerfern erkennen konnte. Dann ging er in die Knie und sprang. Seine Schulter krachte auf die Kühlerhaube und hinterließ eine Beule im Metall. Für Jimmy fühlte es sich nicht schlimmer an als ein Klaps auf den Rücken. Er flog über den Jeep hinweg, drehte sich in der Luft und landete weich im Sand.

Der Jeep verschwand in der Dunkelheit, aber Jimmys feines Gehör blieb auf das Motorengeräusch konzentriert. Sein Bewusstsein benutzte diese Information, um Berechnungen anzustellen. So konnte er die genaue Position und Geschwindigkeit des Jeeps ausmachen. *Der Wagen kehrte zurück.*

Jimmy blieb keine Zeit zu überlegen, wer das Auto lenkte. Er konnte jetzt entweder Fragen stellen oder am

Leben bleiben. Er bückte sich tief und grub seine Finger in den Sand. Sobald er die Umrisse des Fahrzeuges sah, schaufelten seine Hände wie verrückt und wirbelten einen Vorhang aus Sand und Asche in die Luft. Zusammen mit dem Rauch machte er Jimmy fast unsichtbar. Trotzdem versuchte er, nicht zu fliehen.

Der Jeep kam ins Schleudern, der Fahrer verlor die Kontrolle, und Bremsen kreischten. Eine schlanke Gestalt sprang aus dem Fahrersitz.

In selben Augenblick blitzten zwei Gedanken durch Jimmys Kopf. *Flüchte*, sagte der eine. *Zerstöre,* forderte der andere.

Jimmy schob den ersten mit Leichtigkeit beiseite und gehorchte nur dem zweiten, ohne zu wissen, ob er aus menschlichem Ärger oder aus seiner Agentenkonditionierung erwuchs. Es war ihm gleichgültig. Er rannte bereits über den Sand auf die Gestalt zu.

Jimmy war sicher: Angriff war die richtige Entscheidung. Egal, ob es die Briten waren, die jetzt die Mine übernehmen wollten, oder ein Hinterhalt der Franzosen. Beide verdienten Zerstörung.

Während der Fahrer über den Sand stolperte, stürmte Jimmy hinter ihm her, schneller und schneller. Er trug schwere Wüstenstiefel, trotzdem gruben sich seine Zehen in den Untergrund, um ihm extra Sprungkraft zu verleihen.

Die Gestalt vor ihm war immer nur Sekundenbruchteile zu sehen. Jimmy erkannte einen Wüstentarnanzug ähnlich seinem eigenen und verzweifelt pumpende Arme und Beine.

Jimmy wollte gerade loshechten, um die Fußgelenke des Flüchtenden zu packen, bremste aber gerade noch rechtzeitig ab. Sein Zielobjekt machte einen raschen Schritt zur Seite und verschwand in der dunklen Öffnung eines Gebäudes, wo früher mal eine Tür gewesen war. Jimmy folgte, ohne zu zögern.

Schlagartig von völliger Dunkelheit umgeben brauchten seine Augen Zeit, um sich anzupassen. Jimmy stolperte ein paar Schritte vorwärts. Und als seine Augen endlich prickelten und sich seine Nachtsichtfähigkeit einschaltete, fiel er bereits – und nicht etwa zu Boden. Wenn dieses Gebäude je einen Boden gehabt hatte, dann war er bei der Explosion zerstört worden. Jimmy stürzte lange genug, um zu realisieren, dass Minengebäude manchmal sehr, sehr tiefe Keller haben können.

KAPITEL 14

Jimmy bereitete sich für den Aufprall vor. Er zog den Kopf ein und schützte ihn mit verschränkten Armen. Er sog so viel Luft wie möglich ein, um seine Rippen zu polstern, und presste seine Fußknöchel aneinander.

Seine Füße trafen zuerst auf, so federnd und schmerzlos wie nur denkbar. Seine Beine knickten zur Seite, aber noch bevor er vollständig am Boden lag, merkte er, dass er sich nichts gebrochen hatte. Er spürte lediglich einen scharfen Stich in den beiden Rippen, die er sich bereits in den Bergen verletzt hatte.

Und dann: *BOOM!*

Irgendetwas donnerte mit der Gewalt einer Abrissbirne gegen seine Wange. Jimmy wurde beiseitegeschleudert und Spucke spritzte in einer Fontäne aus seinem Mund. Sein Schädel dröhnte wie eine Kirchenglocke. Es brauchte einige Sekunden, bevor er aufspringen und eine Verteidigungshaltung einnehmen konnte.

Offenbar war er in eine große, kreisrunde Grube gestürzt. Sie hatte einen Durchmesser von etwa fünfzig Metern. An der Stelle, wo Jimmy aufgekommen war, strömte schwaches Licht von oben herab. Es wurde durch den blauen Schimmer seiner Nachtsichtfähigkeit verstärkt. Jimmy war froh, dass er nicht allzu tief gefallen war – nur etwa fünfzehn Meter.

Diese Grube schien nicht durch die Raketeneinschläge entstanden, sondern Teil der Minenanlage zu sein. Der Boden war aus Lehm, und die Wände bestanden aus massiven Betonplatten, durchbrochen von Zugängen in Autobushöhe. Offenbar befand Jimmy sich auf der ersten Ebene eines unterirdischen Bergwerks. Jede Durchfahrt führte zu einem Netzwerk von Tunneln.

In der Mitte der Grube hingen eine Reihe am Dachstuhl des Gebäudes befestigter Ketten herab und überall standen große Fahrzeuge. Sie hatten Ähnlichkeit mit Gabelstaplern, nur waren sie viel größer und hatten vorne anstatt Gabeln große Bohrköpfe. Sie wirkten wie eine kleine Herde Elefanten auf Rädern. Ihre Bohrspitzen zeigten in alle Richtungen – einige waren auf die Tunneleingänge gerichtet, andere ragten aus ihnen hervor. Teilweise waren sie in merkwürdigen Winkeln abgestellt, als hätten sie sich spontan zu einem Nickerchen entschlossen.

Die Bohrköpfe waren mit Lehm verkrustet und Asche von den Feuern bedeckte sie. Bei hellem Licht wären die Fahrzeuge wohl orangefarben und schwarz gewesen, aber Jimmys Nachtsicht ließ sie bläulich schimmern. Ein metallenes Schutzschild trennte den Bohrkopf von dem Fahrersitz. Und nur die äußersten Spitzen der Bohrer blitzten silbern im Dämmerlicht. Es schien, als würden sie auf einen riesigen Zahnarzt warten, der den Tunneln ein paar neue Plomben verpassen würde.

Und dann bemerkte Jimmy eine Silhouette, die an den

Ketten hinaufkletterte. Jimmy preschte über den Lehm, um sie einzuholen. Er flitzte zwischen den Maschinen hindurch, aber kaum hatte die Gestalt das Gerüst über der Grube erreicht, wurden die Ketten rasch nach oben gezogen. Jimmy hechtete mit gestrecktem Arm hinterher. Doch das Ende der längsten Kette glitt ihm zwischen Daumen und Zeigefinger hindurch. Jimmy knallte auf den Boden und hatte den Mund voll Lehmstaub.

Gleich darauf ertönte ein Motorengeräusch. Das Jaulen und Knirschen ließ Jimmy erschaudern, als würden seine eigenen Wirbel aufeinander reiben. Es war eindeutig, woher das Geräusch stammte, aber Jimmy weigerte sich, es zu glauben. Er rollte sich auf den Rücken und sah seine Vermutung bestätigt: Der Bohrkopf einer der Maschinen drehte sich mit rasender Geschwindigkeit. Dabei schleuderte er in hohem Bogen angetrocknete Lehmbrocken in alle Richtungen wie ein Feuerrad Funken. Jimmy konnte den Blick nicht von der Bohrspitze wenden. Zentimeter um Zentimeter näherte sie sich, bis sie direkt auf die Mitte von Jimmys Stirn zielte.

Dann vervielfachte sich das Geräusch. Eine nach der anderen begannen die Bohrspitzen zu kreisen und sich in Jimmys Richtung zu drehen.

Er sprang auf und wirbelte einmal um die eigene Achse. Er war umzingelt. Sofort schoss er auf die einzige Öffnung im Kreis der Fahrzeuge zu. Aber kaum hatte er zwei Schritte getan, ordneten sich die Maschinen neu, um die Lücke zu schließen. Wie konnten sie sich ohne Fahrer so perfekt koordinieren?

Jimmy bremste abrupt ab und wich zurück. Auf der anderen Seite des Kreises sah er eine weitere Chance, durchzubrechen. Er sprintete darauf zu, doch die Maschinen waren nicht nur groß, sondern auch unheimlich wendig. Zwei von ihnen drehten sich nach innen und senkten ihre Bohrspitzen genau auf den Punkt, den Jimmy ansteuerte. Auf dem Rücken rutschte er über den Lehm, ohne abbremsen zu können. Schließlich drückte er sich mit seinen Ellbogen hoch und hämmerte seine Absätze in den Boden, um sich über das kreisende Metall hinweg zu katapultieren.

Er dachte schon, er wäre der Umzingelung entkommen, als zwei weitere Maschinen herumwirbelten und ihn ins Visier nahmen. Jimmy verfluchte diese Gestalt dort oben auf dem Gerüst. Sie steuerte ganz offensichtlich die Fahrzeuge und versuchte, ihn wie einen Schweizer Käse zu durchlöchern. Aber warum? Wer war das?

Jimmy duckte sich und tauchte zwischen den Fahrzeugen hindurch. Sie schwangen ihre Bohrer mit so rasendem Tempo über ihn hinweg und unter seinen Sprüngen hindurch, dass ihr Surren durch die Luft wie ein Propeller klang. Sie stachen mit dem Tempo und der Gewalt von voll automatisierten Rammböcken nach seinem Kopf und seinem Körper. Und jedes Mal, wenn Jimmy eine Chance zur Flucht sah, schnitt ihm ein weiteres Fahrzeug den Weg ab.

Jimmys Lungen rangen nach Luft. Sein Körper arbeitete mit ungeahnten Kraftreserven. Er wünschte, die Maschinen hätten nur für einen Sekundenbruchteil stillgestanden, damit er zu den Betonwänden der Grube rennen und daran hinaufklettern könnte. Das brachte ihn auf eine Idee.

Jimmy ließ sich zu Boden fallen und verharrte dort für einen Augenblick. Sofort schossen zwei kreisende Bohrspitzen auf ihn zu wie Geier. Die erste stach nach seinem Kopf. Jimmy zuckte im letzten Moment beiseite. Die Bohrspitze grub sich in den Lehm. Und während sie sich drehte, schraubte sie sich immer tiefer in den Boden. Jetzt arbeitete sie gegen sich selbst. Sie konnte sich nur wieder befreien, indem sie in die Gegenrichtung drehte. Und das würde einen Moment Zeit kosten. Und warum sollte die Person in der Steuerzentrale Zeit damit verschwenden, wenn so viele weitere Fahrzeuge um ihr Zielobjekt kreisten?

Jimmy wartete direkt neben dem blockierten Fahrzeug. Und tatsächlich, schon schoss die nächste Maschine auf ihn zu. Jimmy wartete so lange wie möglich, dann duckte er sich zur Seite.

Der zweite Bohrer schoss haarscharf an Jimmys Kopf vorbei und traf die erste Maschine. Da beide Bohrspitzen in Höchstgeschwindigkeit rotierten, gab es ein durchdringendes Kreischen, und ein donnerndes *KLACK-KLACK-KLACK-KLACK* ertönte. Eine Lehmfontäne spritzte bis hinauf an die Oberfläche.

Beide Maschinen wurden nach hinten geschleudert und krachten an die Betonwände. Für einen Augenblick hielten die anderen Fahrzeuge inne.

Jimmy nutzte die Gelegenheit, während die Person am Schaltpult abgelenkt war. Er rannte auf die Betonwand zu und machte sich zum Klettern bereit. Er hatte nicht viel Vorsprung, rechnete sich aber eine gute Chance aus.

Doch dann hörte er das entsetzliche Geräusch von zehn

gewaltigen, sich erneut in Bewegung setzenden Bohrfahrzeugen. Sie jagten ihn. Also bog Jimmy im letzten Moment blitzschnell ab und schlüpfte in einen der Tunnel.

Er presste sich hart gegen die Seitenwand. Von der Steuerzentrale aus würde es einige Sekunden dauern, Jimmys Zufluchtsort auszumachen.

Allerdings konnte er sein Versteck nicht verlassen, ohne gesehen zu werden. Er lauschte auf die Bewegungen der Fahrzeuge draußen. Was taten sie? Warum waren sie so still?

Dann wurde plötzlich die Tunnelöffnung dunkel. Jimmy nahm sich nicht die Zeit nachzusehen, was sich vor den Eingang geschoben hatte. Er konnte es hören. Mit vollem Tempo rannte er in den Tunnel hinein und hoffte, dass der unebene Boden die ihn verfolgende Maschine ausbremsen würde. Er spähte über die Schulter. Seine Nachtsicht intensivierte sich noch, doch die Details spielten jetzt keine Rolle mehr. Alles, was zählte, war die sich bedrohlich nähernde Spitze der gewaltigen Bohrmaschine und die schemenhafte Gestalt, die jetzt auf der Maschine hockte, um sie per Hand durch den Tunnel zu steuern.

Hoffentlich gibt es am anderen Ende einen Ausgang, dachte Jimmy.

KAPITEL 15

Ein Flutlicht leuchtete an der Spitze des Bohrfahrzeuges auf. Es war so grell, dass Jimmys Körper sofort mit gesteigertem Tempo reagierte. Er raste den Tunnel hinunter und seine Stiefel donnerten auf dem Lehm. Doch der Verfolger holte auf. Die Wände des Tunnels wurden immer enger. Jimmy konnte seinen eigenen Schatten vor sich hüpfen und springen sehen.

Die Gedanken in Jimmys Kopf kreisten so rasend wie die Bohrspitze hinter ihm. Wer wollte ihn da so verzweifelt töten? Doch er vergaß die Frage sofort wieder, als er um die nächste Ecke bog. Unvermittelt sah er sich einem Bohrer gegenüber, der die Maschine hinter ihm wie eine elektrische Zahnbürste wirken ließ.

Der Bohrkopf war dicker als eine Litfaßsäule und darum herum waren Hunderte kleiner Klingen angeordnet. Er füllte den gesamten Tunnel aus und wirbelte wie ein Tornado. Außerdem bewegte er sich auf Jimmy zu. Er bremste gerade noch rechtzeitig ab, machte auf dem Absatz kehrt und wollte zurückrennen – aber das kleinere Bohrfahrzeug hatte ihn bereits eingeholt.

Jimmy saß in der Falle. Er presste sich flach gegen die Tunnelwand und spürte die Kälte des Lehms an seinem

Rücken. Genau in diesem Moment bohrte sich die Spitze der kleineren Maschine in ihren größeren Bruder. Das metallische Kreischen hätte beinahe Jimmys Trommelfelle zerfetzt. Gewaltige Funken sprühten. Einige landeten auf Jimmys Gesicht und Händen und verbrannten seine Haut. Doch immer noch fuhren die beiden Bohrfahrzeuge aufeinander zu.

In wenigen Sekunden würde Jimmy zwischen zwei kollidierenden Blöcken scharfen, rotierenden Stahls zermalmt. Doch auch Jimmys Programmierung arbeitete auf Hochtouren und seine Entschlossenheit war ebenso stählern wie die Maschinen. Er krallte sich in den Lehm hinter seinem Rücken und scharrte mit seinen Absätzen daran. Nur eine kleine Vertiefung würde ausreichen, um ihn vor den beiden Maschinen zu bewahren.

Die Bohrspitze der kleineren Maschine gab jetzt unter dem immensen Druck des größeren Fahrzeugs nach. Der Stahl glühte erst orangefarben, dann rot. Die Hitze versengte Jimmys Haut. Dann brach die Bohrspitze plötzlich ab und beide Maschinen krachten gegeneinander. Jimmy zuckte zurück, presste alle Luft aus seinen Lungen und streckte seine Wirbelsäule, um sich noch flacher an die Seitenwand zu drücken. Die Stahlkante der Schutzplatte rauschte an seinem Gesicht vorbei und schrammte die Haut von seiner Nasenspitze.

Jimmy wand sich aus seinem Loch. Er zwängte sich am kleineren Bohrfahrzeug vorbei, zurück in den oberen Teil des Tunnels. Sobald er frei war, rannte er los. Er fühlte die enorme Hitze in seinem Rücken. Das Geräusch war unglaublich – ein Kreischen und Jaulen, als hätte man ein Rudel Wölfe in Brand gesteckt.

Jimmy warf einen Blick über die Schulter. Die beiden Maschinen waren jetzt eine Masse aus Funken und Stahltrümmern. Und mitten aus diesem Chaos sprang eine schlanke Gestalt mit langer schwarzer Haarmähne. Sie landete mit einem eleganten Überschlag, und nun sah Jimmy endlich auch ihr Gesicht, das von dem Funkenregen beleuchtet wurde. Es war ein Mädchen. Jung, aber älter als Jimmy. Und mindestens ebenso entschlossen.

Sie flüchtete weg von den Bohrfahrzeugen. Wegen des flackernden Lichtscheins hinter ihr konnte Jimmy nur die markanten Wangenknochen und das tiefe Schwarz ihrer Haut erkennen. Er rannte weiter, blickte sich aber immer wieder um, wohin sie sich bewegte und welche Entscheidungen sie traf. Er spähte nach allem, was Aufschluss über ihre Identität und ihre Ziele geben konnte.

Dann sah Jimmy sie stolpern. Mit der steigenden Hitze wurde der Lehm um sie herum immer bröseliger. Der Boden war holprig und das Mädchen war gestürzt. Nun lag sie mit dem Gesicht im Staub.

Und dann: *BOOM!*

Jimmy glaubte, das Geräusch würde seinen Schädel platzen lassen. Die Hitze der Bohrspitzen, die Funken und der Treibstoff in den Tanks – es war eine hochexplosive Mischung. Eine dichte schwarze Wolke schoss durch den Tunnel auf sie zu. Die Hitzewelle war sogar noch schneller und fegte Jimmy beinahe von den Füßen. Das Mädchen hatte keine Chance mehr zu fliehen.

In diesem Augenblick schien Jimmys Gehirn Millionen Verbindungen gleichzeitig herzustellen. Und sie lösten eine Explosion widersprüchlicher Gefühle aus. Dieses junge Mädchen hatte alles getan, um ihn auszulöschen – und hatte dabei außergewöhnliche Raffinesse bewiesen. Er musste plötzlich an Zafi denken. Und an Mitchell. Die beiden anderen jungen Agenten. War es möglich, dass auch dieses Mädchen …?

Doch plötzlich war es Jimmy völlig egal, für wen sie arbeitete. Es war ihm gleichgültig, dass sie ihn noch vor wenigen Augenblicken zu Brei hatte verarbeiten wollen. Wenn sie ihm ähnlich war …

Jimmys Muskeln zuckten, als er die Richtung wechselte. Er hechtete Kopf voran zurück in den Tunnel und streckte den Arm aus. Er packte das Mädchen bei den Haaren und riss sie zu sich.

Eng umschlungen rollten sie in Richtung Tunnelausgang. Ein scharfkantiges Metallteil bohrte sich genau dort in den Boden, wo eben noch der Hals des Mädchens gewesen war, und ragte nun wie ein Flaggenmast empor.

Für einen Augenblick sah Jimmy nur noch die Augen des Mädchens. Sie starrten ihn an und das Orange und das Rot der Explosion spiegelten sich auf dem dunklen Braun ihrer Iris.

Dann rappelten sie sich gleichzeitig auf und sprinteten zum Ausgang. Ein Flammenball schoss auf sie zu und Lehmbrocken zischten durch die Luft. Der Tunnel brach hinter ihnen zusammen.

Jimmy erreichte als Erster die kreisrunde Grube. Er

warf sich keuchend auf den Boden und schützte sein Gesicht mit den Händen.

Das Mädchen stürmte dicht hinter ihm aus dem Tunnel und brach an der Seitenwand der Grube zusammen, die Hände auf den Knien.

Nachdem sie kaum drei Atemzüge genommen hatten, wandten sie sich einander zu und riefen synchron: »Wer bist du?«

KAPITEL 16

Die Stimmen Jimmys und des Mädchens hallten von den Betonwänden der Grube wider. Die beiden wichen voreinander zurück, bis sie in Kampfhaltung an den gegenüberliegenden Seiten des Raumes standen. Jimmy überlegte, ob er fliehen sollte – er könnte einfach hinausklettern und wegrennen, aber erst musste er herausfinden, warum ihn dieses Mädchen töten wollte.

»Wenn du schon Löcher in dir unbekannte Leute bohrst, dann möchte ich nicht sehen, wie du mit deinen Feinden umspringst«, sagte er. Seine Kehle war trocken und seine Stimme klang ungewollt scharf.

Als das Mädchen antwortete, war ihr Tonfall überraschend sanft und ihre Vokale besaßen einen wunderbar runden Klang.

»Ich dachte, du wärst von der französischen Armee, oder der britischen oder der deutschen oder …«

»Was?«, platzte Jimmy heraus. »Sehe ich etwa aus wie ein Soldat?« Er tupfte sich Blut von der Nasenspitze und checkte nebenbei, welche seiner Körperteile ernsthaft beschädigt waren oder einfach nur höllisch wehtaten.

»Allerdings«, erwiderte das Mädchen. »Schau dich doch mal an.«

Das war unnötig. Jimmy fühlte die zu engen Armeestiefel an seinen Füßen und unter dem ganzen Lehmstaub trug er eine Tarnuniform. Das ganze Blut und der Schweiß vervollständigten das Bild.

»Aber ich bin erst dreizehn«, beharrte Jimmy.

»Na und?« Das Mädchen zuckte die Achseln. Offensichtlich hatte sie mindestens genauso viel Schmerzen wie Jimmy, versuchte sie aber zu verbergen. »Ich bin sechzehn und kämpfe, seit ich mich erinnern kann. Es ist mein Leben.«

»Es ist jetzt auch mein Leben«, murmelte Jimmy. Und dann fügte er lauter hinzu: »Aber ich gehöre nicht zur Armee.« In seine Stimme mischte sich ein zweifelnder Unterton. Die ganze Situation war so seltsam, dass er alles fragwürdig fand. Wenn dieses Mädchen schon so lange kämpfte, welche Geheimdienst-Organisation hatte sie dann trainiert? *Oder sie konditioniert*, dachte er nervös. Die Frage war so drängend, dass sie ihn sogar von den pochenden Schmerzen ablenkte.

»Warum nicht in der Armee?«, fragte das Mädchen.

Jimmy war fasziniert von ihrer Art zu sprechen und beobachtete sorgfältig jede ihre Bewegungen. Sie war etwa einen Kopf größer als Jimmy und sehr schlank; ihr langes schwarzes Haar reichte ihr bis auf die Hüften. Ihre Kampfhose und das dünne Hemd lagen hauteng an. Sie schien nur aus Muskeln und Sehnen zu bestehen. War sie zu hundert Prozent menschlich oder etwas anderes? Die äußere Erscheinung konnte täuschen: Auch ihn würde man auf den ersten Blick für einen ganz normalen Jungen halten.

»Alter spielt keine Rolle, wenn es etwas gibt, wofür sich einzutreten lohnt«, fuhr das Mädchen fort. »Auf der ganzen Welt gibt es junge Kämpfer. Und einige sind hier an meiner Seite. Waren …« Sie verstummte und deutete mit ihrem Arm auf das Blutvergießen draußen.

Aus dem Tunnel, aus dem sie geflüchtet waren, drang immer noch ein Beben, das jedoch bald verstummte. Stille machte sich breit.

Jimmy und das Mädchen warfen sich zweifelnde Blicke zu, um jederzeit auf einen Angriff vorbereitet zu sein. Beiden war klar, dass Jimmy gerade dem Mädchen das Leben gerettet hatte. Und beide versuchten herauszufinden, warum.

Trotz der wenigen Informationen begann Jimmy zu vermuten, dass dieses Mädchen doch vollständig menschlich war. Die Möglichkeit, dass es einen weiteren jugendlichen Agenten und Auftragskiller gab, war einfach zu gering. Und doch waren ihre Stärke, ihre Fähigkeiten und ihr Tempo unglaublich gewesen …

»Woher wusstest du, wie man diese Bohrfahrzeuge bedient?«, fragte Jimmy schließlich.

»Ich habe den Ort hier mein ganzes Leben lang studiert. Das ist mein Land. Und deshalb sollten es unsere Bodenschätze sein – und nicht die der Franzosen. Meine Gemeinschaft ist t…« Erneut verstummte sie und alles Leben wich aus ihren Augen.

Jimmy wusste nicht, wie er mit ihr reden sollte, ohne sie an all die erlebten Schrecken zu erinnern. Vielleicht waren es ihre nach unten gezogenen Mundwinkel oder die Art, wie sie ihre Schultern nach vorne sinken ließ. Jedenfalls verriet es Jimmy, dass sie geliebte Menschen verloren haben musste.

»Wie hast du die Raketenangriffe überlebt?«, erkundigte sich Jimmy, bevor ihm klar wurde, dass es eine weitere taktlose Frage war.

»Ich habe nicht überlebt«, erwiderte sie.

»Was?« Jimmy versuchte zu lachen, doch es klang mehr wie ein trockenes Husten.

»Ich bin tot.«

Jimmy war nicht in der Stimmung für Scherze, doch am Gesichtsausdruck des Mädchens sah er, dass sie nicht komisch zu sein versuchte. Vielleicht war es ein Missverständnis aufgrund ihrer ungewohnten Aussprache.

»Die Explosion hat mich nicht getötet«, erklärte sie. »Ich hatte einfach Glück. Aber die radioaktive Strahlung. Ich könnte ebenso gut tot sein.« Plötzlich schien Panik in ihr aufzusteigen. »Du solltest sofort von hier verschwinden!«, schrie sie. »Es gibt hier Actinium. Der zweite Raketenschlag …«

»Ich weiß«, beruhigte sie Jimmy. »Die Hitze hat es möglicherweise ionisiert. Aber –«

»Das hat sie – ich habe die Instrumente im Kontrollzentrum abgelesen«, stammelte sie. »Aber *du* könntest trotzdem überleben. Wir sind hier weit entfernt von den Lagerorten. Vielleicht hast du Glück, ich –«

»Eben wolltest du mir noch ein Loch in den Schädel bohren, und jetzt versuchst du, mein Leben zu retten?«

Das Mädchen zuckte mit den Achseln. »Du hast meines

gerettet«, sagte sie leise. »Im Tunnel. Das bedeutet, dass du weder Franzose noch Brite bist.«

Jimmy wollte lachen, aber der Schmerz in seinen Rippen verhinderte es.

»Es tut mir leid«, sagte das Mädchen. »Es war falsch von mir, dich anzugreifen.« Sie blickte sich um, wobei sie Jimmys Blick vermied. Wohin war ihre ganze Selbstsicherheit verschwunden? »Ich heiße Marla Rakubian«, sagte sie, erhob sich und stand nun wieder zu ihrer vollen Größe aufgerichtet da.

»Marla«, wiederholte Jimmy. »Ich bin Jimmy. Und du musst mich zu dem Actinium bringen.«

»Was?« Ihre Augen wurden groß wie Unterteller.

»Es ist kompliziert zu erklären, warum. Aber kannst du mich dorthin bringen?«

»Nein«, beharrte Marla. »Du bist jetzt schon der Strahlung zu sehr ausgesetzt. Davon wirst du sicher krank, könntest aber trotzdem überleben. Wenn ich dich noch näher heranbringe, wird der Schaden viel schlimmer werden. Du wirst sterben. Für mich ist es bereits zu spät, aber du kannst es immer noch schaffen, wenn du jetzt sofort verschwindest.«

Jimmy hörte nicht auf Marlas Worte. Er kletterte bereits aus der Grube zurück in die große Lagerhalle. Dort standen weitere Bohrfahrzeuge. Maschinen, Gerüste und alles mögliche Equipment war bis zur Decke gestapelt.

Ein Objekt erregte seine besondere Aufmerksamkeit: das Kontrollpult, von dem aus Marla die Bohrfahrzeuge gesteuert hatte. Es setzte in seinem Kopf eine Gedankenkette mit der Geschwindigkeit eines Expresszuges frei. Jimmy stellte sich vor, wie alle Bohrfahrzeuge gleichzeitig die Tunnel hinunterrasten. Er malte sich die Hitze, die Funken und den Treibstoff in ihren Tanks aus. Er glaubte bereits die Schockwellen im Boden unter sich zu spüren.

Ich könnte den ganzen Tunnelkomplex zum Einsturz bringen, dachte er, ohne richtig zu realisieren, was ihm da durch den Kopf ging. *Dutzende kleiner Explosionen. Eine Kettenreaktion. Alles zerstören …*

Jimmy umklammerte den Kopf mit den Händen. »Nein!«, schrie er. Sein Herz hämmerte. Doch dann befahl er sich selbst: *Erledige das gründlich. Verpasse nicht diese einmalige Gelegenheit.* »Zwinge sie, dir zuzuhören«, schrie er.

Marla war ihm gefolgt und hatte die ganze Zeit auf ihn eingeredet, aber bei Jimmys Ausbruch verstummte sie.

Jimmy stand bewegungslos, nur seine Brust hob und senkte sich. Dann hob er langsam den Kopf und blickte Marla an.

»Bring mich zu dem Actinium«, wiederholte Jimmy.

Es entstand eine lange Pause. Tausende von Gedanken bekämpften sich in Jimmys Kopf. Schließlich richtete er sich zu seiner vollen Größe auf und seufzte. »Ich schätze, ich sollte dir eine Reihe von Dingen über mich erzählen …«

Helen, Georgie und Felix waren vom *NJ7* in einer staatlichen Wohnung in Chalk Farm im Norden Londons untergebracht worden. Und sie wurden beobachtet. Die Wohnung war perfekt zu observieren – ein Apartment im Erdgeschoss ohne Hintertür. Außerdem führte ein gut einsehbarer Gehweg von der Eingangstür zur Straße, sodass niemand zu einem Wagen rennen konnte, ohne vorher gesehen oder nötigenfalls auch erschossen zu werden.

Zafi hielt den Kopf gesenkt und hatte ihre Mütze tief ins Gesicht gezogen, nahm aber trotzdem jedes Detail auf, während sie durch die Straßen huschte. Sie war beeindruckt vom Vorgehen des *NJ7*. Der Geheimdienst hatte den perfekten Ort gewählt: die Ecke einer betriebsamen Kreuzung, wo keine hohen Gebäude oder Bäume den Blick in die hier zusammentreffenden Straßen störte.

Unwillkürlich zählte Zafi die Busse und merkte sich, wie oft diese an der Bushaltestelle vor dem Gebäude hielten.

Direkt gegenüber der Wohnung befand sich die ideale Überwachungsstation – der *Gregor's Elbow*-Pub. Dort verkehrten weder zu viele Gäste noch war er zu verlassen. Niemand würde das zusätzliche Kommen und Gehen bemerken. Niemand außer Zafi natürlich.

Sie spähte hinauf zu den Apartmentfenstern über dem Pub. Sie waren mit Brettern vernagelt, doch ein schmaler Lichtstrahl drang aus dem ersten Stock. Saßen dort die *NJ7*-Agenten über ihr Video-Equipment gebeugt? Eigentlich gab es keinen Grund für sie, hier zu sein – sie hätten die ganzen Überwachungsdaten problemlos in Echtzeit ins *NJ7*-Hauptquartier senden können. *Aber sie wollen Agenten vor Ort*, wurde Zafi klar. *Falls Viggo kommt. Oder sogar Jimmy.*

Zafi eilte den Häuserblock entlang und durch die Malden Road, eine der angrenzenden Straßen. Sie konnte sich ein Lächeln nicht verkneifen. Weil Jimmy die Ölbohrplattform in die Luft gejagt hatte – und dabei eine Maske getragen hatte –, ging der *NJ7* davon aus, dass auch sie tot war. Das machte ihre Aufgabe wesentlich leichter.

Doch sofort wurde sie wieder wachsam. Sie durfte nicht gesehen werden und ihr Gesicht sollte auf keiner der Überwachungskameras auftauchen.

Sie entdeckte jetzt überall Agenten. Der Geheimdienst verließ sich nicht nur auf Kameras und Mikrofone. Zafi bemerkte vor einem der Häuser einen Anstreicher. Er trug Jeans, die einfach zu gut saßen. Außerdem war da ein Ordnungswächter unterwegs, der keine Strafzettel verteilte. Sie waren so offenkundig *NJ7*-Agenten, dass sie ebenso gut einen grünen Streifen auf der Stirn hätten tragen können.

Doch dann entdeckte Zafi etwas, das der *NJ7* nicht hatte kontrollieren können. Ein halbes Dutzend Jungs kam großspurig auf sie zugeschlendert. Einer von ihnen war definitiv älter als sie – er musste mindestens siebzehn sein. Er schob sein Bike neben sich her. Die anderen sahen aus, als wären sie zwischen vierzehn und sechzehn.

Zafi fixierte den Kleinsten: ein bleicher Junge, nicht viel größer als sie selbst, mit einem grimmigen Grinsen, der Kopf kaum sichtbar unter der riesigen Kapuze seines Sweatshirts. *Perfekt*, dachte Zafi.

Als die Jungsgang Zafi bemerkte, wusste sie bereits, was sie sagen und was sie mit ihr anstellen – oder zumindest versuchen würden. Sie belauschte ihre Unterhaltung aus der Entfernung, während sie ihre Körpersprache studierte. Und obwohl die meisten Menschen sicher sofort die Straßenseite gewechselt hätten, marschierte Zafi direkt auf die Gruppe zu.

»Hey«, grunzte der Junge mit dem Bike.

Zafi drehte sich zu ihm, zog eine Grimasse und drückte die Brust raus. »Willst du Stress, Alter?«, knurrte sie, wobei sie perfekt den Londoner Akzent und Sprachrhythmus des Jungen imitierte.

»Ob ich *was* will?« Sein Gesicht war eine Mischung aus Verwirrung und Belustigung. Er blickte sich zu seinen Kumpels um und stieß ein raues Lachen aus.

Zafi blieb absolut ruhig und starrte zu dem Jungen hinauf, der mindestens einen halben Meter größer war als sie.

»Aus dem Weg«, befahl der Junge, nun wieder mit dem höhnischen Grinsen im Gesicht.

»Das hier ist *mein* Weg«, fauchte Zafie. »Aber ich lass dich hier ausnahmsweise langgehen.«

Der Junge ignorierte sie und drängte sich an ihr vorbei, wobei er seinen Ellbogen in Richtung von Zafis Gesicht rammte.

Sie wich elegant nach hinten aus und ließ ihn passieren. Doch die anderen Jungs beäugten sie, halb amüsiert, halb nervös, als sie an ihr vorbeigingen.

»Tut mir leid, Kumpel«, rief Zafi ihm hinterher. »Ich kann mich gerade nicht mit dir abgeben, weil ich dringend das Gesicht deiner Mum in Ordnung bringen muss.«

Der Junge wirbelte mit hochrotem Gesicht herum. »Du musst wa–«

»Komm wieder runter!«, unterbrach ihn Zafi. »Ich

versuch's auch bei deiner Schwester, aber schließlich bin ich nur Schönheitschirurgin und keine Zauberkünstlerin.«

Der Junge schoss auf Zafi zu, wobei er über sein Rad stolperte.

Doch Zafi rannte davon und verschwand zwischen zwei Häusern. Sie konnte das Schreien und die Schritte ihrer Verfolger hören, aber das spielte keine Rolle. Sie würden Zafi niemals einholen können.

Wir sehen uns wieder, dachte sie, konzentrierte sich dann auf die nächste Stufe ihres Plans und lief in Richtung des nächstgelegenen Lebensmittelgeschäfts.

Eine halbe Stunde später kletterte Zafi die Feuerleiter auf der Rückseite von *Gregor's Elbow* empor. Sie war so leichtfüßig, dass sie kaum ein Geräusch verursachte. Als sie das Dach erreichte, sprintete sie hinüber zur anderen Seite des Gebäudes und legte sich flach auf den Bauch.

Von hier aus hatte sie einen perfekten Blick auf das Apartment, in dem Helen, Georgie und Felix untergebracht waren. Sie wusste, dass Georgie und Felix bald aus der Schule nach Hause kommen würden, daher wartete sie. In der Zwischenzeit wandte sie ihre Aufmerksamkeit dem Übertragungsequipment auf dem Dach neben ihr zu.

Der *NJ7* hatte hier ein raffiniertes Netzwerk von Geräten aufgebaut – schwarze Metallkästen in diversen Größen, Antennen und schüsselförmige Empfänger, die alle direkt auf die Eingangstür gegenüber zeigten.

Ohne das Equipment zu berühren, machte Zafi eine schnelle Bestandsaufnahme des Systems. Sie hielt ihre

Hände über die diversen Teile, um festzustellen, welche warm und welche kalt waren. Sie verließ sich darauf, dass sämtliche visuellen und akustischen Signale der Überwachungsoperation über diese Einheit liefen, bevor sie nach unten in das Apartment zu den Agenten übertragen wurden.

Sie hatte das Gefühl, mit ihrer Einschätzung richtigzuliegen, wusste aber, dass jede Manipulation daran ein Risiko darstellte. Möglicherweise waren die Geräte mit einem Alarmsystem ausgerüstet, außerdem würden die Agenten vor Ort sofort bemerken, wenn jemand auf dem Dach war und ihre Ausrüstung manipulierte.

Anstatt die Kabel zu durchtrennen, die Kästen zu magnetisieren oder auch nur die Antennen zu verrücken, griff Zafi in ihre Jackentasche und zog ein großes Stück Briekäse heraus. Wütend riss sie die mit britischen Flaggen bedeckte Plastikverpackung herunter – der Eckladen hatte nur britischen Käse verkauft. *Englischer Brie*, dachte sie. *Absurd.* Selbst der Geruch, der ihr normalerweise das Wasser im Munde hätte zusammenlaufen lassen, ließ sie würgen.

Sorgfältig platzierte sie den Käse in die Mitte des Überwachungsnetzwerks, direkt auf dem heißesten der Metallkästen. Mehr brauchte sie nicht zu tun.

Einige Minuten später entdeckte sie Felix und Georgie, die gemeinsam nach Hause kamen. Und kurz darauf sah Zafi auch die Jungsgang wieder, die nun vor dem Gebäude abhing. Alles fügte sich perfekt. Und inzwischen schmolz auch der Brie auf den Lüftungsschlitzen des Verstärkers.

Nur noch ein kleines bisschen, dachte Zafi, erfreut darüber, dass der Käsegestank immer heftiger wurde.

Schließlich kam die erste Taube heruntergeflattert.

Zeit, zu gehen, dachte Zafi. Sie sprintete zurück über das Dach und die Feuerleiter hinunter.

Wie lange es wohl dauern würde, bevor die geschmolzene Käsemasse das *NJ7*-Überwachungssystem lahmlegte? Und wenn dann einer der *NJ7*-Ingenieure oder ein Agent zur Behebung der Störung heraufkam, wäre gerade eine Schar hungriger Tauben dabei, sämtliche Kabelverbindungen zu zerpflücken. Zu schade, dass sie nicht dabei sein konnte.

Mit gesenktem Kopf rannte sie über die Straße. Sie hatte keine Zeit zu verlieren. Es war schwer abzuschätzen, wie lange der *NJ7* brauchen würde, um seine Überwachungsanlage zu reparieren. Zafi flitzte direkt zu dem Gehweg vor Felix' Eingangstür.

Der Junge mit dem Bike entdeckte sie als Erster. Dann bemerkten sie auch seine Kumpels und wie ein Rudel Hunde bewegten sie sich auf Zafi zu.

Noch nicht, dachte Zafi und zählte in ihrem Kopf die Sekunden – *zehn, neun, acht …*

Die Jungs stellten Zafi ein paar Meter vor der Eingangstür des Apartments.

Nichts tun, konnte Zafi in ihrem Kopf hören. Aus den Augenwinkeln bemerkte sie, dass der Anstreicher auf der anderen Straßenseite herübersah. Auch der vermeintliche Ordnungswächter drehte den Kopf, um die Ereignisse besser mitverfolgen zu können.

BUMM!

Eine Faust donnerte gegen Zafis Hinterkopf. Sie stolperte vorwärts und glaubte, ihre Augen würden aus den Höhlen springen. Trotzdem zählte sie weiter: *sieben, sechs, fünf …*

Sie hörte die Jungs kichern. Dann traf ein Knie ihre Nase. Zafi riss den Kopf zurück, um die Wucht des Treffers zu mildern, wehrte sich aber immer noch nicht.

Die Sekunden verrannen. Sie blickte zurück zur Straße. Endlich kam er – der nächste Bus. Er bremste an der Haltestelle. Blitzschnell zuckten Zafis Augen in Richtung des Anstreichers und des Parkwächters – der Bus verstellte ihnen die Sicht.

Und jetzt explodierte Zafi.

Sie ließ sich nach vorne auf die Hände fallen und schwang mit beiden Beinen nach hinten. Ihre Füße erwischten zwei der Jungs, die sofort zu Boden gingen. Zafi vervollständigte den Überschlag, wobei sie ihre Absätze gegen den Kopf eines weiteren Jungen hämmerte.

Der Älteste griff nach dem Messer in seiner Hosentasche; Zafi hatte die Umrisse der Waffe bereits in seiner Jeans bemerkt. Sie wirbelte auf den Fußballen herum, packte das Bike und hämmerte das Vorderrad gegen das Knie des Jungen. Er krümmte sich zusammen, worauf Zafi ihm den Lenker in den Bauch rammte.

Mehr brauchte es nicht. Schlagartig ergriffen die Jungs die Flucht. Doch bevor der Kleinste der Gang sich aus dem Staub machen konnte, packte ihn Zafi bei den Schultern. In einer einzigen raschen Bewegung zerrte sie seine Arme nach oben und riss ihm sein Kapuzenshirt über den Kopf.

Und gerade als der Bus seine Türen schloss, drückte Zafi dem Jungen ihre Kappe auf den Kopf, drehte ihn um und schubste ihn hinter seinen Freunden her. Exakt in dem Moment, als der Bus losfuhr, zog sie die Kapuze über den Kopf und schlenderte zur Eingangstür des Apartments.

Und während drei *NJ7*-Agenten auf dem Dach von *Gregor's Elbow* mit einem Ingenieur darüber diskutierten, wie sie ihr Überwachungsequipment von Käse und Taubendreck reinigen sollten, sahen ein Undercover-Anstreicher und ein vermeintlicher Ordnungswächter einen Jungen im Kapuzenshirt vor der Eingangstür des Apartments warten.

Beide schüttelten missbilligend den Kopf – sie hatten die kleine Gang schon längere Zeit beobachtet, und jetzt sah es ganz so aus, als hätten sich Felix und Georgie mit diesen Herumtreibern eingelassen. Daran war absolut nichts Berichtenswertes. Sie dachten sich nicht einmal etwas, als Felix an die Türe kam und plötzlich ein breites Grinsen auf seinem Gesicht auftauchte.

Der Kontakt war hergestellt.

KAPITEL 17

Für Uno Stovorsky war der *PVP 360* keine sonderlich geeignete Kommandozentrale. Bei geschlossenem Verdeck hatte er schlechten Funkkontakt, ohne Verdeck brannte die Wüstensonne gnadenlos herab. Also hatte er den Fahrer angewiesen, zurück nach Tlon zu fahren, wo sie im Schatten einer verblichenen Coca-Cola-Werbewand parkten.

Dann summte sein Smartphone. Es war eine SMS von Zafi.

»Gute Nachrichten«, sagte Stovorsky. Er saß auf dem Beifahrersitz, hatte die Tür geöffnet und die Füße auf den Boden gestellt. »Unsere Londoner Agentin hat Kontakt hergestellt.« Obwohl ihm der Schweiß in Strömen herablief und Fliegen um die kahle Stelle auf seinem Kopf kreisten, klang er relativ zufrieden.

»Soll ich Jimmy anfunken?«, fragte der Fahrer, ein junger Soldat. »Das wird ihm gefallen.«

Stovorsky grunzte nur und schüttelte den Kopf.

»Wollen Sie stattdessen Zafi kontaktieren?«, fuhr der jüngere Mann fort, wobei er über Stovorskys Schulter auf dessen Computer spähte. »Sie wird mit dem weiteren Vorgehen abwarten, bis sie genauere Befehle von Ihnen erhält.«

Stovorsky zuckte mit den Achseln. »Für uns ist es im Augenblick günstiger, wenn Jimmy seine Familie immer noch in Gefahr wähnt.«

»Vertrauen Sie Jimmy nicht?«

»Sie etwa?« Stovorsky blickte nun zum ersten Mal auf und musterte den Fahrer. »Aber im Grunde spielt das auch gar keine Rolle«, erklärte er gelassen und blickte wieder auf seinen Laptop. »Wir müssen ihn im Augenblick im Unklaren lassen, denn *er* vertraut *mir* nicht.«

»Wieso?«

Stovorsky seufzte. »Jimmy geht davon aus, dass er Großbritannien von einem Krieg mit Frankreich abhalten kann, wenn er sich dem *NJ7* lebend zeigt.« Seine Finger tippten rasend auf der Tastatur, während er sprach. »Aber sobald er dort auftaucht, wird ihn der *NJ7* mit seiner Familie erpressen. Solange Jimmy seine Familie also unter Beobachtung des *NJ7* glaubt, wird er in Deckung bleiben und diesen Job für uns erledigen.« Er blickte erneut auf und sein Gesicht hatte einen geschäftsmäßigen Ausdruck. »Sobald er die Mine gesichert hat, überbringe ich ihm die gute Nachricht.«

Mit gesenktem Kopf und konzentriert auf seine Füße gerichtetem Blick hastete Jimmy neben Marla durch das Bergwerksgelände. Er schien mit den Worten Schritt halten zu wollen, die aus seinem Mund sprudelten.

Als er schließlich endete, war er völlig außer Atem. Er wusste, dass er vieles ausgelassen hatte, aber für den Augenblick konnte er einfach nicht mehr. Er spähte hinüber zu Marla und wartete besorgt auf ihre Reaktion. Wann hatte er das letzte Mal jemandem so viel über sich selbst erzählt? Das alles laut ausgesprochen zu hören, war fast so schrecklich wie der Anblick der ausgebrannten Ruinen der Minengebäude und der Leichen überall, die der Wind nun langsam mit Sand bedeckte.

Marla nickte nachdenklich. »Es gibt da einen Mann, den du treffen solltest«, sagte sie.

»Das ist alles?«, staunte Jimmy. Er war sich nicht sicher, was für eine Reaktion er erwartet hatte, aber ihre Ruhe verblüffte ihn. »Ich habe dir gerade verraten, dass ich nur zu 38 Prozent menschlich bin, und mehr hast du dazu nicht zu sagen?«

»Was erwartest du?«, fragte Marla. »Soll ich heulen? Oder herumschreien? Oder so tun, als würde ich dir nicht glauben?«

»Ja, also, ich meine, keine Ahnung.« Jimmy konnte die Aufregung in seiner Stimme und die Wut in seiner Brust fühlen. *Entspann dich*, ermahnte er sich selbst. *Sie will dir helfen.* Aber sein Misstrauen ließ ihn weiterbohren. »Wieso sprichst du eigentlich so gut Englisch?«

»Englisches Radio«, erwiderte sie. »Wir hören hier immer die BBC.«

Das erklärt ihre merkwürdige Art zu reden, dachte Jimmy. »Was meinst du mit *wir*?«, fragte er.

Marla erstarrte. »Willst du jetzt vielleicht *meine* Lebensgeschichte hören?«, schnappte sie.

Jimmy blieb für einen Augenblick hinter ihr zurück. »Tut mir leid ...«, stammelte er. »Ich wollte nur ...«

»Sie sind alle tot«, schrie sie. »Siehst du das denn nicht?« Sie begann zu weinen, bewahrte aber weiter ihre absolute Körperbeherrschung. »Meine ganze Stadt … Wir kämpfen seit Jahren um die Kontrolle über diesen Ort. *Das* ist meine Lebensgeschichte. Jetzt bin ich hier und bin die einzige Überlebende. Alle anderen habe ich auf dem Gewissen!«

»Wieso glaubst du, dass du –?«, versuchte Jimmy sie zu beruhigen, aber sie schnitt ihm das Wort ab.

»Wir haben das Gelände nach dem ersten Raketenschlag gestürmt«, sagte sie mit glasigem Blick. »Ich bin direkt zu dem getroffenen Gebäude gelaufen. Dort.« Sie deutete hinter sich, wo der Qualm am dichtesten war.

Jimmy konnte durch den Rauch nichts erkennen.

»Ich habe meine Einheit direkt ins Feuer geführt«, fuhr Marla fort. »Wir wollten herausfinden, warum die Briten es auf diesen Block abgesehen hatten. Ich dachte, dass sich dort etwas Wichtiges befindet und wir es vor den Briten übernehmen könnten, wenn wir uns beeilen. Irgendeine Maschinerie oder wenigstens wichtige Informationen.«

»Du hast das Richtige getan«, sagte Jimmy tröstend. Er hob die Hände und machte einen Schritt auf sie zu.

Doch Marla explodierte. »Es war das Kantinengebäude!«, schrie sie wütend.

Jimmy zuckte zurück.

»Aber es war nicht das Feuer, das deine Leute getötet hat – es war die zweite britische Rakete, oder?«

»Wir haben sie kommen sehen.« Marla zitterte jetzt ein wenig. »Ich hätte niemals gedacht, dass die Briten dasselbe

Gebäude zweimal beschießen würden. Ich habe den anderen befohlen, an Ort und Stelle zu bleiben – damit sie in Sicherheit sind, weißt du?« Zum ersten Mal blickte sie zu Jimmy auf und er sah ihren Zorn, aber auch ihre Verzweiflung.

»Ich bin hinausgerannt, um zu sehen, auf welches Gebäude die nächste Rakete zielt. Ich dachte …« Sie verstummte, stand einfach nur noch da, und man konnte förmlich sehen, wie sich ihr Herz zusammenkrampfte.

Jimmy schwieg jetzt. Er hatte noch nie ein so verletzliches Gesicht gesehen. Wie hatte er je daran zweifeln können, dass dieses Mädchen irgendetwas anderes als ein durch und durch menschliches Wesen war? Er wollte ihr versichern, dass sie nichts falsch gemacht hatte. Sie hatte ihre Mitkämpfer zu schützen versucht und eine absolut naheliegende Entscheidung getroffen. Aber Jimmy wusste, dass dies für Marla keine Rolle spielte. Logik würde ihre Freunde nicht zurückbringen.

Sollte er ihr verraten, wie sehr er sich manchmal nach dem Gefühl sehnte, solche Entscheidungen allein aus sich heraus treffen zu können? Als ein ganz normaler hundertprozentiger Mensch? Mit all seinen Fehleinschätzungen und Schwächen.

Plötzlich unterbrach ein Knacken aus Jimmys Funkgerät das angespannte Schweigen. Es folgten französische Worte, obwohl Jimmy mittlerweile kaum noch Unterschiede zwischen den Sprachen wahrnahm.

»*Bist du da, Jimmy?*« Es war Stovorsky.

Jimmy löste das Funkgerät von seinem Gürtel und wollte

gerade etwas erwidern, als er aus den Augenwinkeln Marlas Reaktion bemerkte.

Jimmy hatte ihr viel über sich erzählt, aber die Tatsache, dass die Franzosen ihn geschickt hatten, um die Mine wieder zu übernehmen, hatte er kaum angedeutet. An Marlas Ausdruck war deutlich zu erkennen, dass sie sich jetzt die ganzen Zusammenhänge zusammenreimte. Und nun war Jimmy plötzlich wieder ihr Feind. Sie war bereit zu töten. Die Muskeln in ihren Schultern spannten sich und ihre Beine machten sich sprungbereit.

»Stopp«, forderte Jimmy sie auf, so ruhig er konnte. »Es ist nicht so, wie du denkst.«

»Du benutzt mich«, flüsterte sie. »Warum bin ich nicht gleich darauf gekommen, dass die Franzosen einen englischen Jungen schicken, um uns reinzulegen. Sie müssen ziemlich verzweifelt sein.«

Das Funkgerät knackte erneut. »*Jimmy*«, knisterte die Stimme. »*Hörst du mich?*«

Jimmys Finger schwebte über dem Sprechknopf, sein Mund war keine fünf Zentimeter vom Mikro entfernt, doch er antwortete nicht. »Ich arbeite nicht für die«, beharrte er. »Das glauben sie nur.«

Marlas Gesicht blieb versteinert.

»Ich arbeite auf eigene Faust. Für meine Familie. Ich will die Franzosen dazu bringen, nach meiner Pfeife zu tanzen.«

Endlich drückte sein Daumen den weißen Knopf an der Seite des Funkgerätes.

»Ja, ich höre Sie«, antwortete er und wechselte automatisch wieder ins Französische. Dabei hielt er den Blick fest auf Marla gerichtet, die ihn immer noch misstrauisch beobachtete. »Bisher habe ich nichts entdeckt außer Leichen. Es herrscht so ein Chaos, dass ich mich nur schwer zurechtfinde.«

Stovorsky erwiderte etwas, aber Jimmy achtete nicht darauf. Er und Marla führten eine harte Auseinandersetzung – ohne ein einziges Wort zu sprechen. Hatten sie einander schon genug offenbart, um sich nun wirklich vertrauen zu können?

Schließlich neigte Marla den Kopf zur Seite und kniff die Augen zusammen.

Jimmy fühlte einen Stich in der Brust – der Ausdruck erinnerte ihn ungemein an Georgie.

Er lächelte vorsichtig und Marlas Ausdruck wurde weicher. Dann deutete sie mit dem Daumen auf das nächstgelegene Gebäude, einen niedrigen, lang gestreckten Betonbunker. Gemeinsam liefen sie auf den Eingang zu.

»Wie geht es meiner Mutter und meiner Schwester?«, fragte Jimmy ins Funkgerät.

Stovorsky erwiderte prompt: *»Wir arbeiten daran.«*

Jimmy befestigte das Funkgerät wieder an seinem Gürtel und betrat den Bunker. Vorsichtig stieg er das dunkle Treppenhaus hinunter, dicht gefolgt von Marla. Gerade als er glaubte, die Stufen würden ganz hinab bis zum Mittelpunkt der Erde führen, stieß er auf eine massive Metalltür, die einen Spalt offen stand.

»Actinium«, flüsterte Marla. »Bist du bereit?«

Jimmy stieß die Tür auf und trat vorsichtig hindurch.

Das Licht hier unten war schwach, aber seine Augen gewöhnten sich rasch. Der Bunker wirkte wie ein großes Laboratorium, war aber gründlich verwüstet: überall zerbrochenes Glas, umgekippte Stühle, zerstörte Laptops.

»Sie sind in Eile geflüchtet«, erklärte Marla.

»Aber offensichtlich hatten sie noch Zeit genug, vorher alles gründlich zu Klump zu hauen.«

Jimmy drehte eine Runde durch den Raum und inspizierte die Trümmer. »Wenn sie nicht wollten, dass irgendjemandem das Actinium in die Hände fällt, warum haben sie es dann nicht einfach mitgenommen?«

In der Mitte des Raumes erhob sich ein großer zylinderförmiger Behälter bis zur Decke. Er war aus dem massivsten Glas gemacht, das Jimmy je gesehen hatte. Die Glaswand musste mindestens dreißig Zentimeter dick sein. Jimmy näherte sich und untersuchte die Bolzen und Stahlfassungen, mit denen der Zylinder im Boden verankert war. Im Inneren dieser einzigartigen Vitrine stand ein kleiner silberner Kanister, etwa fünfzig Zentimeter hoch. Er war lediglich durch zwei Zugänge mit Plastikhandschuhen hinter einem Schutzschirm aus Blei zu erreichen, der ebenfalls fest verschraubt war.

Jimmy brauchte kein Diplom in Atomphysik, um zu erkennen, dass sich das Actinium in diesem silbernen Kanister befand.

»Sie hatten nicht genug Zeit, es mitzunehmen«, erklärte Marla. »Die Briten haben sie ganz bewusst überrascht. Das Actinium ist ziemlich empfindlich. Es gibt genau festgelegte Prozeduren, um es herauszuholen. Es dauert Stunden.

Sie machen ein …« Sie suchte nach dem richtigen Wort. »Vakuum? Zur Dekontamination?« Sie deutete auf eine Reihe großer silberner Koffer, von denen offenbar einige verwendet worden waren, um die Computer und andere Instrumente zu zerstören. »Sie sind mit Blei isoliert«, führte Marla aus. »Aber um das Actinium da drin zu verstauen, braucht man die richtige Ausrüstung und viele erfahrene Wissenschaftler. Und jetzt, wo wir nicht mal diese hier haben …«

Sie trat gegen einen Haufen halb verbrannter Lumpen und geschmolzenen Plastiks.

»Sie haben ihre Schutzanzüge verbrannt?«, brummte Jimmy.

Bevor Marla antworten konnte, packte Jimmy den Griff eines Bleikoffers und donnerte ihn gegen den Glaszylinder.

Marla sprang mit einem Aufschrei zurück.

Kleine Risse zeigten sich im Glas. Jimmy holte erneut aus und hieb den Koffer ein zweites Mal mit voller Wucht gegen den Glaszylinder.

Der Koffer war eigentlich unvorstellbar schwer, aber Jimmy schwang ihn immer härter und schneller. Der Schweiß lief ihm herab und er stöhnte vor Anstrengung, setzte aber seine Bemühungen unvermindert fort.

Etwa eine Minute lang stand Marla nur staunend daneben. Aber dann packte sie zu Jimmys Überraschung den Griff eines zweiten Koffers und half ihm. Sie hatte weder Jimmys Kraft noch Tempo, aber jeder Schlag zählte. Zusammen bearbeiteten sie denselben Punkt im Glas.

Schließlich gab der Zylinder nach.

Jimmy zögerte nicht. Er fegte die Glassplitter am Rande des Lochs beiseite und zog den Kanister heraus. Er war leichter als erwartet. Gab es wirklich so wenig Actinium auf der Welt? Langsam dämmerte ihm, wie wertvoll dieses Material sein musste.

»Das ist es also?«, fragte er. »Die ganze Mine – für das bisschen?«

»Nein«, erwiderte Marla immer noch nach Atem ringend. »Es gibt einen weiteren Bunker für das Uran. Viel größer als dieser hier. Sie finden mehr davon. Und dann schaffen sie es hinunter zum Dock.«

Jimmy legte eine Hand auf den Deckel des Kanisters, um ihn zu öffnen, doch seine Armmuskeln zuckten unwillkürlich. Sein Herz schlug plötzlich wie rasend, und er fühlte den Drang, wegzurennen, so weit wie möglich. War das sein Agenteninstinkt oder seine menschliche Angst? Er konnte es an diesem Punkt kaum mehr unterscheiden.

Es ist in Ordnung, erinnerte er sich selbst, atmete tief durch und beschwichtigte die in seinen Muskeln vibrierenden Zweifel.

Er blickte zu Marla. Auf ihrem Gesicht spiegelte sich eine Mischung aus Angst und Bewunderung. Ein unerwartetes Gefühl des Stolzes durchströmte Jimmy. Und bevor ihm weitere Zweifel kamen, drehte er den Deckel des Kanisters auf. Er öffnete sich mit einem leisen *Klick* und Jimmys Gesicht wurde von einem blassen blauen Licht erleuchtet.

Da war es: ein Haufen Steinchen am Boden des Kanisters, die wie kleine Glühbirnen strahlten. Sie waren völlig geruchlos – da war nur dieser magische Schimmer und eine Welle von Wärme.

Jimmy fühlte sich wie eine Art Dämon oder ein verrückter Wissenschaftler in einem alten Horrorfilm. Trotz all seiner Angst musste er denken: *Felix würde das lieben.*

Schließlich riss er sich los, und als er Marla anlächelte, bemerkte er auch auf ihrem Gesicht ein andächtiges Staunen.

Rasch öffnete Jimmy einen der Bleikoffer und leerte die Steine vorsichtig hinein. Seine Hände zitterten. Wurden sie auch rot? *Das wird vergehen,* versicherte sich Jimmy. *Es kann mir nichts anhaben.* Dann schlug er den Deckel des Koffers zu. Er grinste Marla an und eine unnatürliche Selbstsicherheit durchströmte ihn.

Jimmy nahm das Funkgerät von seinem Gürtel und drückte den Knopf an der Seite.

»Sind Sie da, Stovorsky?«, rief er.

Eine Sekunde später kam die Antwort.

»*Was gibt's, Jimmy?*« Die Verbindung war schlecht, da sie tief unter der Erde waren, trotzdem waren Stovorskys Worte gut verständlich.

»Hören Sie gut zu«, fauchte Jimmy ins Funkgerät. »Sie haben genau zwölf Stunden, um mir über Funk einen Beweis zu liefern, dass meine Mutter, meine Schwester und Felix in Sicherheit sind. Höre ich bis dahin nichts von Ihnen, zerstöre ich diese Mine und alles darum herum.«

Sofort darauf schaltete er das Funkgerät aus und drückte es Marla in die Hand. »Nimm das«, befahl er. »Sie könnten mich sonst orten.«

»Aber was hast du vor?«

»Ich habe es dir doch gesagt«, erwiderte Jimmy. »Ich arbeite auf eigene Faust und nicht für sie. Ich muss sicherstellen, dass die Franzosen meine Forderungen erfüllen. Und dazu brauche ich etwas, das sie unbedingt haben wollen.«

Er hob den Koffer ein wenig an.

Marla wich instinktiv zurück, obwohl das Actinium jetzt isoliert war.

»Angeblich ist ihnen dieses Actinium sehr wichtig«, fuhr er fort. »Und ich habe vor, es sogar noch wertvoller zu machen. Sie werden keine andere Wahl haben, als mir zu helfen.«

Gemeinsam stiegen sie die Treppen hinauf.

Oben angekommen blieb Jimmy kurz stehen. »Du willst mir helfen, oder?«, flüsterte er.

»Ich helfe dir, wenn du gegen die Franzosen bist«, erwiderte Marla.

»Triff mich um Mitternacht am Anlegedock«, sagte Jimmy rasch. Durch seinen Kopf zuckten die Pläne des Mutam-ul-it-Komplexes – Dutzende von Bildern pro Sekunde. Ihm war nicht klar gewesen, dass sich die Bilder, die er auf Stovorskys Laptop gesehen hatte, so stark eingeprägt hatten. »Am Pier fünf«, verkündete er.

Marla nickte.

»Bring eine schwarze Balaklava mit und Büroklammern. Jede Menge davon. Oh, und ein Fahrzeug. Irgendetwas Schnelles, aber nicht zu groß ...«

»Warte«, sagte Marla. »Mitternacht? Bis dahin sind es nur sieben Stunden.«

»Ich weiß. Zählen ist eine weitere meiner besonderen Fähigkeiten.«

Jimmy drehte sich um und drückte mit der Hand gegen die Tür, aber Marla hielt ihn zurück.

»Was ist, wenn der Mann mit dem Funkgerät deine Forderungen erfüllen wird? Wenn die Franzosen deine Familie in Sicherheit bringen?«

Jimmy zögerte kurz, dann trat er hinaus ins grelle Tageslicht und verkündete vollkommen überzeugt: »Das werden sie nicht tun.«

»Beweise?!«, tobte Stovorsky. »Zwölf Stunden? Wie kann er es wagen!« Er stampfte neben dem Geländewagen hin und her, wobei es ihm völlig gleichgültig war, dass er immer wieder den Schatten verließ und die stechende Sonne seine Halbglatze verbrannte.

»Aber das ist doch in Ordnung«, drängte sein Fahrer und versuchte ruhig zu bleiben. »Zafi kann sie in Sicherheit bringen und dann informieren wir Jimmy.«

»Aber was, wenn sie es nicht schafft? Schließlich sind wir nicht Jimmys persönliche Familien-Bodyguards, sondern vom französischen Geheimdienst!«

Irgendwann hörte Stovorsky auf rumzutrampeln. Eine drückende Stille machte sich breit. Dann riss er seinen Regenmantel herunter und schleuderte ihn auf den Rücksitz. Die dunklen Schweißflecken auf seinem Anzug ließen ihn wie einen wütenden, kahl werdenden Pandabären aussehen.

»Schick eine Nachricht an Zafi«, befahl er. »Sie muss

uns diesen Beweis beschaffen. Wir dürfen die Mine nicht riskieren.«

»Soll ich ihr sagen, dass sie Jimmys Familie in Sicherheit bringen soll?«

»Nein!«, knurrte Stovorsky. »Ist mir egal, ob sie es wirklich tut – solange wir Jimmy irgendeine Art von Beweis liefern können. Ob er jetzt echt ist oder nicht.« Er starrte ausdruckslos auf seinen Laptop. »Wir dürfen die Mine nicht aufs Spiel setzen«, wiederholte er leise.

Nach einem Augenblick des Nachdenkens tippte er erneut etwas auf seinem Laptop. Die einzige Möglichkeit, Jimmy zu verfolgen, waren die Satellitenbilder auf dem Computer. Stovorsky studierte die Liveübertragung. Sie war erstaunlich detailliert, doch große Gebiete waren immer noch von dem Qualm verschleiert, der aus der Mine aufstieg.

»Wo steckst du, Jimmy?«, fluchte Stovorsky. Dann startete er eine wilde Attacke auf die Fliegen rund um seinen Schädel. »Jimmy!«, kreischte er wild wedelnd.

»Beruhigen Sie sich!«, flehte der junge Soldat. »Wir können seine Aktionen immer noch kontrollieren.«

»Ihn kontrollieren?«, fauchte Stovorsky. »Er ist außer Kontrolle. Man kann einen Abtrünnigen nicht lenken. Man muss ihn ausschalten.«

Jimmy suchte bewusst die Bereiche mit dem meisten Rauch auf. Dort hatte er den besten Schutz vor der Satellitenüberwachung. Er marschierte quer durch das Gelände. Als er die Begrenzung erreichte, hielt ihn das nicht auf.

Der Drahtzaun war über zwanzig Meter hoch, aber selbst mit dem schweren Bleikoffer in der linken Hand überwand er ihn innerhalb von Sekunden.

Auf der anderen Seite wartete er einige Sekunden und studierte, in welche Richtung die Böen vom Meer den Qualm über die Wüste wehten. Das war sein Fluchtweg – sein Weg aus Mutam-ul-it, während Stovorsky ihn von oben beobachtete.

Als der Qualm am dichtesten war, lief er los. Er bewegte sich so aufrecht wie möglich und machte jeden Schritt bewusst gleich lang und zählte dabei mit: *Eins, zwei, drei, vier …*

KAPITEL 18

»Georgie!«, schrie Felix über die Schulter hinweg. »Hier ist eine französische Superagentin, die uns killen will. Was soll ich tun?«

Zafi musste lachen. »Du hast Glück, dass der *NJ7* kein Wort mithören kann – wegen einem Stück von eurem ekligen englischen Käse und einer Schar Tauben.«

Sie schlüpfte rasch in das Apartment, schloss die Tür fest hinter sich und drängte sich an Felix vorbei.

»Unserem Käse?«, fragte Felix verdutzt. »Du bist echt noch genauso schräg drauf wie in New York.«

Georgie kam in den Flur. Als sie Zafi entdeckte, blieb sie erschrocken stehen. Das letzte Mal waren sie sich vor einer gefühlten Ewigkeit begegnet – Zafi hatte den Auftrag gehabt, Jimmy für den französischen Geheimdienst zu gewinnen, aber sie hatte die Botschaft ein wenig zu rabiat überbracht, deswegen hatte Georgie die Begegnung nicht in allzu guter Erinnerung.

»Was willst du hier?«, fragte Georgie scharf.

»Wo ist eure Mum?«, erwiderte Zafi.

»Sie ist unterwegs. Sie sucht nach …« Georgie unterbrach sich und deutete auf die Ecken des Raumes. »Können die uns …?«

»Wir haben etwa zwei Minuten, bevor der *NJ7* seine Überwachungsanlage wieder in Gang gesetzt hat. Also redet schnell, und anschließend informiere ich euch über alles, was ihr wissen müsst. Danach nennt ihr mich *Rhys*, und ich tue so, als würde ich mit euch hier abhängen. Vielleicht muss ich sogar über Nacht bleiben.«

»Warum bist du hier?«, fragte Georgie.

»Du hast meine Eltern gefunden«, schaltete sich Felix ein. »Ich wusste, du schaffst es! Der Schnurrbartyp hat dich kontaktiert, oder?«

Zafi schob die Kapuze vom Kopf. Ihr Haar fiel ihr über die Schultern und sie strahlte Felix an. »Tut mir leid, Felix, aber 80 Prozent der Zeit habe ich absolut keinen Schimmer, wovon du redest.«

»Für uns normale Leute sind es fast 95 Prozent«, witzelte Georgie.

»Aber das ist mir egal«, fügte Zafi hinzu. »Du bist trotzdem süß.«

Felix' Grinsen sprengte beinahe den Rahmen seines Gesichtes.

»Würdest du dich bitte beeilen und uns alles erklären?«, drängte Georgie.

»Uno Stovorsky hat mich geschickt«, erwiderte Zafi eilig. »Ich soll euch beschützen. Mehr weiß ich nicht. Wenn wir von hier wegmüssen, dann kümmere ich mich um euch. Also nur die Ruhe.«

»Es ist …« Georgie blickte zu Felix und lächelte hoffnungsvoll. »Es ist vielleicht wegen deiner Eltern, aber vielleicht steckt auch Jimmy dahinter.«

»Ich befolge einfach meine Instruktionen«, erklärte Zafi achselzuckend.

»Er kommt zurück, oder?«, fragte Georgie, die immer aufgeregter wurde. »Um zu verhindern, dass Großbritannien Frankreich angreift, richtig? Ich habe es in den Nachrichten gesehen: Dad hat gesagt … ich meine, der Premierminister hat gesagt, die Franzosen haben diese Ölbohrinsel in die Luft gesprengt. Aber es war Jimmy, oder?«

»Jimmy hat eine Ölbohrinsel in die Luft gejagt?«, rief Felix. »Mann, der hat da draußen eine gute Zeit, während wir hier …«

»Keine Sorge, Felix«, flötete Zafi. »Wir können auch eine gute Zeit haben.«

Felix blieb der Mund offen stehen.

»Du bist so cool«, schnaufte er.

Georgie dachte immer noch laut nach. »Aber wenn Jimmy die Plattform tatsächlich in die Luft gesprengt hat und zurückkommt, um zu beweisen, dass es nicht die Franzosen waren, dann bringt er uns in Gefahr. Also –«

»Unsere Zeit ist abgelaufen«, verkündete Zafi. »Zeit, Rhys kennenzulernen.« Sie verknotete ihr Haar rasch zu einem Dutt und stopfte es zurück unter ihre Kapuze, die sie wieder über den Kopf gezogen hatte. »Was kann man denn hier bei euch so anstellen?«

… einundzwanzigtausendsechshundertsiebenundneunzig, einundzwanzigtausendsechshundertachtundneunzig, einundzwanzigtausendsechshundertneunundneunzig …

Jimmy war jetzt über drei Stunden marschiert. Der

schützende Rauch hatte sich längst verzogen. Stattdessen kreisten Geier über ihm. Die Landschaft veränderte sich langsam. Die Steppe mit dem niedrigen Gras nahe der Mine war zu trockenem Ödland geworden und jetzt lief er durch große Sanddünen. Die Sonne schien eine Hülle aus Feuer um ihn gebildet zu haben, und er war verdammt, darin zu gehen, bis er selbst zur Flamme geworden war. Seine Haut schrie nach Kühlung. Sein Mund war vollständig ausgetrocknet.

In der Erinnerung suchten ihn sämtliche Verletzungen seines kurzen Lebens heim, um ihm erneut die ursprünglichen Qualen zu bereiten – sein linkes Bein, das in einer Schredderanlage verletzt worden war; seine Hände und Füße, die in der extremen Kälte der Pyrenäen erfroren waren; seine Rippen, sein Rücken, seine Schultern … und die körperliche Erinnerung an jeden Schlag, den er von Mitchell und Zafi hatte einstecken müssen.

Zur gleichen Zeit spürte er diesen starken Antrieb. Als würde sein innerer Motor von der Hitze mit Treibstoff versorgt und nicht von ihr geschädigt. Jimmys DNA hatte automatisch auf die Bedingungen der Wüste reagiert, in dem sie die Durchlässigkeit seiner Blutkapillaren, den Winkel der Haare auf seiner Haut und den Schweißfluss seiner Poren regulierte. Alles, um die Auswirkungen der Dehydrierung zu lindern.

Alle fünfhundert Schritte wechselte er den Koffer in die andere Hand, damit das Ungleichgewicht nicht ein Bein stärker machte als das andere. Er wollte vermeiden, am Ende einen großen Kreis zu gehen. Seinen Berechnungen zufolge war er jetzt fast vierzehn Kilometer von der Mine entfernt. Das musste reichen.

Genau beim zweiundzwanzigtausendsten Schritt blieb er stehen und markierte den Sand mit seinen Absätzen. Das war der Ort. Er ließ den Koffer zu Boden fallen und sank auf die Knie. Dann begann er zu graben.

Er wühlte im Sand, als würde er im Kraulstil schwimmen. Seine Haut war wund und der Sand heißer als erwartet, aber das bremste ihn nicht. Seine Programmierung und sein menschlicher Verstand arbeiteten jetzt Hand in Hand, entwickelten einen Plan und mobilisierten die nötige Energie, um ihn in die Tat umzusetzen.

Seine Arme wirbelten wie Propeller und gruben ein tiefes Loch. Der Sand rieselte so schnell wieder zurück, dass Jimmy immer schneller arbeiten musste, um ihm einen Schritt voraus zu sein.

Irgendwann hielt Jimmy inne – er war jetzt mehr als einen Meter unter der Oberfläche. Die Hitze war immer noch unvorstellbar, aber die Luft kühlte bereits ab. Bald würde die Sonne untergehen und die Temperatur in den Keller sinken.

Er sprang aus dem Loch und warf den Koffer hinein. Der Wind erledigte jetzt einen Teil der Arbeit für ihn und füllte das Loch wieder, doch Jimmy half weiter mit, ohne auch nur einen Augenblick Pause gemacht und Luft geschnappt zu haben.

Dann drehte er sich um und machte sich auf den Rückweg, die ganzen zweiundzwanzigtausend Schritte.

KAPITEL 19

Georgie trickste zwei Verteidiger aus, sprintete zum Tor und lupfte den Ball über den Kopf des Torwarts hinweg. Er landete direkt hinter ihm im Netz.

»Tor des Jahrhunderts«, verkündete sie, warf triumphierend den Controller auf das Sofa und tanzte durch den Raum. »Nun ist das Spiel endgültig gelaufen für den armen alten Felix Muzbeke.«

Sie zog einen Schmollmund und wuschelte ihm durchs Haar, wodurch es noch wilder abstand als gewöhnlich. Sie gab sich nicht einmal mehr die Mühe, den Controller in die Hand zu nehmen. In den letzten dreißig Sekunden der Verlängerung stolperten Felix' Spieler nur noch erfolglos übereinander.

Doch beim Abpfiff strahlte er, auch wenn er 4 : 1 verloren hatte. Er konnte kaum glauben, dass er sich so gut amüsierte. Obwohl seine Eltern entführt worden waren und sein bester Freund Jimmy möglicherweise irgendwo in Lebensgefahr schwebte, hatte er sich einen Abend lang richtig entspannt und gelacht. Vielleicht hatte ihm Zafis Auftauchen die Hoffnung gegeben, dass die Dinge sich zum Besseren wenden würden.

Es störte ihn nicht einmal, dass seine einzige Gesellschaft

aus zwei Mädchen bestand. Zafi und Georgie saßen rechts und links von ihm auf dem Sofa und schlugen ihn abwechselnd bei *FIFA*. Felix legte immer viel mehr Wert darauf, dass seine Spieler coole Tricks machten, als Tore zu schießen. Für ihn hatte das Team mit dem besten Stil gewonnen, nicht das mit den meisten Punkten.

»Habt ihr noch andere Computerspiele?«, fragte Zafi. Sie hatte ihre letzte Partie 9 : 3 gewonnen.

Felix und Georgie blickten einander an, weil sie wussten, dass die einzig akzeptablen ebenfalls Fußballspiele waren. Die übrigen waren ausschließlich lausige britische Imitationen von verbotenen amerikanischen oder japanischen Spielen. Sie erinnerten sich noch gut daran, wie Felix einmal bei einem Stand auf dem Hackney-Wick-Flohmarkt ein vermeintlich amerikanisches Spiel gefunden hatte. Aber als sie dann nach Hause kamen, war alles auf Holländisch, und alle fünf Sekunden fror die Hälfte des Bildes ein.

»Lass uns bei dem hier bleiben«, schlug Georgie vor. »Aber wir müssen Felix mit zehn Punkten Vorsprung schlagen und er muss alle Tore mit Fallrückziehern erzielen.«

»Lass anrollen«, rief Felix und umklammerte den Controller noch konzentrierter.

Sie spielten noch eine Weile, aber da auch die Konsole eine billige britische Kopie einer ausländischen Marke war, gab sie schon bald den Geist auf.

»Wie steht's mit einem Brettspiel?«, schlug Felix vor. Er sprang hinüber zum Schrank und zog einen Stapel alter Schachteln hervor, die er vorsichtig aufeinanderstapelte.

Georgie und Zafi stöhnten laut auf.

Im gleichen Moment zog Zafi ihr Handy aus der Tasche und las eine neue Nachricht.

»Was gibt's?«, fragte Felix, dessen ganzer Körper vor Aufregung wie elektrisiert war. »Neue Instruktionen? Vom Schnurrbart-Mann?«

»Nichts.« Zafi zuckte mit den Achseln. Sie legte das Handy auf den Couchtisch und verkündete dann gut gelaunt: »Lasst uns Monopoly spielen.«

»Stand das in deiner Nachricht?«, fragte Georgie ironisch.

»Da stand, ich soll euch abmurksen, aber es hat Zeit bis nach dem Brettspiel.«

Für einen Moment herrschte Schweigen, dann brach Zafi in lautes Lachen aus. »Was ist denn mit eurem Sinn für Humor passiert«, stöhnte sie.

»Ja, der war echt zum Wegschmeißen«, sagte Georgie trocken. Dann schnappte sie sich das Monopoly. »In Ordnung«, rief sie und öffnete den Deckel. »Aber ich nehm den kleinen Hund.«

Als Helen Coates einige Stunden später nach Hause kam, fand sie drei Menschen in ein ziemlich lautes Monopoly-Spiel vertieft. Sie wartete an der Tür zum Wohnzimmer und beobachtete sie.

»Du bist am Zug, Felix«, sagte Zafi. »Ich muss nichts zahlen.«

»Das musst du sehr wohl!«, kreischte Felix. »Die Straße gehört mir. Und ich habe ein Haus darauf. Du schuldest mir Billiarden von Pfund.«

»Kann ich nicht einfach kurz umsonst hierbleiben?«, flötete Zafi und klimperte mit den Wimpern.

»Du spielst vielleicht nach irgendwelchen abwegigen französischen Regeln«, unterbrach sie Georgie. »Aber wir halten uns hier an die englischen.« Sie zählte das Geld von Zafis Stapel ab und reichte es Felix.

»Danke, Kumpel«, sagte Felix und wedelte mit den Geldscheinen vor Zafis Gesicht herum.

»Müsst ihr denn keine Hausaufgaben machen?«, unterbrach Helen sie.

Felix und Georgie blickten zu Helen auf, dann zu Zafi und dann wieder zurück zu Helen. Niemand brauchte die Situation zu erklären. Die Kapuze, unter der sich Zafi vor der Überwachungskamera versteckte, erzählte fast die ganze Geschichte.

Sie muss gekommen sein, um uns zu schützen, dachte Helen und studierte Zafis Gesicht. *Aber vor wem?*

Gleichzeitig bemerkten Felix und Georgie an Helens düsterer Miene, dass sie Christopher Viggo immer noch nicht gefunden hatte. Helen suchte jeden Tag nach ihm. Unter dem Vorwand, auf Jobsuche zu sein, nahm sie alte Kontakte wieder auf und folgte der Spur des Ex-*NJ7*-Agenten. Dessen Hilfe benötigten sie nicht nur bei der Suche nach Felix' Eltern, sondern auch, um das Land wieder sicher zu machen, sodass Jimmy zurückkehren konnte, oder um überhaupt eine Veränderung in Großbritannien möglich zu machen.

»Keine Sorge«, flüsterte Helen. »Ich werde schon bald etwas finden.«

Mutam-ul-it verschmolz mit der dunklen Wüste. Mithilfe seiner Nachtsichtfähigkeit sah Jimmy den Ort am Horizont als Masse bizarrer blauer Schemen. Er stolperte darauf zu und versuchte dabei, seinen gleichmäßigen Schrittrhythmus beizubehalten. Er kämpfte gegen die Steifheit seiner Beine und die Trockenheit seiner Kehlen. Seine Zähne klapperten und trotz des scharfen kalten Windes brannte seine Haut höllisch.

Endlich erreichte Jimmy den Zaun des Geländes. Er kletterte an derselben Stelle darüber und schlich sich zwischen den ausgebrannten Gebäuden hindurch.

Nach kurzer Zeit entdeckte er Marlas verlassenen Jeep. Er trank etwas von dem Wasser aus dem Kühlsystem des Wagens, das er durch eine Faust voll Sand filterte. Sofort kehrte frische Energie in seinen Körper zurück. Es war überraschend, wie gut ihm nur ein kleines bisschen Wasser tat. Wieder einmal war er dankbar für die erstaunlichen Fähigkeiten seines Körpers.

Mit neuem Optimismus marschierte er die über einen Kilometer lange Strecke zur anderen Seite des Geländes. Hier waren die Gebäude unbeschädigt von den Raketenangriffen. Die Meeresbrandung wurde lauter und endlich erreichte er die Anlegedocks.

Für einen Augenblick stellte er sich vor, wie erfrischend es wäre, einfach weiterzugehen bis zum Ende des ersten Piers und dann direkt ins Wasser zu hüpfen. Allerdings hatte er keine Ahnung, ob das Meerwasser seiner malträtierten Haut wirklich guttun würde.

Durch ein Zucken seiner Muskeln wurde er aus seinen

Gedanken gerissen. Seine Konditionierung ermahnte ihn zur Konzentration. Er durfte jetzt nicht aufgeben. Die eigentliche Aufgabe begann jetzt erst.

Gewaltige Lagerhäuser erhoben sich drohend über ihm. Hier warteten normalerweise die Bodenschätze aus der Mine darauf, verladen und in die ganze Welt verschifft zu werden. Doch es lagen nirgendwo Schiffe vor Anker. Die gesamte Anlage von Mutam-ul-it war evakuiert worden. Das Anlegedock war völlig verlassen.

Jimmy eilte am Strand entlang und zählte die Piers, bis er zum fünften kam. Die Gischt der Brandung bildete einen dichten Nebel um das Dock. Vor ihm leuchtete das weiche Licht einer einzelnen Sicherheitslaterne durch den Dunst. Davor hob sich die Silhouette eines Mädchens ab, die am Geländer des Piers lehnte und sich gegen die Kälte mit den Armen umschlungen hielt. Er trabte auf sie zu.

»Bist du das?«, flüsterte Marla, die durch die schweren Schritte von Jimmys Stiefeln auf den Holzbohlen aufgeschreckt worden war. Jimmy war ihr schon ziemlich nahe, bevor sie ihn eindeutig erkennen konnte. »Was hast du mit dem Koffer gemacht?«

Jimmy war nicht in der Stimmung für Erklärungen. »Hast du alles mitgebracht, was ich dir gesagt habe?«, fragte er.

Marla ignorierte ihn. »Wo ist das Actinium?«, beharrte sie.

»Es ist in Sicherheit.« Jimmy wurde langsam ungeduldig. »Also, hast du die Sachen dabei?«

Marla griff in ihre Tasche und zog eine Handvoll Büroklammern heraus. »Aber das Baklava habe ich nicht bekommen«, sagte sie kleinlaut.

»Nicht *Baklava*«, seufzte Jimmy. »Das ist eine türkische Süßspeise. Ich sagte eine *Balaklava*!«

Marla blickte verwirrt. »Was ist eine Balaklava?«, fragte sie.

»Spielt keine Rolle«, beruhigte Jimmy sie. »Und das andere –«

Bevor er den Satz beenden konnte, deutete Marla auf ein schlankes, mattschwarzes Motorrad, das am gegenüberliegenden Geländer des Piers lehnte. Auf dem Tank waren die Farben der französischen Trikolore zu erkennen.

Jimmy nickte, und die Spezifikationen des Motorrades blitzten automatisch in seinem Bewusstsein auf: *MZ 125 SX, 125 Kubik Zentimeter, vier Gänge …* Er musste die Augen schließen, um es zu stoppen.

»Kannst du zurück zur Stadt laufen?«, fragte er und öffnete die Augen wieder.

Marla nickte. »Was hast du vor?«, fragte sie. »Wozu brauchst du diese Dinge?«

»Ich werde dafür sorgen, dass die Franzosen meinen Anweisungen folgen.«

Jimmy klang selbstbewusst, aber in ihm wuchsen die Zweifel. Er hatte nur eine vage Ahnung, was seine Agenteninstinkte genau anvisierten.

Mit wenigen knappen Bewegungen verbog er die Büroklammern zu merkwürdigen Formen. Er betrachtete seine eigenen Hände, als wären es Marionetten. Irgendetwas in ihm hatte jetzt die Kontrolle übernommen.

»Aber diese Leute werden dir nicht einfach gehorchen, nur weil du ihnen drohst. Das haben andere schon vor dir versucht, weißt du?«

Jimmy ignorierte sie und bog eine weitere Büroklammer zurecht. »Wo ist das Funkgerät?«, wollte er wissen.

»Ich habe es in der Stadt zurückgelassen«, erwiderte Marla. »Bei einem Freund, der es abhört. Du hast gesagt, sie dürfen dich nicht orten können.«

»Gut.« Jimmy zögerte einen Augenblick und Marla studierte aufmerksam sein Gesicht.

»Es kam keine Nachricht«, flüsterte sie. »Tut mir leid.«

Jimmy verzog keine Miene, aber er spürte einen leichten Stich in seiner Brust. Er hatte so sehr gehofft, dass seine Instinkte ihn täuschten und die Franzosen seiner Familie wirklich helfen würden.

»Aber mein Freund wird es ständig abhören, nur für den Fall«, fügte Marla lächelnd hinzu.

Jimmy vermied jeden Augenkontakt. Er platzierte eine Büroklammer über jedem Ohr, wobei er die Ohrläppchen nach oben und den oberen Teil des Ohres nach unten bog. Tränen traten ihm in die Augen, aber das hielt ihn nicht auf.

»Das ist wegen der Überwachungskameras«, erklärte er, während er weitermachte. »Die Gesichtserkennungs-Software identifiziert deine Gesichtszüge selbst durch eine Maske hindurch.«

»Welche Überwachungskameras?«

»Auf dem *Zerstörer*«, erwiderte Jimmy, als handle es sich um eine Selbstverständlichkeit. »Die britische Regierung darf nicht wissen, dass ich immer noch am Leben bin. Ohne eine Balaklava muss ich außer Sichtweite der Mannschaft bleiben. Und so bin ich zumindest vor den Überwachungskameras geschützt.«

»Die britische Regierung?«, staunte Marla. »Wieso das denn?«

»Ich werde mit den Briten und den Franzosen gleichzeitig verhandeln.«

Jimmy bohrte die Enden der Büroklammern in seine Haut, um seine Ohren an Ort und Stelle zu halten. Weitere Büroklammern kamen jetzt auf seiner Stirn zum Einsatz – eine über jeder Augenbraue. Da seine Haut vom Marsch durch die Wüste bereits aufgeplatzt und wund war, schmerzte es mehr als üblich. Trotzdem bewegten sich seine Hände präzise und ohne Zögern.

»Der britische Zerstörer liegt immer noch sechzehn Kilometer in dieser Richtung«, erklärte er und deutete hinaus auf das nachtschwarze Meer. »Alle wollen mich durch irgendwelche Tricks dazu bringen, eine Mission für sie zu erledigen. Aber diesmal drehe ich den Spieß um. Diesmal werden sie mich ernst nehmen müssen.«

Als er aufblickte, wirkte Marla geschockt. »Du siehst aus wie ein Wüstenkaktus.« Sie starrte auf die Büroklammern, die überall aus seinem Gesicht hervorstanden.

Jimmy stieß ein kurzes Stöhnen aus.

»Geh zurück in die Stadt«, wies er sie an. »Gibt es dort einen sicheren Ort, wo wir uns treffen können?«

»Schau nach *Coca-Cola*«, erwiderte Marla. »Dort bist du in Sicherheit.«

Jimmy beugte sich hinunter, um seine Stiefel aufzubinden und wegzukicken.

»Was hast du jetzt schon wieder vor?«, fragte sie.

»Ohne Stiefel kann ich besser schwimmen.«

»Was?« Marla schaute ihn entgeistert an. »Jimmy du kannst nicht sechzehn Kilometer dorthin schwimmen und dann wieder sechzehn zurück.«

»Keine Sorge«, erwiderte Jimmy grinsend. »Für den Rückweg habe ich eine Mitfahrgelegenheit.«

Er nickte ihr zum Abschied zu und rannte zum Ende des Piers. Er nahm Tempo auf und seine nackten Füße donnerten über die Holzplanken. Dann hechtete er sich kopfüber in den Atlantik.

KAPITEL 20

Kommandant Luke Love saß alleine in der Kommandozentrale der *HMS Enforcer*. Er hatte den Kopf in die Hände gestützt. Dann ertönte eine Stimme durch die Sprechanlage.

»Sir, wir haben Unregelmäßigkeiten in unserem System. Möglicher Motorausfall. Können Sie das bestätigen?«

Love schreckte aus seinen Träumereien und studierte das Instrumentenpult. »Hier ist nichts dergleichen zu erkennen«, sagte er. »Sind Sie sich sicher?«

»Absolut sicher, Sir. Wir müssen das Schiff aufgeben.«

»Das Schiff aufgeben?« Love lachte trocken. »Das ist lächerlich. Möglicherweise handelt es sich um ein technisches Problem auf Ihrer Konsole. Oder vielleicht ist es ein Trick? Möglicherweise haben diese Rebellen sich in unser System gehackt und –«

»Wie auch immer, Sir, wir müssen in diesem Fall dem Sicherheitsprotokoll folgen.«

Love ballte die Fäuste. »Niemals!«, rief er. »Wir geben das Schiff nicht auf, bis wir einen Weg gefunden haben, diese Situation unter Kontrolle zu bringen. Wenn ich hier verschwinde, bevor ich die Mine gesichert habe, werde ich degradiert oder vors Kriegsgericht gestellt oder … Schlimmeres!«

»Tut mir leid, Sir«, ertönte die Antwort. »Es ist Vorschrift. Ich werde jetzt den Alarm auslösen.«

Plötzlich erloschen alle Lichter in der Kommandozentrale und wurden durch ein blinkendes rotes Alarmsignal und eine Sirene ersetzt.

»Wir sehen uns bei den Rettungsbooten, Sir!«

»Ich werde nicht kommen!«, donnerte Love. »Sie können mich nicht zwingen!«

Er rannte zur Tür und schloss sich selbst ein. »Feiglinge!«

Doch kaum hatte Love sich wieder der Instrumentenkonsole zugewandt, da flog krachend die Tür hinter ihm auf. Love wirbelte herum, aber er war zu langsam, um den Eindringling auszumachen.

»Wer ist da?«, zischte er und spähte in die Schatten in den Ecken des Raums. Seine Hand tastete nach dem Dienstrevolver in seinem Gürtel. Aber bevor seine Finger den Griff berühren konnten, fühlte er einen so heftigen Schlag gegen die Seite seines Kopfes, als wäre eine der Raketen des Schiffs direkt auf sein Gehirn getroffen. Dies war sein letzter Gedanke, bevor er ohnmächtig wurde.

Loves erschlaffter Körper sank zu Boden.

Über ihm stand Jimmy Coates.

Love war nicht tot. Tatsächlich hatte Jimmy ihn gar nicht mal so hart getroffen – nur ein knapper präziser Stoß mit den Fingerspitzen gegen die Hauptarterie unter Loves Ohr. Der plötzliche Blutandrang in Loves Gehirn hatte die Empfindlichkeit seiner Nerven extrem verstärkt und dann den Blackout verursacht.

Jimmy wartete ein paar Minuten ab, bis er auf den

Monitoren sah, wie alle Rettungsboote zu Wasser gelassen wurden. Dann schleifte er Love aus der Kommandozentrale. In kürzester Zeit hatte er dem Kommandanten eine Schwimmweste angelegt, ihn über Bord geworfen und war ins Kontrollzentrum zurückgekehrt.

Das kalte Wasser wird ihn wieder zu Bewusstsein bringen, dachte Jimmy.

Er stand jetzt alleine in der Kommandozentrale und die Mission ließ seinen Körper vor Energie vibrieren. Sein harter Pulsschlag übertönte das Meer, den Wind und das Stampfen des Schiffes. Jimmys Blick überflog das große Pult mit den zahllosen Monitoren auf der Suche nach Informationen. Alle seine Sinne waren hellwach, gleichzeitig fühlte er sich absolut ruhig, als wären alle seine menschlichen Emotionen ausgeblendet.

Die Franzosen hatten ihn schon zu lange an der Nase herumgeführt, genau wie vor ihnen die Amerikaner und die Briten. Jetzt konnte er endlich dafür sorgen, dass ihn niemand mehr für seine eigenen Zwecke missbrauchte. Gleichzeitig konnte er Stovorsky dazu zwingen, seine Familie in Sicherheit zu bringen.

Allerdings traten seine Mutter und seine Schwester in Jimmys Bewusstsein bald in den Hintergrund. Ein einziger Gedanke beherrschte ihn jetzt: *Zerstören.*

Zuerst wollte er ihn noch kontrollieren, doch dann konzentrierte er sich ganz darauf. Er genoss ihn förmlich. Denn dazu war er hierhergekommen.

Seine Hände bewegten sich so souverän über das Steuerpult des Schiffs, als würde er zu Hause auf seinem Computer eine E-Mail beantworten. Er hatte keine Ahnung, wie man einen Zerstörer der Royal Navy steuerte, aber seine Konditionierung hatte damit nicht das geringste Problem. Die Kommandos flossen aus den tiefsten Regionen seines Unterbewusstseins direkt in das Steuersystem des Navigationscomputers.

Als die Motoren das gewaltige Schiff mit einem tiefen Dröhnen in Bewegung setzten, fühlte Jimmy eine ungeheure Kraft in sich. Die *HMS Enforcer* nahm rasch Tempo auf.

»Haben Sie eine Meldung bekommen?« fragte Stovorskys Fahrer, der über das Lenkrad gebeugt dahockte und durch sein Fernglas spähte.

»Zwei Einheiten sind unterwegs«, erwiderte Stovorsky. »Aber sie werden mindestens noch eine halbe Stunde brauchen. Mitten in der Nacht durch dieses Terrain zu fahren, ist die Hölle.«

»Zwei Einheiten? Aber er ist doch nur –«

»Jetzt sagen Sie bloß nicht, *er ist doch nur ein Junge*. Seien Sie kein Idiot.« Stokorvsky hob seine Hände vom Laptop, um sich den Schweiß aus dem Gesicht zu wischen. »Wenn ich zweiundzwanzig Einheiten anfordern könnte, würde ich es sofort tun. Sollte der Junge irgendeinen Mist mit dieser Mine anstellten, dann versinkt Frankreich im wirtschaftlichen Chaos.« Er sog scharf die Luft zwischen seinen Zähnen ein. »Aber wenn ich diese Nachricht an ihn durchstellen kann, brauchen wir vielleicht gar keine militärische Unterstützung.«

Inzwischen waren sie viel näher an Mutam-ul-it herangekommen. Sobald es kühler geworden war, hatten sie die Stadt verlassen und eine Position in sicherer Entfernung zum Bergwerksgelände eingenommen. Sie warteten darauf, dass Jimmy auftauchte.

»Ich glaube, das ist es!«, rief Stovorsky endlich aus. »Was halten Sie davon?«

Er tippte ein paar Tasten und drehte dann den Laptop auf seinem Knie in Richtung Fahrer. Kurz darauf drang eine Stimmaufzeichnung durch die Lautsprecher, so klar, als säße die Person direkt neben ihnen im Wagen. Es war Felix.

»Wir sind in einem sicheren Unterschlupf«, erklärte Felix' Stimme.

Dann fügte Georgie hinzu: *»Uns geht es gut«*. Und dann nach einer kurzen Pause: *»Die Franzosen sind schwer in Ordnung.«*

Dann folgte erneut Felix: *»Wir sind denen echt was schuldig.«*

Stovorsky beendete das Play-back. Er und der Fahrer starrten einander an.

»Ist das alles, was wir haben?«, erkundigte sich der jüngere Mann vorsichtig.

Stovorsky warf die Hände in die Luft. »Wollen Sie es mal versuchen?«, knurrte er. »Zafi hat mir eine zweistündige Aufnahme von einem Monopoly-Spiel geschickt! Was ich hier zusammengeschnitten habe, ist das einzige halbwegs brauchbare Material.«

»Nichts von seiner Mutter?«

»Seine Mutter muss stumm sein oder so was. Sie hat kaum ein Wort gesagt.«

Beide dachten einen Augenblick nach. Irgendwann fragte Stovorsky leise: »Glauben Sie, er wird es …?«

Der Fahrer zuckte mit den Achseln.

»Es ist unsere einzige Chance«, verkündete Stovorsky. »Ich werde die Botschaft senden.«

Er tippte eine Reihe von Tasten auf seinem Laptop, dann lehnte er sich zurück und versuchte sich zu entspannen – ohne Erfolg. Denn gleich darauf fuhr er abrupt in die Höhe und die Augen fielen ihm fast aus dem Kopf.

»Schauen Sie sich das an.« Erneut drehte er den Laptop in Richtung Fahrer. »Der britische Zerstörer. Er bewegt sich. Er steuert direkt auf die Mine zu.«

»*Was* machen die?«

»Sie fahren mit unvermindert hohem Tempo.« Panisch tippte Stovorsky etwas auf seinem Laptop, um das Bild der Satellitenübertragung neu einzurichten. »Sie werden direkt in das Dock krachen.«

»Moment, schauen Sie hier.« Der Fahrer deutete auf die Ecke des Bildschirms, wo sich eine Gruppe kleiner Punkte auf die Küste zubewegte.

Stovorsky zoomte näher heran. Zunächst waren die Punkte verschwommen und gepixelt, aber sobald er die Einstellungen korrigiert hatte, wurden die Formen klarer. Es waren Rettungsboote. Und aus diesen Rettungsbooten kletterten Personen an den Strand.

»Es ist die britische Mannschaft«, keuchte Stovorsky.

»Aber wenn die nicht mehr den Zerstörer lenken …«

Stovorsky tastete hektisch nach seinem Funkgerät. »Hier ist Stovorsky«, schrie er. »Wo bleiben diese beiden Einheiten?!«

Die *HMS Enforcer* pflügte durch die Wellen wie ein angreifendes Rhinozeros durch hohes Steppengras.

Und die einzige Menschenseele an Bord war Jimmy Coates. Mit konzentriertem Blick starrte er auf den Horizont. Von Mutam-ul-it waren nur die schwarzen Rechtecke der großen Lagerhäuser zu erkennen, die sich vor dem blassorangefarbenen Schimmer der Mine abzeichneten. Irgendwo in den Ruinen mussten immer noch vereinzelte Feuer brennen.

Alle paar Sekunden korrigierte Jimmy die Navigationsdaten auf dem Schiffscomputer. Aber jedes Mal, wenn seine Finger die Kontrollknöpfe berührten, fühlte er Zweifel. Wer traf hier die Entscheidungen? Waren es seine Agenteninstinkte, die sein Überleben sichern wollten, oder war es seine menschliche Seite, die jetzt die Oberhand über seine Programmierung gewann? Doch ein einziger starker Drang überwog all seine Zweifel: Er wollte die Mine von Mutam-ul-it zerstören. *Es ist die einzige Lösung*, dachte er.

Jimmy blickte auf das Dock. Es war bereits so nahe, dass er einzelne Laternen auf den Piers ausmachen konnte. Er wischte sich den Schweiß von der Stirn. Dann streckte er die Hand erneut in Richtung des Steuerpults. Es war immer noch Zeit, umzudrehen und eine Kollision abzuwenden.

»Nein!«, rief Jimmy. »Zwinge sie.« Seine Stimme klang brüchig.

In seinem Kopf ermahnte er sich erneut, seine Ziele klar vor Augen zu behalten: *Zerstöre die Mine*. Das Schiff donnerte unaufhaltsam weiter. *Zwinge Stovorsky, Mum und Georgie und Felix zu schützen*.

Er war jetzt so nahe am Ufer, dass die Lagerhallen das Echo der dröhnenden Schiffsmotoren zurückwarfen. *Geh nach London – beende diesen Krieg*.

Das automatische Alarmsystem des Zerstörers schaltete sich ein – das Wasser war zu flach und der Strand zu nah. Die Sirene verschmolz mit den stummen Schreien in Jimmys Kopf. Beide Seiten seines Bewusstseins peitschten ihn in Richtung Zerstörung, nur irgendwo dazwischen wusste eine winzige Stimme, dass es Wahnsinn war.

Doch jetzt war es ohnehin zu spät. Ein neues Geräusch zerriss beinahe Jimmys Trommelfelle. Es übertönte das Heulen der Schiffssirene und den Streit in seinem Kopf – der Schiffskiel schrammte über den Meeresgrund. Es klang wie das Kreischen von tausend Seeungeheuern, beim Zermalmen der Knochen ihrer Opfer.

Immer noch donnerte der Zerstörer weiter: 7500 Tonnen Stahl krachten mit über 30 Knoten gegen das Pier. Holz- und Metalltrümmer explodierten Richtung Himmel. Das Tempo des Schiffs wurde dadurch kaum gemindert. Es pflügte durch das Dock, als wollte es die Erde selbst in zwei Hälften spalten.

Der gewaltige Aufprall fegte Jimmy schlagartig von den Beinen. Die Vibrationen und das mörderische Geräusch erschütterten seinen gesamten Körper, bis tief hinein in sein Innerstes.

Was geschieht hier?, fragte er sich, obwohl es genau das war, was er geplant hatte.

Jimmy krabbelte über den Boden des Kontrollzentrums, jeder Zentimeter ein Kampf gegen die massiven Erschütterungen der Schiffswände und des Bodens.

Und jetzt schrien seine sämtlichen Instinkte wie mit einer Stimme: *Raus hier, aber schnell.*

KAPITEL 21

»Schneller!«, schrie Stovorsky.

Der Fahrer antwortete nicht. Der *PVP 360* fuhr bereits mit über 110 Stundenkilometern. Die Reifen rutschten über den nassen Sand, trotzdem trat der junge Fahrer das Gaspedal voll durch.

»Ich dachte, Sie sind ein Fahrer!«, brüllte Stovorsky. »Also dann FAHREN Sie!«

Genau in diesem Moment wurde Stovorskys Kreischen von einem ohrenbetäubenden Lärm übertönt. Der Fahrer hämmerte den Fuß auf die Bremse. Der Geländewagen schlitterte noch hundert Meter weiter und drehte sich einmal um die eigene Achse, bevor er zum Stillstand kam.

Vor ihnen, in der Dunkelheit nur zu erahnen, lag das Gelände von Mutam-ul-it. An seinem einen Ende ragten die ausgebrannten Skelette der zerbombten Gebäude empor. Am anderen Ende erhoben sich die gigantischen Lagerhäuser der Docks. Und mitten hindurch pflügte der britische Zerstörer *HMS Enforcer* wie eine entfesselte Bestie.

Einen Augenblick lang saßen sie wie gelähmt da. Dann brachte das Beben der Erde die beiden Männer zurück in die Wirklichkeit. Der Aufprall des Schiffes auf die Hafenmauer jagte Erschütterungswellen durch die Küste und schickte gewaltige Wolken von Asche, Staub und Sand in den Himmel.

»Wenden«, kommandierte Stovorsky. »Bringen Sie uns sofort hier raus.«

Der Fahrer tat bereits sein Möglichstes. Und in kürzester Zeit jagten sie ebenso schnell davon, wie sie gekommen waren.

»Sie werden niemals halten«, keuchte Stovorsky.

»Wer?«, schrie der Fahrer.

»Die Tunnel.«

Stovorsky spähte über die Schulter. Innerhalb von Sekunden wurde die Sicht auf die Mine von einer schwarzen Wolke verschleiert. Ein weiteres gewaltiges Donnern hallte über den Strand.

Das kilometerlange Tunnelsystem tief unter Mutam-ul-it stürzte in sich zusammen.

»Er hat alles zerstört«, stöhnte Stovorsky. Unter dem Getöse der Katastrophe konnte er kaum mehr seine eigene Stimme vernehmen.

Dann bemerkte er das Aufblitzen eines Lichtes. Vor der riesigen schwarzen Wolke über der Landschaft wirkte es wie das Funkeln eines Diamanten auf einem Stück Kohle. Stovorsky kniff die Augen zusammen, um es besser erkennen zu können, und tastete nach seinem Fernglas.

Aus der Dunkelheit kam der einzelne Scheinwerfer einer *MZ 125 SX* geschossen und jagte über den Sand. Auf der französischen Militärmaschine saß Jimmy Coates, so weit vorgebeugt, dass sein Kinn fast den Lenker des Motorrades berührte und sein Hintern eine Handbreit über dem Sitz schwebte.

»Da lang!«, schrie Stovorsky. Er hieb den Fahrer gegen die Schulter und gestikulierte wild. »Da ist er!«

Jimmy kniff die Augen gegen den Fahrtwind zusammen und presste die Lippen aufeinander. Er wollte keinen nassen Sand schlucken. Er fuhr mit Vollgas und im vierten Gang. Trotz des Röhrens des 15-PS-Motors und der sein Gesicht bombardierenden Elemente konnte er hinter sich das Getöse des kollabierenden Minensystems hören. Vielleicht narrte ihn seine Fantasie, aber er meinte, das tiefe Rumpeln jedes einzelnen einbrechenden Tunnels zu spüren. *Das ist das Ende von Mutam-ul-it*, dachte er mit wilder Genugtuung.

Doch gleich darauf musste Jimmy wieder kühles Blut bewahren. Ein *PVP-360*-Geländewagen schoss auf ihn zu. Und auf einer Seite des Wagens lehnte sich Stovorsky heraus und zielte mit seiner Pistole.

Das gehörte ganz und gar nicht zu Jimmys Plan. Er brauchte Zeit, um Stovorsky seine Absichten zu erklären, wenn dieser Mann ihm helfen sollte. Aber Stovorsky wirkte alles andere als in Plauderstimmung.

Jimmy riss sein Handgelenk nach unten, um den Gasgriff noch weiter aufzudrehen. Das Motorrad machte einen Satz nach vorne, als noch mehr Benzin in die Kammern schoss. Jimmy fühlte sich in eine neue Dimension der Geschwindigkeit versetzt. Der nasse, feste Sand bot eine perfekte Fahrbahn ohne Reibungswiderstand. Außerdem wurde die geringste Erhebung im Boden zu einer Art Sprungschanze. Immer wieder hob Jimmy ab und flog kurze Strecken durch die Luft. Die Kraft der Maschine unter ihm schien seine Glieder mit Energie zu speisen, als wären sie zusätzliche Kolben des Motors.

Aber Stovorsky schoss heran, um ihm den Weg abzuschneiden, und der Geländewagen hatte einen wesentlich größeren Motor als Jimmys Bike.

Jimmy jagte die Küste hinauf in Richtung Norden, den Ozean zu seiner Linken. Und rechts von ihm kam Stovorsky immer näher, sodass Jimmy zwischen ihm und dem Wasser in die Zange genommen wurde.

Beide Fahrzeuge rasten durch eine Wolke aus Dunst und Asche in gerader Linie auf einen Kollisionspunkt zu und hinterließen dabei tiefe Spuren im Sand.

Jimmy schaltete seinen Scheinwerfer aus. Warum sollte er Stovorsky ein deutliches Ziel bieten?

Dann krachte der erste Schuss. Jimmy hörte das Pfeifen der Kugel über seinem Kopf. Er schleuderte nach links. Die leichteste Bewegung des Lenkers und das Bike brach aus und fuhr wilde Schlangenlinien. Jimmy raste jetzt dicht an der Wasserlinie entlang, die Wellen leckten bereits an den Reifen.

Das war gar nicht gut. Wasser verlangsamte sein Tempo und Stovorsky veränderte sofort den Kurs und beschleunigte sogar noch mehr. Auf diese Art würde Jimmy ihm niemals entkommen. Das Motorrad hatte mit 120 Stundenkilometern seine Höchstgeschwindigkeit erreicht und es gab nirgendwo einen Ausweg. Jede Sekunde würde Stovorsky nahe genug sein, um ihm die Haare einzeln vom Kopf zu schießen.

Du musst unbedingt die Stadt erreichen, befahl Jimmy sich selbst mit klarer und ruhiger innerer Stimme.

Mit einem plötzlichen Ruck am Lenker riss er das Motorrad wieder vom Wasser weg – und direkt auf den Geländewagen zu. Jimmy duckte sich alle halbe Sekunde nach rechts oder links, falls Stovorsky erneut auf ihn feuerte. Der Wagen kam jetzt direkt auf ihn zu. Sie hatten ihn die Richtung ändern sehen.

Nun trennten sie weniger als fünfzig Meter. Dann dreißig, dann fünfzehn … und gleich darauf war Jimmy nah genug, um die Falten auf Stovorskys Stirn erkennen zu können. Und den Lauf seiner Pistole.

Jimmy wartete nicht auf den Schuss. Sein Körper war fest im Griff seiner Agenteninstinkte. Er spürte den Drang, um jeden Preis zu überleben.

In genau dem Augenblick, als Stovorskys Kugel aus dem Lauf schoss, ließ Jimmy den Lenker los und brachte das Motorrad mit den Knien zum Kippen. Bei immer noch über 110 Stundenkilometern krachte es auf die Seite und rutschte über den Sand, während Jimmy sich davon abstieß und durch die Luft segelte.

Der Kollisionspunkt. Beide Fahrzeuge erreichten jetzt dieselbe Stelle – aber ohne einander je zu berühren. Der Stahlrohrrahmen des Motorrads glitt zwischen die Vorderräder des Geländewagens und direkt unter ihm hindurch.

Jimmy donnerte gegen die Windschutzscheibe und

wurde hoch in die Luft geschleudert. Er sauste direkt über Stovorskys Kopf hinweg.

Jimmy streckte in blindem Vertrauen den Arm aus, um irgendetwas zu packen, ohne genau zu wissen, was. Dann landete er direkt auf etwas Massivem – es war sein Motorrad, das sich um sich selbst drehend unter dem Wagen hervorrutschte. Blitzschnell packte Jimmy den Lenker, wobei das Bike sich weiter drehte wie ein Puck auf dem Eis. Und genau im richtigen Moment trat Jimmy erneut zu, rammte seinen Absatz in den Sand und riss das Bike mit den Armen nach oben.

Das Motorrad bäumte sich auf dem Hinterrad auf, wie ein Zirkustier, das ein Kunststück vorführt.

Stovorskys Fahrer bremste hart ab und schleuderte in einer Fontäne aus Sand herum. Als er sich wieder an die Verfolgung machte, hatte Jimmy bereits einen Vorsprung. Er war nicht groß, aber ausreichend.

Jimmy peitschte den Motor zu neuen Hochleistungen und versuchte, das Motorrad im weichen Wüstensand stabil zu halten. Er wagte nicht, sich nach Stovorsky umzuschauen.

Endlich wurde der Grund unter ihm etwas fester. Dann zeichnete sich im Wüstenboden sogar eine Fahrspur ab und vereinzelte Gebäude tauchten auf. Und nach ein paar weiteren Sekunden mit Höchstgeschwindigkeit befand Jimmy sich plötzlich mitten in Tlon.

Was für ein Unterschied zur offenen Landschaft. Die engen Gassen gabelten sich hier wie die Zweige eines Wüstenbaumes.

Jimmy preschte die Hauptstraße hinauf, doch dann bremste er mit kreischenden Reifen ab und drehte sich um neunzig Grad. Er gab erneut Vollgas und schoss zwischen zwei Gebäuden hindurch. Kurz bevor er in der Gasse verschwand, erhaschte er noch einen Blick auf den Geländewagen dicht hinter ihm.

Die Gasse war so schmal, dass Jimmy die gegenüberliegenden Häuserwände gleichzeitig hätte berühren können. Hierher konnte ihm der Geländewagen unmöglich folgen.

Am anderen Ende der Gasse schoss er mit unvermindertem Tempo hinaus auf eine breitere Straße.

Am oberen Ende der Straße tauchte Stovorsky auf. Sie hatten offenbar genau berechnet, wo er die Gasse wieder verlassen würde.

Jimmy blieb keine Zeit zum Nachdenken. Er riss am Gasgriff und schoss direkt auf eine Hausmauer zu.

Er sah jetzt nur noch das weiße Mauerwerk auf sich zufliegen. Doch sein Körper hatte einen Plan. Plötzlich schaltete Jimmy den Motor aus und umklammerte den Lenker noch fester. Das Vorderrad donnerte mit einem mörderischen Krachen gegen die Hausmauer. Jimmys Brust zog sich zusammen und seine Arme strafften sich. Das Hinterteil des Motorrades wurde in die Luft gerissen und Jimmy mit ihm – direkt durch ein geöffnetes Fenster.

Jimmy hörte den Schrei einer Frau. Er überschlug sich, immer noch fest den Lenker umklammernd. Die Welt verschwand in einem Wirbel aus Farben – und dann: *KRACH!*

Dunkelheit. Jimmy war durch das Fenster ins Schlafzimmer eines Ehepaares gesegelt, über ihr Bett hinweg und direkt in einem Wandschrank gelandet. Aber Jimmys Körper hielt immer noch nicht inne. Er erhob sich, bürstete die Holzsplitter des Wandschranks von seinem Oberkörper und zerrte sein Motorrad aus einem Stapel grellbunter Kleider.

Das Ehepaar saß aufrecht im Bett, mit Büchern in den Händen und weit aufgerissenem Mund.

Jimmy nickte ihnen kurz zu, dann sprang er auf sein Bike und fuhr aus dem Raum. Er rollte durch die Eingangstür des Apartments und raste dann den Flur hinunter, wobei er ausreichend Tempo für einen weiteren Sprung aufbaute, diesmal durch das Fenster am Ende des Korridors und zurück auf die Straße.

Draußen war nirgendwo eine Spur von Stovorsky und seinem *PVP*-Geländewagen zu entdecken.

›Gelände‹ beinhaltet offenbar keine Schlafzimmer und Wandschränke, dachte Jimmy grinsend.

KAPITEL 22

Je eher Jimmy von den Straßen verschwinden würde, desto besser. Deshalb behielt er sein rasantes Tempo bei. Marlas letzter Satz bei ihrem Abschied war fest in seinem Bewusstsein verankert: *Finde Coca-Cola*. Ihm war klar, dass sie damit nicht gemeint hatte, er solle sich ein amerikanisches Erfrischungsgetränk besorgen.

Er schlängelte sich durch das Labyrinth der Stadt, immer in den dunkelsten Ecken, bis er das Coca-Cola-Plakat entdeckte. Es war an den Ecken zerrissen, und das Rot war verblichen, trotzdem leuchtete es hell unter einer Reihe von Scheinwerfern – vermutlich war es in dieser Nacht das hellste Objekt in der ganzen Stadt.

Jimmy stieg von seinem Motorrad und starrte zu den verschlungenen weißen Buchstaben hinauf. Er hatte das Logo schon in New York und Frankreich gesehen, daher gewöhnte er sich langsam daran, auch wenn es ihm noch immer ein wenig fremdartig erschien. In ganz Großbritannien gab es keine Coca-Cola-Logos mehr.

Das Plakat bedeckte die gesamte Seitenwand eines dreistöckigen Gebäudes, doch daneben befand sich eine alte blaue Tür.

Dort bist du in Sicherheit, hatte Marla ihm versichert.

Jimmy fühlte ein Brennen in den Eingeweiden. Waren es einfach seine Nerven oder mahnte ihn seine Konditionierung zur Vorsicht?

Es spielte keine Rolle. Er hatte keine andere Wahl und durfte nicht länger draußen auf der Straße bleiben. Jede Minute konnte Stovorsky oder einer seiner Mitarbeiter um die Ecke kommen oder ihn per Satellitenüberwachung orten. Wenn dies hier das Hauptquartier von Marla und ihren Freunden war, dann wäre es genau die richtige Zuflucht für Jimmy.

Er versteckte sein Motorrad unter einem leeren Marktstand und näherte sich der Tür, wobei er sich immer wieder in beide Richtungen umblickte und die Gebäude der Umgebung nach Überwachungskameras absuchte. Sie schienen keine zu haben. Marla und ihre Freunde hatten diesen Ort gut ausgewählt.

Jimmy hob die Hand, um zu klopfen, doch da öffnete sich die Tür bereits. Er sah sich einem großen, farbigen Mann mit einer Maschinenpistole und einem Vollmondgesicht gegenüber. Drei Perlen blitzten in seinem Mund – seine einzigen Zähne.

Zuerst fühlte Jimmy Panik. Aber dann beruhigte er sich schnell wieder – die Maschinenpistole war unter dem Arm des Mannes sicher verstaut. Er hieß Jimmy willkommen und bat ihn, einzutreten. Während er durch die Tür schlüpfte, bemerkte Jimmy das Klicken der Beinprothese des Mannes.

Vorsichtig bewegte Jimmy sich seitlich, den Rücken immer zur Wand, für den Fall, dass dies ein Hinterhalt war.

Dann öffnete sich auf der anderen Seite des Raumes eine Tür. Licht flutete herein und blendete Jimmy für einen Augenblick. Als seine Augen sich angepasst hatten, erkannte er in der Türöffnung die Silhouette eines großen, muskulösen Mannes.

»Ich hätte nie gedacht, dass ich je die Chance kriege, dich kennenzulernen, Jimmy.«

Der nordenglische Akzent ließ Funken in Jimmys Kopf sprühen. Tausend Alarmglocken schienen gleichzeitig zu schrillen. Jimmy versuchte, die Gesichtszüge des Mannes genauer zu erkennen. Ein Wust lockiger roter Haare warf einen Schatten auf das bleiche sommersprossige Gesicht darunter. Auch sein Bart war rot und buschig, fast wie ein Spiegelbild seiner wilden Haarmähne.

Jimmys Blick wanderte nach unten – zu der dünnen schwarzen Krawatte des Mannes; den Aufschlägen seines schwarzen Anzugs; dem grünen Streifen. *NJ7*, dachte Jimmy panisch. Die Organisation, die Mitchell und Jimmy erschaffen hatte. Die Organisation, die ihre Fehler durch kaltblütige Liquidationen ungeschehen machte.

Augenblicklich ließ Jimmy sich zu Boden fallen und trat nach links. Sein Fuß hakte sich um die Prothese das Wächters und riss sie zu sich heran. Dabei bewegte er sich so schnell, dass die anderen im Raum kaum Atem holen, geschweige denn reagieren konnten.

Der Wachmann stürzte zu Boden und landete krachend auf seiner Maschinenpistole. Jimmy packte das Ende seines metallenen Beines, dann sprang er in einer doppelten Hechtrolle vorwärts.

Durch Jimmys Drehung wurde die Prothese vom Knie des Mannes gezerrt. Jimmy landete auf den Füßen und schwang das falsche Bein in seinen Händen. Er verpasste dem Wachmann damit einen Schlag, der ihn ohnmächtig zusammensinken ließ, dann schnellte er auf den Rotschopf zu. Er rammte ihm das metallene Bein in die Kehle und drückte ihn so hart gegen den Türrahmen.

»Woher haben Sie diesen Anzug?« Jimmys Fäuste schmerzten, während sie eisern die Prothese umklammerten.

»Das ist nur ein Anzug, Jimmy«, erwiderte der Mann fast unhörbar. Lächelte er etwa? War ihm denn nicht klar, dass Jimmy ihn jederzeit zur Hölle schicken konnte, bevor er auch nur blinzelte? Unwillkürlich verringerte er den Druck auf die Kehle seines Gegenübers.

»Mein Name ist Josh Browder. Ich habe früher mal für den *NJ7* gearbeitet.«

Bei der Erwähnung dieses Kürzels schien Jimmys Blut wieder hochzukochen. Seine Augen blitzten wütend und er drückte die Prothese wieder fester gegen den Hals des Mannes. Doch das rote, bärtige Lächeln verschwand immer noch nicht.

»Ich sagte *früher*, Jimmy«, flüsterte Browder. »Jetzt nicht mehr. Entspann dich.«

Jimmy fühlte so viel Hitze und Spannung in seinem Kopf, dass er keinen klaren Gedanken fassen konnte.

»Jimmy«, ertönte ein Schrei aus dem hell erleuchteten Raum hinter Browder. Es war Marla. »Hör auf, unsere Zeit zu verschwenden. Ich habe dir doch von Browder erzählt.«

»Nein, hast du nicht«, knurrte Jimmy.

»Ich habe gesagt, da gibt es einen Mann, den du kennenlernen musst.«

Jimmy versuchte, sich zu erinnern. War es möglich, dass Marla die ganze Zeit für den *NJ7* gearbeitet hatte? Nein. Das ergab keinen Sinn.

Jimmy ließ langsam das falsche Bein sinken, dann warf er es hinter sich, wo es auf seinem Besitzer landete.

»Tut mir leid wegen Ihrem Freund«, murmelte Jimmy.

»Mach dir wegen ihm keine Sorgen.« Browder zuckte mit den Achseln. »Hoffen wir, dass er was daraus gelernt hat. Komm und setz dich.«

Er führte Jimmy in das Hinterzimmer und schloss die Tür. Das Zimmer war viel kleiner und wie ein altmodischer Arbeitsraum möbliert, aber es herrschte ein großes Durcheinander. An einer Wand waren Bücher und Magazine gestapelt, an einer anderen türmten sich alte Computer, Telekommunikationsgeräte und ein Chaos aus Kabeln unterschiedlichster Farben. In der Mitte des Raumes stand ein kleiner runder Tisch, um den sich ein halbes Dutzend Stühle drängten.

Dort saß Marla. Aber da war noch jemand – ein kleiner Junge. Jimmy schätzte ihn auf nicht älter als neun Jahre.

»Um was geht es?«, fragte Jimmy.

Browder nahm am Tisch Platz und schob Jimmy einen Stuhl zurecht. »Setzt den Kessel auf«, befahl er, ohne sich an jemanden im Speziellen zu richten. »Lasst uns einen Tee kochen.«

»Ich will keinen Tee!«, rief Jimmy. Er hieb die Faust auf den Tisch. »Ich muss Stovorsky eine Nachricht übermitteln.

Ihm klarmachen, dass er sein Actinium nur kriegt, wenn er mir hilft, und nicht, wenn er auf mich schießen lässt.«

Browder fixierte ihn. »Du hast das Temperament deines Vaters«, murmelte er.

Jimmy erschauderte. Natürlich – wenn dieser Mann für den *NJ7* gearbeitet hatte, dann kannte er vermutlich auch Jimmys Eltern. Aber meinte Browder jetzt jenen Mann, den Jimmy immer für seinen Vater gehalten hatte – und der jetzt Premierminister von Großbritannien war? Oder wusste er vielleicht sogar, wer Jimmys wahrer biologischer Vater war?

Vergiss es, ermahnte Jimmy sich selbst. *Konzentriere dich.* Aber diese Gedanken aus seinem Kopf zu vertreiben, war schwieriger als erwartet. Und als es ihm endlich gelungen war, saß er bereits mit verschränkten Armen am Tisch, während Browder mit seinen Erklärungen fortfuhr.

»Ich arbeite für die Capita«, verkündete Browder stolz.

Das sagte Jimmy gar nichts.

»Hast du je von der Mafia gehört?«

Jimmy nickte.

»Und vom Schwarzmarkt?«

Erneut nickte Jimmy.

»Tja, als Großbritannien ein neodemokratischer Staat wurde und die Handelsbeziehungen mit anderen Ländern mehr und mehr kappte, explodierte der Schwarzmarkt. Die Nachfrage nach von da an verbotenen Dingen ging durch die Decke: europäische Designer-Klamotten, amerikanische DVDs ...« Er unterbrach sich und deutete mit seinem Daumen über die Schulter. »Coca-Cola.«

»Sie schmuggeln Coca-Cola?«, fragte Jimmy verdutzt.

»Nein«, erwiderte Browder. »Lass es mich dir erklären. Keine der alten Schwarzmarktorganisationen allein konnte den neuen Bedarf decken. Zuerst herrschte Chaos, aber dann schlossen sich einige von ihnen zusammen. Du weißt schon, sie bildeten ein Konsortium. Organisierten sich besser. Mehr Hightech. Wie ein richtiges Unternehmen.«

»Und sie nannten sich *Capita*?«

Browder nickte.

»Sie haben beim *NJ7* aufgehört, um für die zu arbeiten?«, fuhr Jimmy fort.

»Du bist cleverer, als du aussiehst, Jimmy«, grinste Browder. »Sorry, kleiner Scherz«, fügte er rasch hinzu. »Eine Menge Leute wollten zu einer bestimmten Zeit den *NJ7* verlassen. Die meisten wurden gleich getötet, viele in der folgenden Zeit, und die wenigen Überlebenden mussten irgendwie für ihren Lebensunterhalt sorgen. In den langen Jahren der Geheimdienstarbeit hatte ich bestimmte nützliche Fähigkeiten erworben. Und die setzte ich dann eben ein.«

»Und *das* ist dabei herausgekommen?« Jimmy deutete auf das kleine unaufgeräumte Zimmer. »So verdient man Geld?«

»Was mich betrifft – ja. Ich kann es nicht leugnen. Wir sind schließlich nicht alle wie Christopher Viggo, Jimmy.«

Jimmy starrte den Mann an. Jedes seiner Worte schien einen weiteren Teil von Jimmys Vergangenheit zu berühren.

»Ja, ich kannte Chris«, erklärte Browder. »Nicht sonderlich gut, aber immerhin gut genug, um zu erkennen, dass er bescheuerten Ideen nachhing, die Welt verbessern zu wollen. Ich vermute, man nennt das *Ideale.*«

»Während Sie einfach nur Geld scheffeln wollten, richtig?«

»Tja, Ideale kann man nun mal nicht essen.«

»Und was ist mit Marla?«, fragte Jimmy und fühlte erneut Ärger in sich aufsteigen. »Was ist mit ihren Freunden? Verlangen Sie Geld von ihnen für Ihre Hilfe?«

»Hm. Vielleicht bist du doch nicht so clever, wie ich dachte.«

Jimmy wollte gerade wütend aufspringen, doch Browder grinste und zwinkerte ihm zu. Das lustige Blitzen in seinen Augen entwaffnete Jimmy für den Augenblick.

»Es ist eine einfache Geschäftsvereinbarung«, fuhr Browder fort. »Ich trainiere diese Menschen hier und stelle ihnen gewisse Gerätschaften zur Verfügung. Sie zahlen dafür mit einigen Gramm Uran, die von Arbeitern aus der Mine geschmuggelt werden. Und als Mittelsmann, der das ganze Geschäft arrangiert, nehme ich natürlich einen gewissen Prozentsatz.«

»Den sie dann diesen Leuten übergeben – bei der Capita?«

»Größtenteils.« Browders Bart teilte sich erneut zu einem breiten Grinsen. »Was sind schon ein paar Gramm unter Freunden?«

»Er ist ein guter Mann«, schaltete Marla sich ein.

»Sei nicht dumm, Marla«, protestierte Browder. »Mir geht's nur um den Profit.« Plötzlich wurde er wieder ernst.

»Ich bin Teil eines Unternehmens. Eines gewaltigen, äußerst effizienten, multinationalen Unternehmens, das zufälligerweise illegal ist.«

Jimmy blickte finster. War es dem Mann denn völlig gleichgültig, dass bei dem Angriff auf Mutam-ul-it Hunderte von Menschen getötet worden waren?

Browder musste seine Gedanken gelesen haben.

»Betrachte es doch mal so«, erklärte der massige Rotschopf. »Immerhin weißt du bei mir genau, woran du bist – wo immer Geld zu machen ist, auf dieser Seite stehe ich.« Er zuckte mit den Achseln und grinste. »Das ist geradeheraus und ehrlich.«

Gegen seinen Willen fand Jimmy den Mann trotz seiner fehlenden Moral langsam sympathisch. Da war etwas Warmes in seinem Lächeln – und irgendwie sah er aus wie eine rothaarige Version des Weihnachtsmannes.

»Sie würden mir sogar Ihre eigene Großmutter verkaufen«, brummte Jimmy. »Stimmt's?«

»Die arme Frau ist leider tot«, konterte Browder, bevor er ihn mit seinem bisher breitesten Lächeln anstrahlte. »Daher kann ich dir einen guten Preis machen.« Er lehnte sich zurück und stieß ein dröhnendes Lachen aus. »Darf ich jetzt den Kessel aufsetzen?«

Jimmy konnte nicht anders und lachte leise.

»Meinetwegen«, sagte er.« Aber ich zahle nicht für meinen Tee.«

KAPITEL 23

Browder gab dem kleinen Jungen einen Wink, der wie der Blitz hinüber in den anderen Raum huschte. Durch die Tür sah Jimmy den großen, einbeinigen Wachmann auf dem Boden sitzen und sich den Kopf reiben.

»Also, Jimmy«, sagte Browder, beugte sich vor und runzelte die Stirn. »Ich denke, jetzt ist es an dir, mir ein paar Dinge zu erklären.«

Jimmys Worte sprudelten nur so heraus, als wäre in ihm ein Damm gebrochen. »Ich muss unbedingt zurück nach Großbritannien, um den Krieg gegen Frankreich zu verhindern.«

»Und du hast auch die dafür nötige Macht und den Einfluss?« Browder hob eine seiner buschigen roten Augenbrauen. Sie wirkte wie ein Fuchs, der auf seiner Stirn tanzte.

»Das ist eine lange Geschichte. Ich muss ein Missverständnis aufklären.«

Vor Jimmys innerem Auge spielte sich erneut die Explosion der Ölbohrinsel *Neptuns Schatten* ab. Für einen Augenblick füllte sie sein gesamtes Bewusstsein aus. Sie verschmolz dort mit dem donnernden Zusammenbruch von Mutam-ul-it.

»Krieg ist niemals ein Missverständnis«, bemerkte Browder.

»Was?« Jimmy blickte fragend zu Browder, doch der schüttelte nur den Kopf und bedeutete Jimmy fortzufahren. »Also, wenn ich lebend in Großbritannien auftauche, dann wird der *NJ7* …«

»Dort leben immer noch Menschen, die dir etwas bedeutet haben, richtig?«

Jimmy nickte.

»Und du hast Stovorsky *überredet*, sie durch einen seiner Agenten in Sicherheit bringen zu lassen, indem du mit der Zerstörung von Mutam-ul-it gedroht hast.«

»Woher wissen Sie das?«

Browder sprang vom Tisch auf und lief hinüber zu dem Regal mit den Computern. »Marla hat dein Funkgerät bei dem Jungen zurückgelassen«, erklärte er, während er sich auf einem der Monitore durch verschiedene Dateien klickte. »Der Junge ist sehr verlässlich. Er hat das Gerät keine Sekunde unbeaufsichtigt gelassen.«

Plötzlich ertönte ein lautes Rauschen im Raum. Jimmy drehte sich zu den Lautsprechern und ahnte bereits, was nun kommen würde. Dann hörte er die Stimmen – knisternd und weit entfernt, aber eindeutig identifizierbar.

»*Wir sind in einem sicheren Unterschlupf.*«

Als er Felix' Stimme vernahm, fühlte Jimmy einen dicken Kloß in seinem Hals.

»*Uns geht es gut.*« Das war seine Schwester. »*Die Franzosen sind schwer in Ordnung.*« Sie sprach leise, war aber offenbar guter Stimmung.

Die Worte hallten schmerzhaft in Jimmys Ohren. Seine Augen brannten.

»*Wir schulden ihnen etwas.*« Das war erneut Georgies Stimme.

Jimmys Kehle fühlte sich jetzt noch ausgetrockneter an als auf seinem langen Wüstenmarsch.

»Wann kam die …« Der Rest seiner Frage ging in einem trockenen Hustenanfall unter. Er hielt sich am Tisch fest und wischte sich die Augen mit seinen Ärmeln. »Was werden sie …?« Seine Stimme wollte immer noch nicht richtig gehorchen. Sie schien in seiner Brust emporzudrängen, aber in seinem Hals stecken zu bleiben.

»Klingen sie echt?«, fragte Marla sanft. »Ich meine, sind es ihre Stimmen?«

Jimmy konnte nur nicken. Seine Konditionierung ließ ihn weiterhin misstrauisch bleiben. Doch dann zog er eine Grimasse und schob seine Zweifel als unbegründeten Verfolgungswahn beiseite.

»Sie klingen richtig nett«, fügte Marla hinzu. »Wie Freunde.«

Jimmy stützte den Kopf in die Hände. Am liebsten hätte er sich zu Boden sinken lassen und wie eine Kugel zusammengerollt. In seinem Kopf drehte sich alles. Ein plötzliches Klicken brachte ihn zurück.

Aber es war nur die sich öffnende Tür.

Der Junge kam mit weit aufgerissenen Augen zurück in den Raum geschlurft und trug ein Tablett mit Tee. Er nagte vor lauter Konzentration an seiner Unterlippe und das sich in den Teegläsern spiegelnde Licht beleuchtete sein Gesicht von unten. Jimmy war sich nicht sicher, ob er einem Engel oder einem Dämon glich.

»Irgendetwas daran stimmt nicht«, keuchte Jimmy endlich.

»Warum?«, fragte Browder.

»Was versuchen sie mir mitzuteilen?«

»Dass sie in Sicherheit sind«, erwiderte Browder nüchtern. »Und dass der *DGSE* ihnen geholfen hat.«

»Aber ...« Jimmy überlegte einen Augenblick. »Sie müssen doch versucht haben, irgendeine verborgene Botschaft oder Anweisung für mich einzubauen. Irgendetwas, das mir verrät, wo sie sind, oder ...«

»Möglicherweise haben sie das, aber die Franzosen haben es entdeckt und herausgeschnitten«, schlug Browder vor.

»Und warum ist da keine Nachricht von meiner Mum?« Jimmy fühlte, wie sich seine Brust zusammenkrampfte. »Was, wenn sie ...«

»Lass die unbegründeten Spekulationen, Jimmy.« Browder legte sanft seine Hand auf Jimmys Schulter.

»Das bedeutet vor allem, es hat funktioniert«, fügte Marla hinzu. »Verstehst du denn nicht? Sie haben das getan, was du von ihnen verlangt hast. Wirklich erstaunlich. Du kontrollierst sie.«

Jimmy atmete tief durch und setzte sich aufrecht hin. Er schloss kurz die Augen und versuchte, seine Gedanken zu ordnen. So viele schossen ihm gleichzeitig durch den Kopf. Seine Konditionierung schien sein Gehirn auf tausend Umdrehungen pro Minute gebracht zu haben, während er verzweifelt seine Gefühle zu verstehen versuchte. Was war da? *Angst? Misstrauen? Erleichterung?* Er wusste genau, was sein menschliches Selbst in diesem Moment erlebte: Es war nackte Panik.

»Sie haben meine Forderungen erfüllt«, bestätigte er leise. »Trotzdem habe ich ihre Mine zerstört. Ich hätte niemals erwartet, dass ...« Er unterbrach sich in plötzlich aufwallendem Ärger. »Ich muss Stovorsky eine Nachricht senden!«, stieß er krächzend hervor.

»Beruhige dich«, sagte Browder entschlossen. »Du bist jetzt bei uns. Du brauchst Stovorsky nicht mehr.«

»Aber ich muss zurück nach Großbritannien«, beharrte Jimmy. »Die Franzosen müssen mich dort hinbringen. Ich zwinge sie dazu, so wie ich es bei der Mine getan habe.«

»Ich bin mir nicht sicher, ob sie so versessen darauf sind, dir noch mal zu helfen, Jimmy«, gluckste Browder. »Schließlich kannst du ihre Mine nicht zweimal zerstören, oder?«

Jimmy richtete sich zu seiner vollen Größe auf und sprach mit ruhiger, nüchterner Stimme. »Actinium«, verkündete er. »Ich habe einen Koffer mit dem Zeug in der Wüste vergraben. Alles, was sie hatten. Entweder sie helfen mir oder sie werden ihren kostbaren Rohstoff niemals wiederkriegen.«

»Aha«, rief Browder aus. »Jetzt kommen wir zum Punkt.« Er setzte sich, griff nach zwei Tassen Tee und stellte eine davon vor Jimmy. »Wenn du das Actinium hast, Jimmy, dann brauchst du den *DGSE* möglicherweise gar nicht mehr.«

Jimmy blickte ihn fragend an.

»Die Minenarbeiter haben es nie geschafft, auch nur ein bisschen Actinium hinauszuschmuggeln. Und Marla suchte gerade nach einem Weg, es sicherzustellen, als du aufgetaucht bist.« Er beugte sich vor und senkte seine Stimme zu einem Flüstern. »Es gibt jede Menge Menschen auf der Welt, die dich zurück nach Großbritannien schmuggeln würden im Austausch für einen Koffer voll Actinium.«

Jimmy starrte in seine Tasse. Ein Klumpen Milchpulver, der sich nicht aufgelöst hatte, trieb an die Oberfläche.

»Trink deinen Tee und dann reden wir übers Geschäft«, fuhr Browder fort. »Das ist meine Spezialität.«

»Was, Ihre Spezialität ist Tee?«, scherzte Jimmy und hob den dampfenden Becher an seine Lippen. Dann nahm er einen langen Schluck.

»Nein«, erwiderte Browder mit ausdrucksloser Miene. »Das Geschäft.«

Plötzlich begann sich der ganze Raum um Jimmy zu drehen. Sein Magen revoltierte vor Ekel und Angst. Er schwankte und fiel beinahe von seinem Stuhl. Dann bombardierte alles Mögliche zugleich seine Sinne: Sein Tee kippte in seinen Schoß und verbrannte seine Schenkel; Marla schrie auf; ein Metallbein klickte auf Stein; ein Sack wurde grob über seinen Kopf gestülpt.

Und dann war da diese vernichtende Erkenntnis: *Das war kein Milchpulver.*

KAPITEL 24

Stovorskys Laptop brummte auf dem Tisch in der Mitte des Raumes, während er selbst am Fenster stand und hinausstarrte. Nur wenige Minuten nachdem er Jimmy in den Straßen von Tlon verloren hatte, waren seine beiden Verstärkungseinheiten aufgetaucht. Er hatte sie bald darauf wieder weggeschickt, nachdem er sich von ihnen ausreichend Equipment entliehen hatte, um eine provisorische Operationsbasis im obersten Apartment eines heruntergekommenen Gebäudes einzurichten.

Eine Klimaanlage hatte er allerdings leider nicht bekommen. Stattdessen heizten die zahlreichen elektronischen Apparaturen den Raum beständig weiter auf. Und das Fenster zu öffnen, erhöhte die ohnehin höllische Temperatur nur noch weiter.

»Ich dachte, die Nächte in der Wüste wären kalt«, brummte er vor sich hin.

Natürlich hätte er seinen Anzug gegen etwas Leichteres tauschen können, aber er war bei der Arbeit. Und im Dienst blieb er stets korrekt gekleidet. Das half ihm, seine persönlichen Anschauungen von den dienstlichen Pflichten zu trennen. Er diente seinem Land. Das durfte er nie vergessen und die Polyesterkrawatte um seinen Hals half ihm dabei. Sein Regenmantel hing an der Rückseite der Tür und das Jackett war über einen Stuhl gelegt.

Stovorsky starrte hinunter auf die Gasse und sah im trüben Straßenlicht seinen Fahrer ein paar nötige Reparaturen am Wagen vornehmen. Dann gab der Laptop einen Signalton von sich. Mit einem Seufzen marschierte er hinüber und öffnete ein kleines Videofenster, in dem der Kopf und die Schultern eines Mannes auf ihn warteten. Das Bild war nicht besonders scharf und die Bewegungen ruckartig, aber der Mann war sofort zu erkennen. Sein Kopf war kugelrund und der Mund wurde von einem säuberlich gestutzten blonden Schnurrbart betont.

»Abhörfreier Kanal?«, fragte der Mann scharf.

Stovorsky nahm ein kleines schwarzes Kästchen vom Tisch und schob es in den USB-Port. »Abhörfrei«, verkündete er unwirsch. »Schießen Sie los.«

»Ich habe mich mit Helen Coates getroffen«, sagte der andere Mann. Er sprach schnell und ohne Ausdruck. »Ich habe mich als Mitglied einer wohltätigen Organisation ausgegeben, Kontakt hergestellt und bin zu dem Schluss gekommen, dass ihre Bitte um Hilfe in Sachen ihrer Freunde, den Muzbekes, ehrlich gemeint war. Wenn wir ihr helfen, könnten wir uns ihre Dankbarkeit sichern.«

»Das weiß ich doch alles«, knurrte Stovorsky. »Es stand ja in Ihrem Bericht. Selbst in Afrika erhält man E-Mails, schon gewusst?«

»Aber inzwischen gibt es neue Entwicklungen.«

»Die da wären?« Stovorsky ließ sich auf einen Stuhl fallen und rollte seine Hemdsärmel hoch.

»Christopher Viggo hat mich kontaktiert.«

Stovorsky hielt mit seiner Tätigkeit inne und beugte sich näher zum Bildschirm.

»Er will ein Treffen«, fuhr der Schnurrbartmann fort.

»Hat er gesagt, wo?«

»Kings Cross. Bei einem alten Lagerhaus in der Wharfdale Road.«

Beide Männer saßen ein paar Sekunden schweigend da. Nur das Summen des Laptops war zu hören.

»Wir könnten ihn in einen Hinterhalt locken«, schlug der Schnurrbartmann schließlich vor. »Dann könnten wir die Informationen an den *NJ7* weitergeben. Miss Bennett wäre uns sicher zu Dank verpflichtet. Vielleicht würde das sogar weitere britische Angriffe auf französische Ziele verhindern. Es könnte –«

»Ruhe!«, schnappte Stovorsky. »Ich muss nachdenken!« Langsam strich er sich mit beiden Händen über die Kopfhaut, sodass er sich sein schweißnasses schütteres Haar an den Schädel pappte.

»Nein«, verkündete er schließlich. »Ich würde diesem Mann zwar nur zu gerne massive Scherereien bereiten, aber so blöd ist Viggo nicht. Er weiß, dass diese Anfrage über mich laufen wird. Er testet uns. Will herausfinden, ob wir ihn unterstützen, wenn er die britische Regierung zu stürzen versucht.«

»Und werden wir?«

»Woher soll ich das wissen?«, knurrte Stovorsky. »Der Punkt ist, wir können Viggo nicht verraten. Noch nicht. Er rechnet mit der Möglichkeit und wird sich irgendwie dagegen schützen. Es würde nicht funktionieren. Wir hätten gegenüber dem *NJ7* nichts in der Hand und Viggo würde sich nie wieder an uns wenden.«

»Also, was schlagen Sie vor?«

»Ein mächtiger Mann bittet uns um Hilfe.«

»Er ist nicht mächtig«, höhnte der Schnurrbartmann.

»Noch nicht«, verbesserte ihn Stovorsky. »Aber er könnte es schon bald werden. Möglicherweise ist er die Zukunft Großbritanniens. Und in dem Fall wollen wir, dass er ein Freund Frankreichs ist.«

»Verabreden wir also ein Treffen mit ihm?«

»Nein.« Stovorsky hob einen warnenden Finger. »Er ist mächtig und er ist gefährlich.«

»Aber Sie sagten doch gerade –«

»Jemand sollte ihn treffen, aber nicht Sie. Wir können ihm nicht vertrauen. Ich schicke jemanden, der sich verteidigen kann, falls es Schwierigkeiten gibt.«

Der Mann mit dem Schnurrbart wirkte empört. »Ich bin ein bestens trainierter Agent!«, protestierte er. »Ich bin hochgefährlich!«

»Ich kann im Augenblick nur Ihren Kopf und Ihre Schultern sehen«, erwiderte Stovorsky. »Aber irgendwie wirken Sie immer noch übergewichtig.« Er schüttelte entnervt den Kopf, während sein Kollege nach unten auf seine nicht vorhandene Taille spähte und seinen Bauch einzuziehen versuchte.

»Ich schicke Zafi«, verkündete Stovorsky. »Jimmys Familie kann nicht abhauen – dafür wird der *NJ7* schon sorgen. Also braucht Zafi sie für den Augenblick nicht zu bewachen. *Sie* wird Viggo treffen und später nötigenfalls zu den Coates zurückkehren.«

»Wie meinen Sie das?« Der Schnurrbartmann starrte in die Kamera. »Das mit der Familie?«

»Ich meine gar nichts.« Stovorsky seufzte. »Wir haben hier nur gewisse Probleme. Jimmy ... ach, spielt keine Rolle. Sie können die Sache mir überlassen. Ich übernehme von hier an.«

Sie beendeten ihre Unterhaltung rasch, und kaum neunzig Sekunden später schickte Stovorsky eine E-Mail mit verschlüsseltem Anhang, die Details zu einem möglichen Treffen mit Christopher Viggo enthielten. Mit frischer Energie rückte Stovorsky seine Krawatte zurecht und rollte mehrfach die Schultern. Dann öffnete er ein neues Dokument. Es war an der Zeit, Zafi weitere Instruktionen zu schicken und dann aus Afrika zu verschwinden. Sollte sich doch irgendjemand anderes mit der Hitze hier herumplagen.

Zafi erwachte abrupt aus dem Schlaf. In ihrem Kopf war eine Flut von Bildern – das Apartment, in dem sie übernachtete, die schematischen Umrisse des gesamten Gebäudes, der Lichtschimmer ihres Handys in der Dunkelheit ... Für eine Sekunde wurden die Bilder von etwas überstrahlt – dem blitzartigen Auftauchen eines Traumbildes. Doch ebenso plötzlich war es wieder verschwunden, auf ewig vergessen. So ging es ihr immer mit ihren Träumen

Sie schlüpfte unter der Decke hervor und rollte vom Sofa. Sie trug ihre Kapuze immer noch tief ins Gesicht gezogen, um sich zu tarnen. Es war kalt und das einzige Geräusch war das gelegentliche Brummen eines Autos oder nächtlichen Busses draußen vor dem Fenster. Scheinwerferlicht fiel durch einen Spalt im Vorhang.

Zafi schnappte sich ihr Handy und spürte einen ängstlichen Knoten in ihrer Brust. Eine neue Nachricht. Ihr Daumen schwebte über dem Display. War dies der Auftrag zu töten? Einen Teil von ihr erregte die Vorstellung, während der überwiegende Rest am liebsten nichts davon gewusst hätte. Wenn es ein Tötungsauftrag war, würde sie gehorchen. Sie war bisher immer ihren Anweisungen gefolgt und würde es weiter tun. *So bin ich nun mal gemacht*, versicherte sie sich selbst. Gleichzeitig wusste sie, dass es irgendwo da draußen einen Jungen gab, der war wie sie, aber den Gehorsam verweigerte, wenn ihm ein Befehl falsch erschien.

Sie öffnete die Nachricht. Es war eine scheinbar zusammenhanglose Folge von Buchstaben und Zahlen. Doch während sie vor ihrem Auge abliefen, nahmen sie eine fast räumliche Gestalt an.

Viggo? Eine merkwürdige Mischung aus Verwirrung und heimlicher Erleichterung überfiel Zafi. *Nicht töten, sondern nur mit ihm reden?* Es schien nicht weiter schwierig, trotzdem behagte es Zafi nicht. Warum benutzte sie der *DGSE* plötzlich als Boten? Eigentlich war sie doch ihre mächtigste Waffe. Kürzlich hatte man sie noch ausgeschickt, um den britischen Premierminister zu töten. Waren ihre Zweifel doch stärker als vermutet zutage getreten? War etwas davon nach außen sichtbar geworden?

Nein, versicherte sie sich selbst. *Unmöglich. Wahrscheinlich werden sie bald von mir verlangen, dass ich jemanden töte. Alles wird wieder sein, wie es war.* Dennoch spürte sie einen Anflug von Panik.

Doch gleich darauf fühlte sie neue Energie durch ihren Körper pulsieren. Zafi wollte schon zur Eingangstür eilen, doch dann hielt sie inne. Sie stand wie angewurzelt da und starrte auf das unterbrochene Monopoly-Spiel, das immer noch auf dem Couchtisch stand. Und wenn der *DGSE* ihr nun tatsächlich einen Tötungsauftrag schicken würde? Und wenn die Menschen, die hier in diesem Apartment schliefen, die Zielpersonen wären?

Das eiserne Gatter in der Wharfdale Road klapperte, als Zafi darüber kletterte, doch um 4 Uhr morgens nahm kein Mensch Notiz davon. Sie huschte bis zum Ende der engen Gasse, wo sich eine Tür in der Ziegelmauer befand und eine dunkle Treppe nach unten führte.

Vor Jahren hatte sich hier das *Eishaus*-Museum befunden. Es hatte einen Eindruck vom Leben im viktorianischen Zeitalter vermittelt, einer Zeit, als die Schiffe noch norwegisches Eis über die Kanäle bis zu diesem Ort gebracht hatten. Einige Teile des Museums hatten überlebt.

Zafi eilte die Treppe hinunter, an *Willkommen*-Schildern und zerstörten Installationen vorbei, alles dick mit Staub und Spinnweben bedeckt.

Je tiefer sie kam, desto mehr ließ die Kälte sie zittern, und desto schlimmer wurde der Gestank. Irgendwann nach Schließung des Museums mussten die Abwasserrohre undicht geworden sein. *Riecht wie britischer Käse*, dachte sie.

Sie spürte ein leichtes Vibrieren in ihrem Kopf, als sich ihre Nachtsichtfähigkeit aktivierte.

Zafi hüpfte von der letzten Stufe und landete mit einem leisen Klatschen im Untergeschoss des Eishauses. Nun wurde deutlich, warum die Besucher einst Eintritt für diesen Ort bezahlt hatten. Er war viel größer als erwartet und die Wände waren mit viktorianischen Wandmalereien bedeckt.

»Chris!«, rief sie neckisch. »Viggy!« Ihr gefiel, wie ihre Stimme von den Wänden widerhallte.

Plötzlich legte sich eine Hand über ihren Mund. »Bist du alleine?«, zischte es in ihr Ohr. Der Atem war heiß.

Zafis Muskeln reagierten, als hätte sie ein Blitz durchzuckt. Sie ließ sich in einen perfekten Spagat fallen, wobei ihre Absätze über den schlüpfrigen Boden rutschten. Gleichzeitig packte sie die Hand über ihrem Mund und nutzte ihren Abwärtsschwung. Ein großer schwarzer Schatten segelte über sie hinweg, aber anstatt mit einem Klatschen zu landen, kontrollierte der Mann seinen Sturz und schlitterte auf den Füßen durch den Matsch.

»Du bist ziemlich fit für einen alten Mann, Viggo«, rief Zafi. »Und ja – ich bin alleine.«

»Sprich leise«, ertönte die geflüsterte Antwort. »Wir verschwinden besser von hier.«

Minuten später marschierten sie durch einen Tunnelkomplex, den die Museumsbesucher nie zu Gesicht bekommen hatten – unterirdische Gänge, über die das Eis quer durch London zu den Bahnhöfen gebracht worden war. Einige dieser Tunnel waren vom Einsturz bedroht, zudem wimmelte es nur so von Ratten, aber offensichtlich hatte Viggo kürzlich einige von ihnen wieder begehbar gemacht.

»Ich kenne Menschen, die nach dir suchen«, erklärte Zafi, die einige Schritte hinter Viggo folgte. »Abgesehen von der Regierung natürlich.« Zafi glaubte ein Schulterzucken Viggos zu bemerken. »Helen Coates«, sagte sie.

»Ist sie …?«, flüsterte es vor ihr im Tunnel leicht krächzend. »Sie sollen nicht hierherkommen«, fügte die Stimme kräftiger und lauter hinzu. »Du sollst sie auf keinen Fall …«

»Deshalb bin ich nicht hier.«

Schweigend liefen sie weiter.

Zafi zählte beim Gehen die Schritte, berechnete die zurückgelegte Strecke und registrierte jede noch so kleine Richtungsänderung. Unwillkürlich entstand in ihrem Kopf ein Plan der Route. Diesen glich sie automatisch mit einer abgespeicherten Straßenkarte Londons ab. *Wir gehen in Richtung des Bahnhofs von King's Cross*, dachte sie.

Nur wenige Minuten später erreichten sie einen leeren Lagerraum, betraten ihn durch einen Hintereingang. Auf der anderen Seite des Raumes befand sich eine weitere Tür. Zafi erkannte, wo diese hinführen musste: zu einem unbenutzten Geschäft im St Pancras International Terminal.

Hier war es warm und es brannte Licht. Außerdem war endlich der widerliche Gestank verschwunden. Viggo hatte sein neues Zuhause mit dem Notwendigsten möbliert. Die leeren Lagerregale waren beiseitegeschoben, um Platz für eine Heizung, eine große Matratze und Decken zu machen.

Auf der Matratze saß, gegen ein Regal gelehnt, eine Decke auf dem Schoß und den einen Arm in einer Schlinge, Viggos Freundin.

»Saffron Walden«, staunte Zafi. »Ich habe gehört, du wärst tot.«

Die junge Frau lächelte ruhig, und es kam Zafi vor wie das wärmste Lächeln, das sie je gesehen hatte. Saffrons dunkle Haut schien von innen zu strahlen. Und das von der Decke herabfallende Licht betonte die vollen Lippen und ihr lockiges schwarzes Haar, das ihr ovales Gesicht umrahmte.

»Das wäre ich beinah auch gewesen«, sagte sie leise.

Zafi musste unwillkürlich über Saffrons volle, wohlklingende Stimme lächeln.

»Ein *NJ7*-Agent hat mich in der französischen Botschaft niedergeschossen.«

»Ich weiß«, erwiderte Zafi. »Ich war dabei.«

Viggo und Saffron starrten sie an.

»Du warst dort?«, fragte Viggo verblüfft.

Zafi zuckte nur mit den Achseln.

»Das ist Vergangenheit«, sagte sie und fuhr dann rasch fort: »Solltest du nicht in einem Krankenhaus sein?«

»Es ist alles ganz gut verheilt, danke«, erwiderte Saffron bestimmt. »Ich bin nicht so zerbrechlich, wie ich aussehe.« Sie hob eine Augenbraue und zog dann den gesunden Arm unter der Decke hervor. Mit ihrer Hand umklammerte sie ein Gewehr.

»Planst du einen Jagdausflug?«

»Kids!«, stöhnte Viggo entnervt. »Warum haben sie mir ein Kind geschickt?«

»Haben sie nicht«, protestierte Zafi. »Sie haben eine Agentin geschickt.«

Sie musterte Viggos Gesicht. Er wirkte etwas zerfurchter als auf den Nachrichten-Bildern oder den Überwachungsfotos. Seine sanften braunen Augen schienen noch mehr zu glühen und der Stoppelbart war etwas weniger gepflegt. Auch sein Haar war länger. Für einen Augenblick überlegte Zafi, wie man wohl so markante Gesichtszüge verbergen könnte.

Saffrons Stimme riss sie aus ihren Gedanken. »Wir müssen wissen, ob wir auf die Unterstützung der Franzosen zählen können«, sagte sie.

»Ich werde die Nachricht weitergeben«, erwiderte Zafi lässig und wandte sich zum Gehen.

»Nein«, knurrte Viggo. Er packte Zafis Schulter und drehte sie herum. »Du wirst folgende Nachricht weitergeben: Großbritanniens neodemokratische Regierung steht kurz vor ihrem Ende. Ich werde sie stürzen. Ob es euch Franzosen gefällt oder nicht, dieses Land wird bald wieder eine freie und demokratische Regierung haben. Ich plane, die Führung zu übernehmen, und dann werde ich mich auch für französische Interessen einsetzen – bezüglich Handel, Diplomatie, Reisefreiheit.« Er fixierte Zafi mit funkelnden Augen. »Und das kann noch rascher geschehen, wenn ich mich jetzt auf die französische Unterstützung verlassen kann. Richte Uno Stovorsky aus, er soll vergessen, was zwischen uns vorgefallen ist. Wie du schon gesagt hast – es ist Vergangenheit, richtig? Wir haben jetzt einen gemeinsamen Feind. Und ich brauche Frankreich als Freund an meiner Seite.«

Zafi wartete, bis Stille im Raum eingekehrt war. Sie hielt Viggos intensivem Blick stand. »Das ist aber eine lange Botschaft«, flüsterte sie schließlich mit gehobener Augenbraue.

»Wirst du sie übermitteln?«

Langsam nickte Zafi und schüttelte Viggos Griff ab.

»Möglicherweise vergesse ich sie aber auch«, lispelte sie mit verstelltem Stimmchen. »Ich bin ja schließlich nur ein kleines Kind, oder?« Sie schenkte Viggo ihr süßestes Lächeln, dann marschierte sie an ihm vorbei zum anderen Ausgang. »Ich finde den Weg nach draußen, danke.«

KAPITEL 25

Jimmy schien zu verglühen. Er war von Schweiß überströmt. Durch sein Bewusstsein zuckten Farben und Schatten. *Ich träume nicht*, versicherte er sich. *Ich sehe meine Träume nie*. Er schien auch nicht zu schlafen. Und doch waren es ganz sicher Visionen und keine Realität.

Es ist eine Droge, begriff Jimmy schließlich. *Wo bin ich?* Die Bilder blitzten schneller und schneller auf, und aus den Farben wurden Objekte: eine Teetasse, ein schwarzes *K*, ein grüner Streifen, eine Büroklammer, Marlas Gesicht, die Treibstoffanzeige eines Flugzeugs, sein Kinderzimmer, der Kühlschrank zu Hause … all das verschwamm ineinander. Und dann verschwand dieser Wirbel schlagartig und Jimmy sah einen klaren, blauen Himmel.

Es ist nicht real, dachte er. *Es ist immer noch nicht die Wirklichkeit*. Aber er war sich nicht mehr so sicher.

Jimmy lag auf dem Rücken in der Wüste. Und über seine Mitte gebeugt hockten mehrere riesige, braune Geier. Jimmy wollte sie verscheuchen, konnte sich aber nicht bewegen. Dann ließ dieser Drang nach und er wurde von einem merkwürdigen neuen Gefühl durchströmt. War es Dankbarkeit? Versuchten diese Geier ihm zu helfen?

Wach auf, schrie es in Jimmys Kopf. Doch der Schrei

verlor sich in der Hitze und in den Lauten der pickenden Vögel. Das Geräusch wurde lauter und lauter, bis schließlich der größte Geier seinen Kopf hob und Jimmy fixierte.

In seinem Wahn empfand Jimmy nun echte Panik. Dieser Vogel war nicht wie die anderen. Er war tiefschwarz statt braun, und während die Augen der anderen wie blaue Edelsteine blitzten, hatte dieser überhaupt keine Augen. Und trotzdem starrte er Jimmy an. Und dann bemerkte er seinen Schnabel – ein massiver grüner Haken. Und an diesem hing ein rosafarbener Ball, von dem Blut tropfte.

Jimmy wurde klar, dass die Vögel seinen Bauch aufgerissen hatten und den Inhalt zerpickten. Der schwarze Vogel vertilgte Jimmys Magen. Er öffnete seinen Schnabel und stieß ein Krächzen aus. Jimmy hatte noch nie zuvor solche Angst empfunden. Das Geräusch explodierte aus der Kehle des Vogels und schien ein Wort zu bilden, das durch die Wüste gellte: »Lügen!«

Jimmy schrie. Er fühlte es in seiner Brust und es schien seine Stimmbänder zu zerfetzen. Er riss die Augen auf. Sein Herz hämmerte. Er konnte nicht das Geringste sehen – nur die Innenseite eines schwarzen Leinensacks und dahinter ein strahlendes weißes Licht.

»*È sveglio*«, sagte eine Männerstimme.

Jimmy verstand die Worte, ohne bewusst wahrzunehmen, dass es sich um Italienisch handelte. *Er ist wach*, besagten sie.

Ja, dachte Jimmy. *Ich glaube, das bin ich jetzt.*

Er versuchte sich zu bewegen, musste aber feststellen, dass seine Hände, Fußgelenke und Knie an einen hölzernen

Stuhl gefesselt waren. Jimmy versuchte es erneut. Doch vergeblich. Dann mobilisierte er seine ganze Kraft. Er wand und drehte seinen Körper und stieß vor lauter Anstrengung ein tiefes Stöhnen aus. Die Fesseln dehnten sich minimal, was ihm verriet, dass es Plastikbinder waren, doch sie rissen nicht. Bei seinen Bemühungen war ihm nur noch heißer geworden.

Die Hitze in seinen Halluzinationen schien durchaus real gewesen zu sein, selbst wenn sie nicht von der Wüstensonne stammte. Hätte er den Sack von seinem Kopf ziehen können, hätte er vermutlich direkt in eine große Halogenlampe etwa dreißig Zentimeter vor seinem Gesicht gestarrt. Eine alte Verhörtaktik. Die Frage war nur, wer ihn verhörte und was man von ihm wissen wollte.

»Wo bin ich?«, schrie Jimmy. Die Worte blieben in seiner Kehle stecken, so trocken war sie. »Wer sind Sie?«

Doch dann stieg seine besondere Energie unerwartet seinen Hals empor und breitete sich in den Muskeln seines Gesichtes aus wie warmer Honig. Seine Lippen bewegten sich. »*Dove sono?*«, wiederholte er seine Fragen auf Italienisch. »*Chi sei?*«

Er bekam keine Antwort, doch er hörte den Widerhall seiner Stimme. Erneut wiederholte er die Worte, aber diesmal nicht, um eine Antwort zu erhalten, sondern um ihrem Echo zu lauschen. Und während seine Worte zu ihm zurückkehrten, formten sich Linien vor seinem inneren Auge, nahmen die Umrisse eines Gebäudes an, entsprechend dem Winkel und der Intensität, mit der seine Stimme von den Wänden widerhallte.

Eine hohe Decke, dachte Jimmy und sah ihre Form vor sich wie auf der Zeichnung eines Architekten. *Vermutlich hundert Meter hoch, möglicherweise eine Kuppel. Steinwände, die einen eher schmalen Raum einschließen, wie eine lange Halle.* Und da war noch etwas anderes …

Jimmy rief erneut. Sein Atem war heiß auf der Innenseite des Sacks – fast erstickend –, aber er ermahnte sich zur Konzentration. Sein Gehör analysierte das Echo auf hundert verschiedene Aspekte hin, einschließlich der winzigsten Nebenechos, die jedem normalen Ohr entgangen wären. *Das ist es*, dachte Jimmy triumphierend. *Eine Säulenreihe zu beiden Seiten der Halle.*

Jimmy lauschte nach der Atmung dieser Personen in seiner Umgebung. Auch ihre Anwesenheit hatte das Echo beeinflusst, und nun begann er, sie um sich herum zu platzieren wie Puppen in einem mentalen Puppenhaus. *Waren es fünf? Oder sechs?*

Jimmy trug nur Socken, daher konnte er die Beschaffenheit des Bodens fühlen. Er war rau. *Natursteinplatten?* Außerdem war der Boden kalt. Offensichtlich befand sich Jimmy also nicht mehr in Afrika.

Erinnerungen kehrten zurück – zunächst das Gesicht von Josh Browder und, noch wichtiger, was der Mann über die Organisationen erzählt hatte, für die er arbeitete: die Capita, die sich aus einer alten kriminellen Organisation herausgebildet hatte.

Jetzt war Jimmy bereit, seine Einschätzung abzugeben. »Rom hat so wundervolle alte Kirchen, nicht wahr?«, verkündete er.

Und da war sie – eine kaum vernehmbare Reaktion. Irgendjemand hinter ihm hatte seinen Atemrhythmus verändert. Er hatte ein erstauntes Luftschnappen unterdrückt. Jimmy grinste.

Plötzlich wurde der Sack von seinem Kopf gerissen. Jimmy glaubte, fast zu erblinden, als das grelle Halogenlicht direkt auf seine Augen traf.

»Sind sie unterwegs?«, fragte eine leise Stimme auf Englisch.

Jimmy erkannte sie als die von Josh Browder.

Jimmy blinzelte und senkte den Kopf, um nicht so heftig geblendet zu werden. »Ich habe mich mit der Bitte um Hilfe an Sie gewandt, Browder«, sagte er ruhig. »Was wollen Sie von mir?«

»Sind sie unterwegs?«, wiederholte Browder seine Frage.

»Ich glaube, ich brauche unbedingt noch eine Tasse Tee«, konterte Jimmy.

Browder lachte. »Die Wirkung deines Tees hat schon längst nachgelassen, Jimmy«, gluckste er. »Wir haben dir seither eine Menge anderer Sachen injiziert.«

Jimmy warf sich erneut auf dem Stuhl herum und zerrte an seinen Fesseln.

»Es war nichts Schlimmes«, fügte Browder hinzu. »Es sollte dir nur dabei helfen, uns die Wahrheit zu sagen. Und jetzt sag mir …« Er sprach jedes Wort einzeln und so langsam wie möglich aus: »Sind … sie … unterwegs …?«

Jimmy konnte den Mann nicht sehen, aber seine Stimme umkreiste ihn.

»Ich habe keinen blassen Schimmer, wovon Sie da

reden«, beharrte Jimmy. »Wenn Sie glauben, dass jemand unterwegs ist, mich zu suchen, dann durchsuchen Sie mich nach Ortungssendern.«

»Das haben wir bereits«, erwiderte Browder sofort. »Vergeblich.«

»Also machen Sie das hier zu Ihrem persönlichen Vergnügen?«, fragte Jimmy leise. Er konnte Wut in sich aufsteigen fühlen. Überall um ihn herum wisperten unsichtbare Gestalten. Wie viele Personen waren da? In ihm blitzte das Bild der Geier wieder auf, die sich an seinen Innereien gütlich taten.

»Wir spielen hier keine Spielchen, Jimmy«, sagte Browder langsam. Und dann explodierte er. »SIND SIE UNTERWEGS?«

»WER?!«, schrie Jimmy zurück.

»DER *DGSE*? DER *NJ7*? DIE *CIA* … WER AUCH IMMER!«

Jimmy biss die Zähne zusammen und schaukelte wild auf dem Stuhl hin und her, um die Schnäbel der Geier abzuwehren. Der Stuhl scharrte auf dem Steinboden. »Niemand ist unterwegs!«, brüllte er, während er jedes Quäntchen Kraft in seinem Körper zu mobilisieren versuchte. »Niemand!«

Und endlich fühlte Jimmy einen gewaltigen Energieschub. Er stemmte seine Füße auf den Boden und warf seinen Körper samt Stuhl nach hinten. Die hölzerne Stuhllehne krachte auf den Boden. Gleichzeitig riss Jimmy seine Arme nach oben. Zwar gaben die Kabelbinder nicht nach – doch der Stuhl zerbrach.

In einem Regen aus Holzsplittern und kleinen Eisenteilen sprang Jimmy auf. Die Trümmer des Stuhls fielen klappernd von ihm ab.

Sofort stürzten sich die Gestalten um ihn herum auf ihn.

Jimmy war von dem grellen Licht der Verhörlampe immer noch fast blind. Er sah nur Schwärze und darin ein paar farbige Schemen. Aber als er eine Hand auf seiner Schulter spürte, wirbelte er herum, um sie abzuschütteln. Seine Handkante traf den Ellbogen eines Mannes, er hörte ein Knacken und dann einen Schmerzensschrei.

Jimmy lauschte. Er ortete die Positionen seiner Angreifer durch die Geräusche ihrer Schritte und das scharfe Einatmen, bevor sie ihn attackierten. Jimmy schlug immer erst im letztmöglichen Moment zu. Sein Schwerpunkt blieb fast unverändert, während seine Fäuste und Füße wie die eines Tänzers um ihn herumwirbelten und mit der Wucht eines Morgensterns trafen.

Ein Geräusch jedoch fürchtete Jimmy. Und da war es auch schon: das Reiben von Metall auf Leder. Irgendjemand hatte eine Pistole aus dem Holster gezogen.

Jimmy duckte sich rasch und wich zur Seite aus. In welcher Richtung lag der Ausgang? Dann ertönte das Klicken der Pistole. Jimmy musste dringend hier raus.

»*Basta!*« Die neue Stimme war kaum mehr als ein Flüstern. Fast wäre sie von den Kampfgeräuschen übertönt worden, trotzdem schien sie sich direkt in die Herzen von Jimmys Gegnern zu bohren. Sie alle blieben wie angewurzelt stehen. Schlagartig herrschte Stille – bis auf das schwere Atmen von einem halben Dutzend Männern, dem

Rauschen des Blutes in Jimmys Ohren und noch etwas – einem leisen elektrischen Summen und dem Quietschen von Gummi auf Stein. *Was war das?*

Jimmy kniff die Augen zusammen. Langsam kehrte seine Sehfähigkeit zurück. Jemand näherte sich direkt aus Richtung der Halogenlampe. Jimmy beschirmte seine Augen. Er machte die Umrisse einer sitzenden Person aus. Woher kam der zweite Stuhl? Und dann wurde es Jimmy klar – das Geräusch war der kleine Motor eines elektrischen Rollstuhls.

»Wer sind Sie?«, flüsterte Jimmy in Richtung des Schattens.

Die Antwort erfolgte noch leiser. Die Stimme eines Mannes – alt und mit starkem italienischen Akzent – verkündete fast unhörbar: »Ich bin die Capita.«

KAPITEL 26

Jimmy beugte sich vor, um die Worte des Mannes besser verstehen zu können.

»Genau genommen das *Caput*. Es bedeutet *das Haupt*«, sagte die leise, ein wenig krächzende Stimme. »Mir ist nur noch der Kopf geblieben. Mein Körper hat mich schon vor langer Zeit im Stich gelassen.«

»Ich verstehe nicht«, flüsterte Jimmy. »Ich dachte die Capita wäre eine Organisation.«

»Das ist sie auch«, schaltete Browder sich ein, immer noch vom Kampf keuchend. »Groß, reich und mächtig.«

»Und sie gehört mir«, fügte die heisere italienische Stimme hinzu. »Die meisten Menschen, die für mich arbeiten, wissen nicht einmal, dass die Capita von einer einzigen Person, nur einem Haupt angeführt wird. Aber hier bin ich, Jimmy.«

Jimmys Hand zitterte. Warum machte ihn diese Person nur so nervös? Er holte tief Luft und fragte: »Wie ist Ihr Name?«

Alle um ihn herum lachten.

»Nenne mich einfach *Caput*«, erwiderte der Mann im Rollstuhl. »Oder, wenn du kein Latein magst, kannst du mich meinetwegen auch *das Haupt* nennen.«

Jimmy reckte den Hals, um den grellen Lichtkegel zu vermeiden und einen besseren Blick auf den Mann zu erhaschen. Seine Sehfähigkeit war jetzt vollständig wiederhergestellt, und ganz offenkundig hatte er recht gehabt mit diesem Gebäude – er stand im Mittelgang einer alten Kirche, zwischen zwei Reihen von abgewetzten Holzbänken. Über ihm wölbte sich eine mittelgroße Kuppel, entlang der Wände erhob sich jeweils eine Säulenreihe, und die bunten Glasfenster hoch oben ließen nur wenig Tageslicht herein. Doch im Augenblick interessierte sich Jimmy nur für den Mann im Rollstuhl. Er trat einen Schritt auf ihn zu.

»Bleib, wo du bist, Jimmy«, befahl das Haupt.

Sein Tonfall ließ Jimmy sofort innehalten.

»Du brauchst mein Gesicht nicht zu sehen. Du wirst es auch niemals erblicken. Sicher könntest du jetzt meinem Leben leicht ein Ende setzen, doch das wirst du nicht tun. Denn du brauchst meine Hilfe, so, wie ich deine brauche.«

Jimmy atmete rascher. Waren das immer noch die Drogen in seinem System oder war es pure Angst?

»Tut mir leid, dass ich dich dieser Untersuchung unterziehen musste«, fuhr das Haupt fort. »Ich musste sicherstellen, dass du nicht noch für jemand anderen arbeitest. Jetzt weiß ich es. Denn stündest du in den Diensten von jemandem, hättest du nicht zu fliehen versucht. Du hättest alles auf dich genommen – sogar Folter – und darauf gewartet, dass sie dich hier rausholen.«

»Ich habe es Ihnen doch gesagt«, zischte Jimmy zwischen zusammengebissenen Zähnen. »Man kann mich nicht orten. Unmöglich. So wurde ich nun mal …«, er senkte die

Stimme, als fürchte er, es laut auszusprechen, »... geschaffen«.

Das Haupt ignorierte diese Bemerkung.

»Was du in Mutam-ul-it getan hast, Jimmy«, die Stimme des Mannes wurde nie lauter als ein Flüstern, und er sprach den Namen der Mine mit starkem italienischen Akzent aus, »das war sehr beeindruckend. Und es hat möglicherweise viel Gutes bewirkt – zumindest für dich. Aber für uns hat es ein großes Problem geschaffen. Wir sind nicht die Wohlfahrt, Jimmy. Wir helfen den Menschen von Westsahara nicht, weil wir sie lieben oder Mitleid mit ihnen haben. Unser Training und unsere Waffen haben sie im Austausch für kleine Mengen geschmuggelten Urans erhalten. Und die kleinen Mengen dieses Elements haben uns große Mengen Geld eingebracht. Als du die Mine zerstörtest, hast du uns einer sehr profitablen Einnahmequelle beraubt.«

»Also wollen Sie jetzt das Actinium«, bemerkte Jimmy mehr zu sich selbst.

»Wo ist es?«

Jimmys Anspannung ließ ein wenig nach. »Sie können es haben«, verkündete er gelassen. »Es ist in der Wüste vergraben.«

»Die Sahara ist riesig, Jimmy. Wir brauchen die genauen Koordinaten.«

Jimmy dachte einen Augenblick lang nach, bevor er breit grinste. »Dann sollten Sie dafür sorgen, dass Ihre große, reiche und mächtige Organisation mich nach England bringt.« Jimmy konnte seine Aufregung kaum verbergen.

Noch vor wenigen Minuten hatte er nur noch Resignation und Verzweiflung empfunden. Jetzt wurde er von neuer Energie durchströmt.

»Klingt, als wärest du ein echter Geschäftsmann«, verkündete das Haupt nach längerem Schweigen.

»Klingt, als hätten wir einen Deal«, erwiderte Jimmy. Er bemühte sich, ruhig zu bleiben, obwohl sein Herz vor Freude hüpfte – er würde nach Großbritannien zurückkehren und seine Mum, seine Schwester und Felix wiedersehen. Und Großbritannien davon abhalten, Frankreich anzugreifen.

»Meine Leute werden dich bis zum Ärmelkanal bringen«, stimmte das Haupt zu.

»Und wie komme ich dann rüber nach England?«

»Auch das werden wir arrangieren. Wir haben ein gutes Netzwerk, das Menschen um die Einwanderungsbehörde herumschleusen kann. Aber das wird erst passieren, wenn du uns die Koordinaten des Koffers geliefert hast. Joshua Browder wird dich bis zum Ärmelkanal bringen. Und wenn es so weit ist, gibst du ihm die nötigen Eckwerte.«

»Wann geht's los?« Jimmy strahlte. Er blickte sich nach Browder um.

Der große rothaarige Mann stand direkt hinter ihm und lächelte zurück.

Unwillkürlich empfand Jimmy wieder so etwas wie Sympathie, trotz allem, was der Mann ihm zugemutet hatte. In gewisser Weise konnte er verstehen, dass die Capita ihre Geheimnisse mit allen Mitteln zu schützen versuchte und dass sie so versessen auf das Actinium waren.

Dann wurde Jimmy durch das leise Geräusch eines Elektromotors abgelenkt. Als er sich umdrehte, verschwand das Haupt bereits durch eine Seitentür neben dem Altar. Jimmy sah nur noch die Rückseite eines sehr großen Rollstuhls, an dessen oberem Teil eine merkwürdige Glaskuppel aufragte. *Vielleicht ist er wirklich nur ein Kopf*, überlegte Jimmy. *Aber war so etwas überhaupt möglich?*

Capitas Männer verließen die Kirche durch eine weitere Seitentür. Sie trugen die Überbleibsel von Jimmys Stuhl, die Verlängerungskabel und die Verhörlampe mit sich. Zum ersten Mal konnte Jimmy sie genauer ansehen.

Es war eine seltsam zusammengewürfelte Truppe und nach dem Kampf mit Jimmy humpelten die meisten oder hielten sich die Köpfe. Sie waren ganz unterschiedlich groß und verschiedenen Alters, aber alle waren sie muskelbepackt und hatten finstere Mienen. Jimmy war sich ziemlich sicher, dass einer von ihnen ebenfalls einen *NJ7*-Anzug trug.

Nur Browder war noch zurückgeblieben und wartete am Haupteingang der Kirche an eine Säule gelehnt.

Jimmy wollte gerade zu ihm gehen, da fiel ihm etwas ins Auge. Er starrte durch die Streifen farbigen Lichts, die durch die Kirchenfenster hereinsickerten, in eine düstere Ecke des Bauwerks. In der vorletzten Bank erspähte er ein dunkles Gesicht mit langen schwarzen Haaren.

»Marla?«, rief Jimmy verblüfft. »Bist du das?«

Er rannte durch den Mittelgang auf sie zu.

»Komm mir nicht zu nahe!«, warnte ihn Marla. »Ich könnte dich …«

Jimmy verlangsamte sein Tempo, ohne stehen zu bleiben. »Du brauchst dir keine Sorgen deswegen zu machen, schon vergessen?«, sagte er sanft. »Ich bin …«

»Ach ja«, Marla stieß ein kleines Lachen aus. »Natürlich.«

Jimmy näherte sich ihr durch die Bankreihe.

»Ich bin schon so daran gewöhnt«, erklärte Marla. »Sie haben alle Panik, in meiner Nähe verstrahlt zu werden. Deshalb musste ich in einem eigenen Wagen fahren, mit einem Fahrer, der nichts von meinem Zustand wusste.«

»Das macht doch nichts.« Jimmy verhedderte sich etwas in seinen Worten, als er neben ihr Platz nahm. »In deiner Nähe zu sein, meine ich. Äh, aber ich bin natürlich gern in deiner Nähe, du weißt schon …«

»Schon in Ordnung.« Marla lächelte und tätschelte Jimmys Hand.

Die Berührung ließ ihn zusammenzucken, aber nicht aus Angst vor radioaktiver Verstrahlung. Es fühlte sich seltsam an, nicht nur während eines Kampfes berührt zu werden. Jimmy war so was wie Zärtlichkeit nicht mehr gewohnt.

Marla zog ihre Hand zurück und schob sie unter ihren Pullover.

Zum ersten Mal bemerkte Jimmy Anzeichen der Krankheit in ihrem Gesicht. Ihre Augen lagen tiefer in den Höhlen und die Farbe war aus ihren Wangen gewichen.

»Es tut mir so leid, Jimmy«, sagte sie und blickte hinab auf ihren Schoß. »Ich hatte keine Ahnung, dass sie dich so behandeln würden. Ich habe Josh erzählt, dass du das Actinium hast, und er hat versprochen, dir zu helfen.«

»Ist schon okay«, versicherte ihr Jimmy. »Er wird mir ja auch helfen. Aber was machst du denn hier?«

»Die Capita ist dankbar für alles, was ich für sie getan habe, und sie wollen einen guten Arzt für mich finden. Falls ich geheilt werden kann, wollen sie mich vielleicht als Trainerin für andere einsetzen. Sie sagen, sie haben immer Mangel an Frauen. Besonders an farbigen Frauen.«

Unwillkürlich hob sie die Hand und schob ihr Haar aus dem Gesicht.

Dabei fiel Jimmy etwas auf. Er packte Marlas Handgelenk und betrachtete ihre Finger. Sofort zog sie ihre Hand zurück, doch Jimmy hatte bereits die Bestätigung: Ihre Fingernägel hatten sich am unteren Rand blau verfärbt.

»Kommt das von ...?«, fragte Jimmy besorgt.

»Ist schon in Ordnung«, sagte Marla brüsk. »Der Arzt wird mir helfen.«

»Aber –«

Jimmy wurde durch einen Ruf vom Haupteingang der Kirche unterbrochen.

»Ich lasse schon mal den Wagen kommen, Jimmy.« Es war der fröhliche nordenglische Akzent von Joshua Browder. »Versuche bloß nicht, ohne mich abzuhauen. Die Ausgänge sind alle bewacht.«

Er verließ die Kirche und Jimmy und Marla blieben alleine zurück. Sie sahen einander in die Augen.

»Vertraue Browder nicht«, flüsterte Marla. »Er hat keine Werte und er glaubt an nichts.«

»Außer an Geld«, erwiderte Jimmy. »Und deshalb kann ich mich auf ihn verlassen.«

»Für den Augenblick zumindest.«

»Das reicht mir. Ich will ihn ja nicht heiraten. Er soll mich einfach nur nach England bringen.«

»Sei einfach auf der Hut, das ist alles.«

Jimmy nickte rasch, aber er konnte sich nicht konzentrieren. Er musste ständig an die blauen Flecken auf Marlas Fingernägeln und ihre radioaktive Vergiftung denken.

»Zeit zu gehen«, rief Browder und riss Jimmy aus seinen Gedanken.

»Viel Glück, Jimmy«, wünschte ihm Marla.

»Dir auch.« Er erhob sich. Es gab noch so viel, was er hätte sagen wollen, aber er fühlte sich wie blockiert.

Marla schenkte ihm ein kleines Lächeln, das ihm ein wunderbar warmes Gefühl verursachte. Er erwiderte das Lächeln und marschierte hinüber zu Browder.

Als er über die Schulter zurückblickte, hatte Marla sich bereits abgewandt. Und als er sich ein zweites Mal umdrehte, war sie bereits im tiefen Schatten verborgen.

Unmöglich zu sagen, ob auch sie ihm nachschaute.

KAPITEL 27

Jimmy Coates und Josh Browder reisten rasch und unbemerkt. Browder fuhr sie zum Bahnhof Rom Termini, wo ihre Tickets bereits auf sie warteten. Jimmy fragte sich, ob je ein Besucher Roms weniger von der Stadt gesehen hatte. Die Möglichkeiten einer internationalen kriminellen Organisation hatten sie in null Komma nichts hindurchgeschleust. Am liebsten hätte er noch mehr von den Geräuschen, den Farben, dem Verkehr, den Gerüchen in sich aufgenommen. Und erst bei den raschen Blicken, die er gelegentlich auf Säulen, Ruinen und weiße Monumente erhaschte, wurde ihm klar, dass dies alles wirklich existierte.

Schweigend bestiegen sie den eindrucksvollen *Artemisa-Express*, wenige Augenblicke bevor der Zug losfuhr. Die Waggons blitzten silbern, hatten dunkel getönte Scheiben und ein auffälliger roter Streifen verlief entlang des Zuges.

Browder zog einen Seesack von einem Regal neben der Zugtür und drückte ihn Jimmy in die Arme. Dann deutete er auf die Toilette und grunzte: »Zieh dich um.«

Sein Tonfall verriet Jimmy, dass es zwecklos war, Fragen zu stellen. Wenige Minuten später verließ Jimmy die Toilette in einem alten Trainingsanzug, Turnschuhen und einer tief in die Stirn gezogenen Baseballkappe. Seine verschwitzte, blutbefleckte Tarnuniform und die ausgeliehenen Stiefel hatten im Bahnhof unzweifelhaft Aufmerksamkeit erregt.

Browder beendete gerade ein Telefongespräch, daher schlüpfte Jimmy wortlos auf den Sitz neben ihm. *Vermutlich bereitet er gerade den nächsten Reiseabschnitt vor*, dachte Jimmy. Er fühlte sich bereits etwas entspannter. Sie waren unterwegs und fuhren in die richtige *Richtung*. Immer noch schweigend, zauberte Browder aus dem Nichts ein Ciabatta-Brot und ein Stück Provolone-Käse hervor.

»Tut mir leid«, brummte er mit einem sachten Lächeln. »Kein Wein.«

Jimmy grinste und langte zu. *Alles wird gut*, dachte er.

In Mailand stiegen sie um und ließen sich für den Hauptteil der knapp elfstündigen Reise nieder. Es dauerte nicht lange und Jimmy sah schneebedeckte Berge vorbeihuschen. *Das sind also die Alpen*, dachte er und schauderte bei der Erinnerung an die Strapazen seiner Bergwanderung. Die Vibrationen des Zugfensters übertrugen sich auf seine Stirn, und als er sich wieder aufrichtete, sah er etwas Spucke am Glas hinunterlaufen.

»Habe ich geschlafen?«, fragte er, streckte sich und rollte die Schultern.

»Zwanzig Jahre«, antwortete Browder trocken. »Du bist jetzt in deinen Dreißigern, hast eine Frau, drei Kinder und arbeitest als Kanalreiniger.«

»Kanalreiniger?«, spottete Jimmy. »Hätten Sie nicht wenigstens ein bisschen was Realistischeres erfinden können?«

»Keine Sorge«, fügte Broder hinzu. »Deine Frau liebt

dich. Auch wenn sie mich ziemlich oft in meinem Haus besuchen kommt.«

Jimmy seufzte und schüttelte den Kopf. »Ich wusste, dass ich eines Tages eine Affenwärterin heiraten würde.«

»Hey!«, protestierte Browder und stieß Jimmy mit der Schulter an.

Jimmy lachte und schnappte sich ein paar Chips aus der offenen Tüte auf dem Tischchen vor Browder. Es fühlte sich gut an, mal wieder zu lachen. Es erinnerte ihn an Felix und sein Leben vor dem Eingreifen des *NJ7*. Vielleicht würde es eines Tages wieder so werden. Jimmy klammerte sich an diese Hoffnung. Er schwor sich, dass er die Menschen, die er liebte, niemals vergessen würde.

Doch seit er Rom verlassen hatte, gab es da noch jemand anderen, an den Jimmy dauernd denken musste.

»Josh«, fragte Jimmy leise, »wissen Sie, was die Auswirkungen einer radioaktiven Verstrahlung sind? Wie man sie von Uran oder Actinium bekommt, meine ich.«

Ohne ihn anzuschauen, erwiderte Browder: »Ich weiß, was du meinst.« Seine Miene verdüsterte sich. »Vergiss Marla, Jimmy. In einer Woche ist sie tot. Maximal in zwei.«

Jimmy war erschrocken über Browders Schonungslosigkeit. »Das können Sie doch gar nicht wissen«, widersprach er. Erneut fühlte er diese Enge in seiner Brust – jene tiefe Angst, die langsam nachgelassen hatte, seit er im Zug saß.

»Eine Strahlenvergiftung ist nicht wie Windpocken«, murmelte Browder.

»Kann ich –«

»Du kannst *nichts* tun«, unterbrach ihn Browder. Endlich wandte er sich um und packte Jimmy bei den Schultern. »Das ist nicht deine Aufgabe. Es ist eine Tragödie, aber du kannst nichts dafür.« Er starrte Jimmy ins Gesicht, als suche er dort nach etwas. »Du hast ihr das nicht angetan.«

Jimmy fühlte sich ganz klein unter Browders Blick. Mit jedem Luftholen schien er eine Düsternis einzuatmen, die sich in seinem Inneren ausbreitete und von ihm Besitz ergriff. Jimmy wusste, welcher Gedanke diese Düsternis nährte. *Ich habe ihr das nicht angetan*, hallte es in seinem Kopf wieder. Er dachte an die britischen Raketen, die den Minenkomplex mit tödlicher Präzision getroffen hatten. *Ian Coates hatte es getan.*

»Er ist schuld«, fauchte Jimmy.

»Wer?«

»MEIN DAD!«, schrie Jimmy. Dabei stieß er voller Wut seine Handfläche gegen den Sitz vor ihm. Das Klapptischchen zerbrach wie ein mürber Keks.

»*Excusez-moi*!«, kreischte eine hohe Stimme. Es war die Dame im Sitz vor ihm. Sie hatte sich halb aufgerichtet und blickte über ihre Lehne auf Jimmy herab. Ihr faltiges Gesicht mit dem verwischten lila Lidschatten war ein Bild der Empörung.

»Tut mir leid«, entschuldigte sich Browder in gebrochenem Französisch. »Es ist Zeit für seine Medikamente.«

Die alte Frau drehte sich um und setzte sich wieder hin.

Gleich darauf donnerte Browder seinen Ellbogen zweimal gegen Jimmys Kopf. »Nimm zwei davon, mein Junge«, sagte Browder laut vernehmlich. »Dann wirst du dich besser fühlen.«

Jimmy steckte die Stöße ein, ohne mit der Wimper zu zucken. Er war viel zu erregt, um zurückzuschlagen. Er sackte in seinem Sitz zusammen, während in ihm die Wut weiter brodelte.

»Setz dein eigenes Leben aufs Spiel, Junge«, knurrte Browder. »Aber nicht meines.«

Genau in diesem Augenblick kam der Schaffner durch den Waggon und kontrollierte die Ausweise. Als er Browder und Jimmy erreichte, ging er einfach weiter und zwinkerte ihnen nur kurz zu.

Jimmy versuchte zu lächeln, doch er fühlte sich, als wäre all seine Lebensfreude in Italien zurückgeblieben.

In Paris verließen Jimmy und Browder rasch den Gare de Lyon.

»Vor der Sorbonne erwartet uns ein Kontaktmann mit einem Transporter«, erklärte Browder leise. »Es sind zehn Minuten Fußweg bis dorthin. Dann fährt er uns nach Norden, bis zum Schiff.«

»Und wieso nehmen wir nicht weiter den Zug?«, fragte Jimmy und versuchte, dabei mehr neugierig als misstrauisch zu klingen.

»Leitest du diese Operation, oder ich?«, fragte Browder. Doch er lächelte und blickte mit einem freundlichen Nicken auf Jimmy herab. »Die Sicherheitsmaßnahmen im *Eurostar*«, erklärte er. »Sie sind in diesen Tagen ziemlich engmaschig. Auf den Straßen wird nicht so viel kontrolliert.«

Seine Erklärung klang einleuchtend, trotzdem regten

sich Zweifel in Jimmy. Er war schon so oft getäuscht worden – nicht zuletzt von Browder. Seine Agenteninstinkte regten sich, und er sah keinen Grund, ihren Anweisungen nicht zu folgen.

Urplötzlich blieb Jimmy stehen. »Rufen Sie Ihren Kontaktmann an«, befahl er.

»Was?«

»Es gibt eine Planänderung. Informieren Sie ihn, dass wir uns dort drüben treffen.« Jimmy deutete zur anderen Seite des Flusses, etwas weiter vorne und zu seiner Linken.

Dort lag die Île Saint-Louis. Eine wunderschöne Insel inmitten der Seine, mit etwa sieben Häuserblocks entlang einer schmalen Hauptstraße. Jimmy war dort früher schon einmal gewesen. Es wimmelte auf der Insel nur so von geheimen *DGSE*-Verstecken – dort war der letzte Ort auf Erden, wo die Capita einen Hinterhalt wagen würde.

»Aber das ist nicht der Plan«, protestierte Browder. »Wie wäre es, wenn ich dich –«

»Sehe ich so aus, als würde ich verhandeln?« Jimmys Stimme war tief und entschlossen.

Browder warf entnervt die Arme in die Luft. »In Ordnung«, verkündete er schließlich. Er schüttelte immer noch den Kopf, während er sein Handy herauszog und eine Nachricht abschickte.

Die Antwort kam in weniger als einer Minute.

»Lass uns gehen«, murmelte er und marschierte los in Richtung Insel.

Während sie die Pont de Sully überquerten, tobte in Jimmys Kopf ein Sturm aus widersprüchlichen Impulsen.

Sich in ein Nest von *DSGE*-Verstecken zu begeben, war zwar ein guter Schutz vor der Capita, bedeutete aber auch ein hohes Risiko. Seine Muskeln bereiteten sich auf alle erdenklichen Arten von Angriff vor. Gleichzeitig studierte er alle sechs Brückenzugänge der Insel auf Fluchtrouten hin, plus einige weitere Fluchtwege, die durch das Wasser führten.

Plötzlich spannten sich Jimmys Muskeln. Er blickte auf. Im Licht der untergehenden Sonne schimmerten die Fenster der Hausfassaden vor ihnen. Doch ein Glitzern schien ihm ungewöhnlich. Es löste etwas in Jimmys Gehirn aus, das blitzschnell reagierte und ein Bild erzeugte: der lange silberne Lauf eines Präzisionsgewehrs.

Jimmy wirbelte herum und rannte los.

»Hey!«, rief Browder.

Jimmy ignorierte ihn. Es war im egal, ob Browder den Scharfschützen platziert hatte oder irgendjemand anderes. Er raste einfach mit der Kraft und dem Tempo eines Formel-1-Ferraris über die Pflastersteine.

Er bog um die Ecke, doch da schossen bereits drei schwarze Mercedes-SUVs auf ihn zu. Ihre Reifen quietschten wie Tiere im Schlachthaus. Einer rumpelte auf den Gehweg vor ihm und quetschte sich zwischen den Hauswänden und den Metallpollern entlang der Straße hindurch.

Jimmy zögerte nicht. Er sprang auf einen der Pfosten und balancierte dort wie ein Zirkusakrobat auf der Stange. Mit präzisen Sprüngen flog er von einem Poller zum nächsten und schlüpfte so zwischen den Wagen hindurch. Mitten im Flug stieß er sich vom Seitenspiegel eines Mercedes ab, dann rannte er zum anderen Ende der Seitenstraße.

BAMM!

Ein gewaltiger Schlag traf Jimmys rechte Hüfte. Er wurde im hohen Bogen durch die Luft geschleudert. Für eine Sekunde war sein rechtes Bein völlig taub, dann landete er und knallte mit der Schulter auf die Bordsteinkante.

Aber er durfte jetzt nicht liegen bleiben. Er konnte bereits das große schwarze Motorrad sehen, das ihn angefahren hatte. Es wendete gerade, um ihm den Rest zu geben.

Jimmy rappelte sich auf. Ihm blieb nur eine Option: Er humpelte eilig zurück zur Hauptstraße, wobei er seinem schwer in Mitleidenschaft gezogenen System das höchstmögliche Tempo abverlangte. Er wusste, dort würden die Scharfschützen auf ihn warten, aber die wachsende Angst stachelte ihn an, seinen Schmerz zu überwinden. Er lief an Browder vorbei.

»Warte!«, kreischte der Mann, und seine Stimme verriet echte Panik. »Was geht hier vor?« Er bewegte sich nicht von der Stelle.

Plötzlich ertönte ein weiteres Kreischen von Bremsen. Vor sich erblickte Jimmy einen schmutzigen weißen Transporter, der schleudernd zum Stehen kam. Eine Seitentür wurde aufgeschoben. Das war seine Chance.

»Der Transporter!«, schrie Browder. »LAUF!«

Jimmy hörte hinter sich mehrere Motorräder, die wie ein Rudel Panther grollten, und er spürte förmlich die Laser-Zielpunkte der Scharfschützen auf seinem Rücken tanzen, während sie auf freie Schussbahn warteten.

Er stürzte in Richtung Transporter. Aus der dunklen Türöffnung reckte sich ihm eine weiße Hand entgegen. Der Fahrer ließ den Motor aufheulen.

Jimmy legte all seine Kraft in die letzten Schritte, packte die ausgestreckte Hand und warf sich in das Heck des Transporters. Die Wagentür schloss sich krachend hinter ihm. Er wischte sich den Schweiß von der Stirn, während der Transporter losdonnerte.

Jimmys Augen tränten, so heftig waren die Schmerzen in Hüfte und Schulter. Offenbar waren noch weitere Menschen in dem Transporter, aber sein Kopf war wie benebelt, und außerdem gab es kein Licht. Er rollte sich einige Sekunden keuchend auf dem blanken Metallboden hin und her, bis sich sein Körper ein wenig beruhigt hatte.

Langsam milderte seine Programmierung etwas von dem Schmerz und seine Nachtsichtfähigkeit aktivierte sich. Vor ihm hockten zwei Männer mit den Rücken an die Vordersitze gelehnt.

Dann hielt der Transporter an. *Was geht hier vor?*, dachte Jimmy verzweifelt. Die Worte lösten eine Kette von Erinnerungen aus – Browder hatte auf der Straße gestanden und ihm dieselbe Frage gestellt. Aber warum war Josh nicht weggerannt?

Langsam wurden Jimmys Gedanken wieder klarer. Fragen bedrängten ihn fast so gewalttätig wie eben noch die französischen Spezialeinheiten. Aber eine drängte besonders: Warum hatte Browder Jimmy zur Flucht aufgefordert, ohne vorher in Erfahrung zu bringen, wo das Actinium vergraben war?

Jimmy richtete sich vorsichtig in eine sitzende Position auf. Er rutschte ein Stück zurück, stieß dabei aber an die Knie von jemandem hinter ihm und roch den muffigen Atem des Mannes.

Die Tür des Transporters glitt auf. Licht fiel auf die Gesichter der Männer gegenüber.

Einen von ihnen hatte er noch nie gesehen. Er war jung, muskulös und trug einen farbbespritzten Overall. In seiner Hand hielt er einen großen schwarzen Rucksack mit unbestimmtem Inhalt. Neben ihm saß Uno Stovorsky.

»*Bonjour*, Jimmy«, sagte er leise und mit ausdrucksloser Miene. Er saß auf dem Boden, die Knie angezogen und den üblichen grauen Regenmantel unter seinem Hintern zerknüllt. Seine Hände befanden sich auf Hüfthöhe und eine davon hielt eine Pistole. Ihr Lauf zielte direkt auf Jimmys Bauch.

Dann tauchte vor der Tür des Transporters ein weiterer Mann auf. Als Jimmy ihn erkannte, krampfte sich sein Magen zusammen.

»Tut mir leid, Jimmy«, verkündete Josh Browder fröhlich. »Aber Geschäft ist Geschäft.«

Der junge Franzose neben der Tür rollte den Rucksack aus dem Transporter, direkt in Browders Arme.

»Wie viel Geld auch immer in diesem Rucksack ist«, krächzte Jimmy, der seine Stimme kaum unter Kontrolle hatte, »das Actinium ist tausendmal mehr wert.«

»Aber das Actinium war für die Capita bestimmt«, erwiderte Browder grinsend. »Und das hier«, er hob den Rucksack auf seine Schultern, »ist alles für mich.«

Jimmy öffnete den Mund, aber es drangen keine Worte heraus.

»Business, Jimmy«, erklärte Browder und streckte den Arm aus, um die Tür des Transporters zu schließen. »Mach's gut.«

»Sie Idiot!«, schrie Jimmy, der endlich seine Stimme wiederfand. »Sie haben mich *und* die Capita betrogen? Die werden Sie töten!«

»Die werden mich niemals finden.« Browder nickte dankend in Stovorskys Richtung und warf dann die Tür zu.

»Dann werde *ich* Sie töten!«, tobte Jimmy. Er wollte nach der Wagentür greifen, aber Stovorsky stieß Jimmy mit dem Fuß vor die Brust. Gleichzeitig packte der Mann hinter Jimmy dessen Schultern und drückte ihn fest nach unten.

Für einige Sekunden herrschte jetzt völlige Dunkelheit im Transporter, bevor Stovorsky ein schwaches Seitenlicht einschaltete.

»Manchmal muss man einfach nur das höchste Gebot abgeben, um das Gewünschte zu kriegen«, erklärte er, immer noch ohne die Spur eines Lächelns.

KAPITEL 28

Jimmy bebte vor Wut. Stovorskys Gesicht verzog sich zu einer monströsen Grimasse. Jimmy presste die Handflächen gegen die Schläfen. Was geschah nur mit ihm?

Er nickte in Richtung von Stovorskys Pistole. »Spielen Sie nur mit dem Ding?«, knurrte er auf Französisch. »Oder wollen Sie mich erschießen?«

»Hätte ich denn einen Grund, dich zu erschießen?«, erwiderte Stovorsky.

»In der Wüste schienen Sie es darauf abgesehen zu haben.«

»Ich habe nur auf dein Motorrad gezielt, Jimmy. Niemals auf dich. Ich bin kein Killer, ebenso wenig wie du.«

Wie konnte Stovorsky so lässig behaupten, was Jimmy war oder nicht? *Du weißt ja nicht, zu was ich imstande bin*, wollte Jimmy schreien. Doch dieser Drang wich einer aufsteigenden Panik. Er wusste ja selbst nicht einmal, wozu er imstande war und wozu nicht. Das schreckliche Gefühl, in diese Falle gelockt worden zu sein, war nichts im Vergleich zu den Qualen seines Gewissens.

»Ich bin hier, um einen Deal mit dir auszuhandeln«, erklärte Stovorsky. »So wie Browder einen Deal mit mir gemacht hat, um dich hierherzubringen.«

»Business«, spottete Jimmy. »Richtig?«

»Richtig.«

Für einen Augenblick glaubte Jimmy, so etwas wie Mitleid in Stovorskys Augen zu entdecken, auch wenn ihm das unwahrscheinlich erschien.

»Das Problem ist«, fuhr Stovorsky seufzend fort, »ich hatte schon einmal eine Vereinbarung mit dir und du hast dich nicht daran gehalten.«

Jimmy erwiderte Stovorskys harten Blick, ohne zu blinzeln.

»Also werde ich die Abmachung diesmal sehr einfach gestalten.«

»Sie wollen das Actinium?« Jimmy bemühte sich, ruhig zu bleiben und durch nichts zu verraten, dass er seelisch kurz vor dem Zusammenbruch stand.

»Das ist die erste Bedingung.«

»Und die zweite?«

»Dass du niemals nach Großbritannien zurückkehren wirst.«

»Was?« Jimmy kam es vor, als hätte man einen Kübel eiskalten Wassers über ihm ausgekippt. »Aber Sie wissen doch, dass ich zurückkehren *muss*. Ich muss der Regierung klarmachen, dass ich noch am Leben bin. Und dem britischen Volk.« Die Worte purzelten nur so aus ihm heraus und seine Gedanken begannen sich endlich zu ordnen. »Das ist die einzige Möglichkeit, einen Krieg zu verhindern!«

Stovorsky stieß ein höhnisches Lachen aus. »Der Krieg hat schon begonnen!«, rief er. »Finde dich endlich damit ab, Jimmy. Wenn der *NJ7* jetzt erfährt, dass du noch lebst, ändert sich dadurch nur eines: Sie wissen dann, dass auch Zafi noch am Leben ist.«

Jimmy kapierte nicht. Was hatte Zafi damit zu tun? Er wartete auf eine Erklärung, aber Stovorsky starrte ihn nur schweigend an.

Denk nach, befahl Jimmy sich selbst. *Erinnere dich. Die Ölbohrinsel …*

Fast konnte er die Flammen wieder auf seinem Körper spüren. Er würde das niemals vergessen, den Geruch des Öls und seiner eigenen verbrannten Haut. Die gewaltige Explosion. Jimmy schloss kurz die Augen, um seine Gedanken wieder unter Kontrolle zu bringen. *Überlege*, ermahnte er sich. *Was kam danach?*

Und dann erfasste es ihn wieder: dieses furchtbare Gefühl der Schuld, als ihm klar geworden war, dass die Briten die Franzosen für die Explosion verantwortlich machen würden. Sie hatten auf der Bohrinsel jemanden gesehen und für Zafi gehalten. Natürlich! Jimmy konnte kaum fassen, dass er so begriffsstutzig gewesen war. Der *NJ7* hielt Zafi für tot. Sie konnte nun in England ohne jede Überwachung oder jedes Verdachtsmoment operieren. Für die Franzosen war sie dadurch die perfekte Geheimagentin. Doch wenn Jimmy auftauchte und gestand, dass in Wahrheit er auf der Ölbohrinsel gewesen war, würde sie sofort auffliegen.

»Also hatten Sie überhaupt nie vorgehabt, mich zurück nach Großbritannien gehen zu lassen?«, fragte Jimmy, obwohl er die Antwort bereits kannte.

Stovorsky kniff die Augen zusammen. »Da wir uns im Krieg befinden, brauche ich Zafi in Großbritannien, und der *NJ7* muss weiter von ihrem Tod ausgehen.«

»Und was kriege ich dafür im Gegenzug?«, wollte Jimmy wissen, wobei er sich aufrichtete und versuchte, seinem Körper neue Kraft zu verschaffen.

»Im Gegenzug erhältst du ebenfalls zwei Dinge«, verkündete Stovorsky. »Das Erste ist ein sicherer Aufenthaltsort. Du kannst entweder hier in Frankreich bleiben, oder ich lasse dich mit einem Helikopter an jeden beliebigen Ort der Welt fliegen – mit Ausnahme Großbritanniens, versteht sich.«

»Ich brauche aber keine Eskorte«, unterbrach ihn Jimmy.

»Es ist Teil des Deals.«

»Dann können Sie das Actinium vergessen.«

Stovorskys Kiefermuskeln spannten sich, aber er unterdrückte seinen Ärger. Er überlegte einen Moment. »In Ordnung«, willigte er schließlich ein. »Dann gebe ich dir anstelle einer Eskorte einfach den Helikopter. Zufrieden? Ich schätze, du wirst schon damit zurechtkommen. Gib mir das Actinium und flieg, wohin du willst, mit Ausnahme von Großbritannien.«

»Das Actinium ist in der Wüste vergraben«, erklärte Jimmy. »In einem Bleikoffer. Sobald ich in dem Hubschrauber sitze, verrate ich Ihnen den genauen Ort.«

»Einverstanden.« Stovorsky nickte und schien sich ein wenig zu entspannen.

»Und was ist das Zweite?«, fragte Jimmy.

»Oh ja, das.« Zum ersten Mal wandte Stovorsky den

Blick von Jimmy ab. Er legte die Pistole in seinen Schoß und starrte darauf.

»Das Zweite ist eine Liste von hoch spezialisierten Ärzten, die dir helfen können.«

»Ärzte?«

Jimmy hatte keine Ahnung, wovon der Mann redete. Wobei sollten sie ihm helfen?

Dann hob Stovorsky die Augen wieder, aber er sah Jimmy nicht ins Gesicht, sondern fixierte dessen Hände. Jimmy blickte nach unten und folgte Stovorskys Blick. Und er konnte kaum glauben, was er da sah

»Es tut mir leid, Jimmy«, flüsterte Stovorsky.

»Aber ... aber ...«, stotterte Jimmy. Gewaltsam verscheuchte er die Bilder aus seinem Kopf und konzentrierte sich auf seine Finger – und die blauen Schatten am unteren Rand seiner Fingernägel.

»Du warst der Einzige, der auch nur annähernd eine Chance hatte«, erklärte Stovorsky. »Wir waren uns nicht sicher, ob es dir schaden würde. Wir hofften natürlich das Gegenteil. Aber dann wurdest du ...«

Er brachte den Satz nicht zu Ende. Das eiskalte Gefühl in Jimmys Bauch wurde von einer gewaltigen schwarzen Flamme verzehrt. Sie loderte in seiner Brust empor und explodierte.

Jimmy sprang nach vorne. Der *DGSE*-Agent hinter ihm versuchte, ihn zu stoppen, doch Jimmy trat mit der Kraft eines angreifenden Rhinozeros in den Magen des Mannes. Dann hämmerte er seinen Absatz gegen seinen Kopf. Er traf genau den Druckpunkt zwischen den Augenbrauen und jagte solche Schockwellen durch das Gehirn des Mannes, dass er sofort ohnmächtig gegen die Hecktür des Transporters sackte.

Aber nun lag Jimmy in einer ungünstigen Position auf dem Bauch, und Stovorsky hob seine Waffe, während der andere *DGSE*-Agent Jimmy mit seinen riesigen Händen nach unten presste. Jimmy wusste nicht, was sein eigener Körper tat. Die Konditionierung und der Zorn ließen seine Muskeln vibrieren. Sein Körper war eine perfekte, fein abgestimmte Nahkampfwaffe.

Jimmy hieb mit der linken Hand gezielt gegen Stovorskys Handgelenk. Die Waffe wurde von ihrem Ziel abgelenkt, aber es löste sich ein Schuss. Das Krachen erschütterte Jimmys Gehirn und ließ seine Ohren klingeln. Die Kugel bohrte sich in die Schulter des anderen Agenten.

Blut spritzte. Jimmy rollte zur Seite und erwischte mit seinen Knien die Brust des Mannes, dann packte er Stovorskys Handgelenk und drehte es scharf. Der Knochen knackte und die Pistole fiel zu Boden.

Stovorsky gab keinen Laut von sich.

Jimmy blickte in sein Gesicht – es war kreidebleich und von Schmerz und Schrecken verzerrt. Aber Jimmy war noch nicht fertig mit ihm. Er warf sich auf den Mann, drückte seine Brust mit den Knien zu Boden und umklammerte seine Kehle.

Jimmys Bewusstsein verdunkelte sich. Er sah, wie seine Glieder sich bewegten, konnte aber nicht fühlen, was sie taten. Jede seiner Aktion war nur noch eine nebelhafte Mischung aus Lichtblitzen und farbigen Schatten. Er konnte hören, wie Stovorsky verzweifelt nach Luft schnappte, verstand aber nicht die Bedeutung. Stovorskys Wangen wurden noch bleicher, seine Lippen verfärbten sich lila. Jimmy bemerkte sogar die roten Druckstellen auf der Kehle des Mannes, dort wo seine Fingerspitzen sich tief eingruben, doch das Einzige, was er wirklich wahrnahm, waren die blauen Halbmonde, die sich auf seinen eigenen Fingernägeln gebildet hatten.

Jimmy ..., versuchte Stovorsky zu rufen, aber nur ein Röcheln drang aus seiner Kehle.

Jimmy!, schrie auch eine Stimme in seinem eigenen Kopf. Irgendwo tief in seinem Inneren kämpfte er um die Kontrolle. Sein eigener Name hallte in seinem Kopf wider, gerufen von den Stimmen aller ihm bekannten Menschen. Doch jedes Mal vermischte er sich mit anderen Geräuschen: Die Stimme seiner Mutter verschmolz mit der Explosion der Ölbohrinsel; der Entsetzensschrei seiner Schwester wurde überlagert von dem britischen Zerstörer, der in den Minenkomplex donnerte. Doch dann hörte er erneut eine Stimme seinen Namen rufen und diesmal übertönte sie das übrige Chaos in seinem Kopf. Sie klang grausam und hart, gleichzeitig drängte sie ihn dazu, innezuhalten. Es war unverkennbar die Stimme seines Vaters.

Mit einer plötzlichen Bewegung riss Jimmy seine Schultern herum. Er zuckte am ganzen Körper, als wollten ihm seine Muskeln nicht gehorchen, aber der Schwung reichte, den Griff um Stovorskys Hals zu lockern. Dann warf er sich nach hinten und landete mit einem scharfen Knall an der Seitenwand des Transporters.

Stovorsky krümmte sich in einem wilden Hustenanfall. Nach Luft japsend rollte er sich auf den Bauch und krallte sich Hilfe suchend in den Boden des Transporters, dann brach er erneut zusammen.

Jimmy konnte den Anblick nicht ertragen. Er hockte sich in eine Ecke und umklammerte seine Knie. Doch sein Blick fand keinen Ausweg. Überall auf der Ladefläche lagen zusammengesackte Körper, bewusstlos oder langsam wieder erwachend.

Jimmy musste würgen. Die Gefahr war noch nicht vorüber. Er umklammerte seine Brust und seine Kehle, versuchte verzweifelt, die Kraft in sich zu beherrschen. Er fühlte, wie seine Lippen sich verzogen und sein ganzes Gesicht bebte. Er wollte weinen, doch seine Augen blieben trocken.

Endlich war Stovorsky wieder in der Lage, sich an der Seitenwand des Transporters in eine sitzende Position aufzurichten. Er starrte Jimmy an. Nach jedem hasserfüllten Wort nach Luft schnappend presste er einen Satz hervor:

»Haben … wir … einen … Deal?«

Jimmy schloss die Augen und aus den Tiefen seiner Eingeweide drang ein gewaltiges schmerzerfülltes Stöhnen.

»AAHHH!«

Seine gesamte Energie schien mit diesem Geräusch aus ihm zu weichen. Er öffnete immer noch heftig atmend die Augen und zwang sich, so laut er konnte, hervorzustoßen: »Ja. Wir haben einen Deal.«

KAPITEL 29

Jimmy konnte kaum fassen, wie schnell sich die Dinge änderten. Noch vor einer Stunde hatten er und Stovorsky sich in einem Transporter umzubringen versucht. Jetzt half Stovorsky ihm auf dem Militärflughafen von Sauvage, sechzig Kilometer nordöstlich von Paris, in den Pilotensitz eines alten *Fennec AS550*-Helikopters.

»Ich vertraue dir, Jimmy«, brüllte Stovorsky über den pfeifenden Wind hinweg.

Die Sonne war bereits untergegangen, doch der Flughafen war hell erleuchtet. Geschwungene Flutlichtmasten ragten aus der Erde wie gewaltige Krallen und lange Reihen von Bodenlichtern zogen sich kreuz und quer über die Landebahnen.

»Ich habe Ihren Helikopter«, erwiderte Jimmy und rückte seinen Helm zurecht. »Also haben Sie mein Wort. Ich werde nicht nach Großbritannien gehen.«

»Sobald du dich in diese Richtung bewegst, werden wir dich abschießen müssen. Wir dürfen um keinen Preis eine unserer wertvollsten Waffen gefährden.«

Jimmy nickte. Er musste ständig an das denken, was Stovorsky ihm im Untersuchungsgefängnis in den Pyrenäen erklärt hatte: *Lügen tun ihre Wirkung. Lügen töten.*

»Schreiben Sie mit«, befahl Jimmy.

Stovorsky griff umständlich in die Innentasche seines Jacketts, wobei er seinen rechten Arm aus dem Weg schob und in der Schlinge zurechtrückte.

Jimmy bemerkte, dass der Mann vor Schmerz leicht zusammenzuckte, während er sein Handy herauszog.

»Mitschreiben?«, erwiderte er bitter. »Ich bin Rechtshänder.« Er schaltete das Handy ein. »Sprich stattdessen hier rein.« Er drückte ein paar Tasten und hielt das Handy hoch. »Ich habe ein Spezialistenteam zur Bergung von Gefahrgut in der Sahara stationiert.«

»Hallo?«, rief Jimmy in das Telefon.

Als die rauschende und knisternde Antwort ertönte, fuhr Jimmy fort: »Das Actinium ist in einem Bleikoffer vergraben, von der östlichen Ecke des Minenkomplexes von Mutam-ul-it ausgehend genau 13.750 Meter in Richtung Osten.« Er blickte zu Stovorsky auf. »In Ordnung?«, fragte er.

Stovorsky zuckte mit den Achseln, zog sein Handy weg und studierte das Display. »Wir werden sehen.«

Jimmy wandte sich dem Steuerpult des Helikopters zu. Der Bordcomputer war bereit. Das multifunktionale Display war auf zwei LCD-Monitore verteilt. Alles schien in Ordnung. Jimmy war immer wieder überrascht, dass er all diese technischen Zusammenhänge auf Anhieb verstand. Alle Zahlenkolonnen, Karten und Schalter erschlossen sich ihm sofort in ihrer Funktion, wie durch spontane Erinnerungen, von der er nichts gewusst hatte.

Er warf einen Seitenblick auf Stovorsky. Der Mann war

immer noch auf das Display konzentriert und hatte es so gedreht, dass Jimmy es sehen konnte. Es war eine Live-Satellitenübertragung des Spezialteams in ihren Helikoptern. Das Bild war unscharf, doch Jimmy konnte erkennen, dass sie alle dicke Schutzanzüge trugen. Die Männer wirkten darin fast wie Aliens. Für einen Augenblick kochte der Ärger in Jimmy hoch – wenn er nur auch einen von diesen gehabt hätte.

Sein Blick wanderte wieder zurück zum Steuerpult des Helikopters – zum Startknopf. Der Knopf, mit dem seine Flucht aus Frankreich beginnen würde. Der seine Heimkehr sichern würde.

»Was ist mit der Ärzteliste?«, schrie Jimmy, den Blick immer noch auf die Kontrollinstrumente geheftet. Seine Finger zitterten vor Ungeduld, endlich loszukommen.

»Keine Sorge«, erwiderte Stovorsky, ohne die Augen vom Display zu wenden. Das Spezialkommando war gerade gelandet. Die Rotoren ihrer Helikopter wirbelten einen kleinen Sandsturm auf.

Jimmy schluckte. Er wusste, dass er diese Ärzteliste niemals zu Gesicht bekommen würde. *Ist schon in Ordnung*, beruhigte er sich selbst.

»Ich schicke sie dir auf dein Bordkommunikationssystem, sobald du gestartet bist«, fuhr Stovorsky fort, völlig versenkt in die Vorgänge in der Wüste in dreitausend Kilometern Entfernung. »Sobald die Radar-Jungs deinen Kurs auf dem Schirm ausmachen können.«

Ich werde selbst einen Arzt finden, dachte Jimmy. *Schließlich sind das keine im Verborgenen lebenden Magier.*

Er spähte auf Stovorskys Display. Drei Männer arbeiteten mit tragbaren Minibaggern. Innerhalb von Sekunden hatten sie einen halben Meter tief gegraben. *Zeit zu verschwinden*, dachte Jimmy.

Er hämmerte seinen Daumen auf den Startknopf.

Stovorsky wirbelte herum und riss überrascht die Augen auf.

Auch Jimmy war fassungslos – weil sich nichts gerührt hatte. Kein Motorgrollen, keine Drehung der Rotoren. Der Helikopter gab keinen Mucks von sich.

Erneut drückte Jimmy den Knopf. Vergeblich. Er spürte Panik in sich aufsteigen. Machte er etwas nicht richtig? Er suchte nach Unterstützung durch seine Konditionierung – doch sie lief bereits auf Hochtouren. Sie forderte ihn erneut auf, den Startknopf zu drücken, bevor sie ihn informierte, dass dieser Helikopter niemals den Boden verlassen würde.

»Warum startet er nicht?«, verlangte Jimmy zu wissen.

Stovorsky hob eine Hand. Erneut starrte er auf sein Display.

Jimmy sah, wie die Männer den Koffer im Sand entdeckten.

»Ich brauche einen Hubschrauber, der funktioniert!«, schrie Jimmy.

Die Windböen der Helikopter fegten den restlichen Wüstensand vom Koffer. Einer aus dem Team drehte sich zur Kamera und hob den Daumen.

»Komm schon!«, wütete Jimmy. Er schlug mit den Händen gegen das Steuerpult. Immer noch ignorierte Stovorsky ihn.

Jimmy fühlte, wie seine besondere Energie den Nacken hinaufkroch und in seinem Schädel wie ein Tornado wütete. Er blickte sich um. Es gab keinen sicheren Fluchtweg. Der Helikopter war perfekt platziert – genau in der Mitte einer leeren Landebahn. Das Flughafengebäude lag fünfhundert Meter entfernt. Etwa in gleicher Entfernung, auf der anderen Seite der Landebahn ragte der Kontrolltower auf. *Scharfschützen*, dachte Jimmy.

Instinktiv wusste er, dass eine Flucht zu Fuß unmöglich wäre. Und als er genauer hinsah, bemerkte er nun auch die Schatten von *DSGE*-Agenten, die um das gesamte Gelände postiert waren.

Er saß in der Falle.

Immer wieder hämmerte er seinen Daumen auf den Startknopf. Fester und fester. Irgendwann brach die Plastikabdeckung und fiel herunter, sodass Jimmy stattdessen auf das Steuerpult einschlug. »Lassen Sie mich gehen!«, brüllte er.

Stovorsky kam näher, immer noch auf sein Display starrend, und erhob sich nun drohend über Jimmy. Jimmy hatte ihn noch nie so erregt erlebt.

Das Spezialteam zerrte den Koffer aus dem Loch. Sie legten ihn ab. Sein enormes Gewicht ließ ihn halb im Sand versinken. Zwei der Männer beugten sich darüber. Einer von ihnen hielt einen Geigerzähler und weitere Instrumente.

Jimmy hatte keine andere Wahl, er musste zusehen. Er hatte verloren. Stovorsky hatte ihn mit einem simplen Trick hereingelegt.

Einer der Spezialagenten öffnete den Koffer. Er hielt eine Sekunde inne. Wer auch immer die Kamera bediente, eilte zu ihm. Der andere Agent drehte den Koffer herum.

Er war leer.

KAPITEL 30

Jimmy und Stovorsky starrten sich in die Augen. Stovorsky war erneut kreidebleich geworden. Er blinzelte gegen den Wind und ein Augenlid zuckte heftig.

»Wo ist es?«, schrie er. Er hielt sein Telefon Jimmy direkt unter die Nase. »Wo ist das Actinium?«

Jimmy musste lächeln. »Und wo ist mein Helikopter?«, konterte er.

»In Ordnung«, verkündete Stovorsky. »Neues Spiel. Es geht folgendermaßen: Verrate mir, wo das Actinium ist, oder ich gebe den Befehl, deine Familie zu töten.«

Er wählte auf seinem Handy und hob es ans Ohr.

Jimmys Herz raste. Bluffte der Mann nur? Durfte Jimmy riskieren, ihn nicht ernst zu nehmen?

»Senden Sie sofort eine Nachricht an Zafi«, brüllte Stovorsky.

Jimmy funkelte ihn wütend an und wünschte, sein Blick könnte töten.

»Mach mich nicht zum Killer, Jimmy«, sagte der *DSGE*-Mann.

»Sie sind doch schon einer!«, schrie Jimmy. Er hob eine Hand hoch und deutete auf seine Fingerspitzen. »Sie haben mich ungeschützt in diese Mine geschickt. Sie wussten genau, was Sie taten. Sie hofften, es würde mich umbringen, damit Zafis Deckung erhalten bleibt!«

Stovorsky ignorierte ihn und schrie: »Wo ist das Actinium?«

»Wenn ich es Ihnen sage, dann erschießen Sie mich«, erwiderte Jimmy und wünschte plötzlich, er könnte dem Mann vertrauen und ihm das Versteck des Minerals verraten, ohne sofort erschossen zu werden.

»Hören Sie?«, sagte Stovorsky mit entschlossen vorgerecktem Unterkiefer in sein Telefon. »Die Nachricht lautet folgendermaßen …« Dann zögerte er kurz und starrte Jimmy mit weit aufgerissenen Augen an. War das Angst? Oder Stolz? »Das Licht ausknipsen«, befahl Stovorsky und schaltete dann sein Handy aus.

Jimmy brach der kalte Schweiß aus, und er hatte keine Ahnung mehr, was vor sich ging. Sein Kopf konnte nicht mehr Schritt mit seinem Körper halten. Sein Gehirn schien bewusst alle Informationen zu vernebeln, die es erhielt. Seine Hände zitterten und ihm brannten die Augen.

»Du hast ja keine Ahnung, was du mir hier zumutest«, flüsterte Stovorsky, und seine Worte waren im Wind kaum vernehmbar. Mit seiner gesunden Hand schob er sein Jackett beiseite und zog eine Pistole aus dem Halfter am Gürtel. »Deine Familie ist bereits so gut wie tot.«

Er zielte mit der Pistole auf Jimmys Hals. »Sag mir sofort, wo es ist, oder du stirbst ebenfalls.«

Jimmy stiegen die Tränen in die Augen. Alle seine Muskeln waren angespannt und hart wie Beton. *Ich sterbe ja sowieso*, dachte er.

Das Schweigen dauerte Stovorsky zu lange.

»WO IST ES!?«, kreischte er. Seine Stimme übertönte den Wind und hallte über die gesamte Landebahn.

Wenn Jimmy es ihm jetzt verriete, hätte er möglicherweise noch eine Chance – er könnte vielleicht sogar die Ermordung seiner Familie verhindern und einen Arzt finden, der ihn heilte. Doch gleichzeitig bereitete er sich innerlich auf die Kugel vor. Er öffnete den Mund, um eine ehrliche Antwort zu geben.

Aber bevor er die Worte aussprechen konnte, ertönte eine weitere Stimme.

»Es ist hier!«, schrie jemand.

Jimmy blickte an Stovorsky vorbei. Und da war Marla.

Er freute sich wahnsinnig, sie zu sehen, gleichzeitig bemerkte er, dass sie von den Auswirkungen ihrer Krankheit schwer gezeichnet war. Ihre Hautfarbe war noch blasser, und ihr Haar, das vor Kurzem noch wie eine Löwenmähne um ihr Gesicht geweht hatte, wirkte viel dünner.

Sie näherte sich langsam. Dabei hielt sie den Arm vor sich ausgestreckt und in ihrer Hand baumelte eine schwarze Leinentasche. Ein sanftes blaues Licht schimmerte durch den Stoff.

Stovorsky wirbelte herum, als hätte ein Windstoß ihn aus dem Gleichgewicht gebracht.

»Soll ich es noch näher bringen?«, rief Marla und machte einen Schritt nach vorne.

»NEIN!« Stovorsky sprang zurück und zielte mit der Pistole auf Marla.

»Sie können nicht auf mich schießen«, erklärte sie

gelassen. »Sich wissen doch genau, wie instabil das hier ist?« Sanft schwenkte sie die Leinentasche. »Und wie gefährlich.« Sie machte einen weiteren großen Schritt nach vorne.

Stovorsky wich erschrocken zurück und ließ seine Pistole sinken. »Okay, okay«, keuchte er. »Bleib einfach nur stehen.«

»Dann sorgen Sie auch dafür, dass Ihre Scharfschützen sich im Zaum halten. Eine Kugel im falschen Winkel, die das falsche Ziel trifft, und dieser ganze Flugplatz hier geht in Rauch auf. Möglicherweise sogar ganz Paris.«

Stovorsky drehte sich einmal um die eigene Achse, hob die Hände in die Luft und signalisierte seinen überall postierten Leuten, dass sie die Waffen sinken lassen sollten.

»Wie bist du hierhergekommen?«, fragte er entgeistert. »Das Gelände ist von meinen Männern umstellt. Der ganze Flugplatz ist abgeriegelt.«

»Vielleicht habe ich ja den Schlüssel«, grinste Marla breit. »Und er leuchtet sogar, stimmt's?«

Jimmy gefiel die Vorstellung, wie Marla durch den Ring von *DSGE*-Agenten geschlüpft war, indem sie diese mit ihrer radioaktiven Tasche bedrohte. Sie und Jimmy waren die einzigen Menschen, die keine Angst mehr vor diesem Zeug haben mussten.

»Komm, Jimmy«, rief Marla. »Da drüben wartet ein Helikopter auf uns.« Sie deutete auf die andere Seite des Flugplatzes. »Vielleicht funktioniert der ja.«

Jimmy brauchte keine zweite Aufforderung. Er sprang aus dem Helikopter und ging hinüber zu Marla. Dann bewegten die beiden sich in Richtung des wartenden Hubschraubers, Stovorsky dabei immer im Auge behaltend.

»Geh nicht nach London, Jimmy«, rief Stovorsky flehend. »Das ist nicht gut. Du kannst deine Familie nicht mehr retten. Und du kannst den Krieg nicht aufhalten. Du bewirkst damit nur, das Großbritannien leichter siegt.«

Jimmy fühlte erneut die Wut in sich aufsteigen. *Geh einfach weiter*, ermahnte er sich selbst. *Behalte die Kontrolle.*

»Du lässt nur Zafis Tarnung auffliegen«, fuhr Stovorsky mit immer noch emporgereckten Armen fort. »Willst du wirklich dem *NJ7* diesen Vorteil verschaffen?« Er brüllte jetzt in voller Lautstärke, während Jimmy und Marla sich immer weiter entfernten und er immer kleiner und kleiner wurde. Sie ließen den Mann alleine inmitten der wüsten Betonfläche stehen. »Es geht um die Frage: Großbritannien oder Frankreich, Jimmy!«, kreischte er. »Willst du nicht lieber Frankreich helfen?«

»Frankreich kann mich mal«, brummte Jimmy.

Dann drehten er und Marla sich um und rannten schweigend nebeneinander her.

Wenige Sekunden später saßen sie im Cockpit des neuen Hubschraubers – ein *Tiger Hellfire IV*. Es war eine viel kleinere Maschine, mit nur zwei schmalen Sitzen im Cockpit, aber der Rotor drehte sich, und das Motorendröhnen klang wie Musik in Jimmys Ohren.

»Weißt du, wie man …?«, begann Marla, brachte den Satz aber nicht zu Ende. Die Geschwindigkeit und Souveränität von Jimmys Handgriffen war Antwort genug.

Wie auf einem Luftkissen schwebten sie gleichmäßig nach oben. Jimmy stieg bis in etwa zwanzig Meter Höhe, wobei er die beiden Steuerkonsolen und Displays genau im Auge behielt, dann drückte er den Steuerknüppel, und sie schossen vorwärts.

Sie flogen direkt in Stovorskys Richtung. Bald waren sie nahe genug, um sein vor Wut rot angelaufenes Gesicht zu erkennen, doch seine Worte gingen im Dröhnen der Rotoren unter.

Genau über Stovorskys Kopf warf Marla die Leinentasche aus der offenen Cockpittür.

»Warte!«, rief Jimmy. Aber es war zu spät. »Was hast du getan …?« Er starrte hinüber zu Marla, doch sie lächelte nur rätselhaft.

Die schwarze Leinentasche fiel wie eine kleine Bombe aus dem Helikopter – und traf exakt ihr Ziel.

»NEIN!«, schrie Stovorsky. Er schlug mit seinem gesunden Arm nach der Tasche und wedelte sie weg, als wäre sie eine Wespe. Sie prallte an seinem Ellenbogen ab und krachte einen halben Meter weiter auf den Asphalt.

Instinktiv hob Stovorsky einen Arm, um sich vor der Strahlung zu schützen, obwohl es völlig sinnlos war. Doch dann senkte er den Arm und richtete sich wieder auf. Er starrte die Tasche an. Sie leuchtete nicht mehr.

Vorsichtig näherte er sich. Dann wurde er mutiger. Wenn er ohnehin radioaktiv verseucht war, konnte ein Blick in die Tasche es wohl kaum schlimmer machen. Er hob die Tasche hoch, öffnete sie langsam und spähte hinein.

Er brauchte eine Sekunde, um zu realisieren, was er da sah: Es waren die Bruchstücke eines alten Mobiltelefons. Das Leuchten des Displays war erloschen, als es auf den Boden geknallt war.

Stovorsky brach in ein irres Lachen aus. Fünf Sekunden lang vollführte er auf dem Asphalt ein Tänzchen der Erleichterung. Er war einem sicheren Todesurteil entkommen. Jetzt wusste er, dass es eine Inszenierung gewesen war. Der clevere Trick eines durchtriebenen Mädchens aus Westsahara.

Doch ebenso schnell, wie es erschienen war, verschwand das Lächeln wieder aus Stovorskys Gesicht. *Ich habe das Actinium nicht*, dachte er. *Aber sie auch nicht.* Hektisch zerrte er sein eigenes Handy heraus und wählte.

»Schieß ihn ab!«, fauchte Stovorsky auf Französisch. »Er ist auf dem Weg nach London. Schickt sofort zwei Jets hinter ihm her und HOLT IHN RUNTER!«

Felix war enttäuscht, als er erwachte und Zafi verschwunden war. Später in der Schule rätselte er die ganze Zeit über ihre Worte – die französische Agentin hatte doch gesagt, sie sei gekommen, um ihn und Jimmys Familie zu beschützen, doch dann war sie verschwunden. Brauchten sie jetzt etwa keinen Schutz mehr?

Am liebsten hätte er Georgie beiseitegezogen, um mit ihr darüber zu reden, aber es war unmöglich. Sie wurden ständig beobachtet, entweder durch die Überwachungskameras der Schule oder durch bestimmte »Lehrer«, bei denen es sich ohne Zweifel um *NJ7*-Agenten handelte. Jede ihrer Unterhaltungen innerhalb der Schule würde mit Sicherheit mitgehört und aufgezeichnet.

Jetzt war er wieder zu Hause und seine Stimmung schwankte wild. Da war einerseits die Hoffnung, dass Zafi gegangen war, weil sie etwas über seine Eltern herausgefunden hatte, aber auch tiefe Verzweiflung über so ziemlich alles Übrige und noch tausend andere Gefühle dazwischen.

Felix wanderte von Raum zu Raum, auf der Suche nach Ablenkung. Er hatte bereits vier Scheiben Käsetoast vertilgt, daher machte er sich jetzt einen Teller mit Salami und Sardellen-Paste – eine seiner Lieblingsspeisen. Er ließ sich Zeit dafür und drückte die Ketchupflasche mit etwas zu viel Leidenschaft aus. Das Zeug spritzte quer über die Küchentheke und auf den Boden. *Erst essen, dann sauber machen*, sagte er sich selbst. *Vielleicht.*

Georgie war wegen ihres Fußballtrainings heute länger in der Schule geblieben. Sie und Helen würden erst in einigen Stunden nach Hause kommen, daher bestand aktuell kein Grund zum Aufräumen. Felix warf sich aufs Sofa und schaltete den Fernseher ein. Doch bei dem, was er dort sah, blieb ihm der erste Bissen beinahe im Hals stecken. Anstatt für willkommene Ablenkung zu sorgen, war es wie ein Schlag ins Gesicht.

Auf dem Fernsehschirm prangte ein grobkörniges Foto von Jimmy aus Schulzeiten. Die Nachrichten zeigten dieses Bild schon seit Wochen immer wieder, trotzdem gefroren Felix' Muskeln, und sein Salamisnack verlor schlagartig jeden Geschmack.

Die Kamera zoomte auf Jimmys strahlende Augen. Felix erinnerte sich noch genau an den Tag, als die Aufnahme gemacht worden war. Er hatte den ganzen Morgen versucht, ein lustiges Gesicht auf Jimmys Krawatte zu kritzeln. Jetzt hätte er sich am liebsten übergeben. Doch er saß weiter wie gebannt vor dem Fernseher, auf dem Jimmys Gesicht eine gefühlte Unendlichkeit lang zu sehen war.

Dann wechselte das Bild und zeigte nun zwei alte Knacker in Anzügen und mit grauen Gesichtern, die man in ein Fernsehstudio gesteckt hatte, wo sie Großbritanniens »Sicherheitsfragen« diskutieren sollten. Sie waren angeblich Experten und quatschten endlos darüber, wie der *NJ7* erfolgreich den psychotischen Jungen ausgeschaltet hatte, der den früheren Premierminister auf dem Gewissen hatte.

Endlich war Felix imstande umzuschalten. Er fand eine Kochshow. Ein Mann mit polierter Glatze hackte in rasendem Tempo einen Pilz in Scheiben. Felix ließ die Bilder auf sich einströmen und versuchte seinen Atem zu beruhigen. Er fühlte sich auf einmal unvorstellbar müde, hob die Beine und ließ sie auf den Couchtisch knallen, mitten in das Monopoly-Spiel.

Einige Stunden später saß er immer noch da, über und über mit Brotkrümeln und Salamistückchen bedeckt. Er konnte sich nicht einmal mehr daran erinnern, was er im Fernsehen gesehen hatte. Immerhin hatte es seine quälenden Gedanken etwas abgedämpft.

Dann hörte er ein Krachen. Etwas knallte auf den Küchenboden. Adrenalin schoss durch seine Adern. Langsam erhob er sich und schlich vorsichtig zum Essbereich.

Wer war dort? Seine Fantasie überschlug sich – ein *NJ7*-Killer oder nur ein normaler Einbrecher? Viggo, der endlich einen Kontakt herstellte, oder Jimmy? Seine Mum oder sein Dad? Er musste es wissen. Trotz der Gefahr stieß er die Küchentüre auf.

Der Raum war leer. Felix kniff die Augen fest zusammen und schaute erneut. Immer noch leer.

Der Boden war mit den Scherben eines zerbrochenen Tellers übersät und darunter verbreitete sich rote Schmiere. Ketchup. Der Geruch war unverkennbar.

Aber Felix' Sorge galt jetzt nicht dem dringend notwendigen Saubermachen. Er starrte auf etwas inmitten des Chaos. Er kniete sich hin, um die Scherben aus dem Weg zu räumen, und brachte so eine Nachricht zum Vorschein. Sie war mit Großbuchstaben quer über den Küchenboden in den Ketchup geschrieben.

Felix' Kehle war wie zugeschnürt. Zunächst starrte er einfach nur auf die Buchstaben.

APARTMENT NICHT SICHER.
SOFORT RAUS. 40 SEKUNDEN.

Die Nachricht war mit einem verschnörkelten Z und einem Herzchen unterzeichnet.

Felix fühlte einen Stich in seiner Brust. Dem folgte ein Gefühl freudiger Aufregung. Zafi war zurück.

Felix sprang über die Nachricht hinweg zum Küchenfenster und presste sein Gesicht an das Glas. War sie da draußen? Er konnte in der Dunkelheit nichts erkennen.

Dann fiel ihm auf, dass das Fenster immer noch verschlossen war. Wie war sie hereingekommen? Und wie lange hatte sie sich im Apartment aufgehalten?

Felix' Verstand raste. *Sie könnte in einen anderen Raum eingebrochen sein*, dachte er, *und sich an mir vorbei in die Küche geschlichen haben.* Es war kaum vorstellbar und doch war hier der Beweis. Und wie war sie wieder rausgekommen? *Sie ist so cool.*

Sein Herz pochte so rasend, dass er fürchtete, gleich aus den Latschen zu kippen. Und endlich ging ihm auch die Bedeutung der Nachricht auf: *40 Sekunden.* Felix überfiel Panik. *Wie lange stehe ich denn schon hier?*

Er preschte aus der Küche. Im Wohnzimmer stolperte er über den Couchtisch und stürmte inmitten einer Wolke aus kleinen grünen Häuschen und Spielgeld weiter. In seinem Kopf zählte er die Sekunden, obwohl er keine Ahnung hatte, wie lange ihm noch blieb oder was geschehen würde, wenn die Zeit abgelaufen war.

Hektisch versuchte er die Eingangstür zu öffnen, aber der Riegel schlüpfte ihm immer wieder durch die Finger. Nach dem vierten Versuch stürzte er endlich hinaus ins Freie. Er rannte auf den Gehweg, genoss die kühle Luft auf seiner verschwitzten Stirn –

BOOM!

Felix wurde von den Füßen gerissen. Eine Hitzewelle röstete seinen Rücken. Er sah nur noch einen gewaltigen orangefarbenen Lichtblitz und befürchtete, seine Trommelfelle würden platzen. Dann landete er auf dem gegenüberliegenden Gehsteig. Alle Luft wurde aus seinen Lungen gepresst und eine Sekunde lang konnte er nicht mehr atmen. Dann rollte er sich herum und blickte zurück zum Apartment.

Die Explosion war klein, aber vernichtend in ihrer Präzision. Durch den Qualm konnte er die gezackten Umrisse sehen, wo sich vor Kurzem noch ihr Apartment ins Gebäude eingefügt hatte. Dort war jetzt nur noch ein gähnendes schwarzes Loch.

Felix hievte sich hoch. Er schwankte und wäre drei Mal beinahe hingefallen, bis er sich endlich gegen die Wand von *Gregor's Elbow* lehnte. Er nahm die Szenerie Stück für Stück in sich auf, als wäre das Gesamtbild einfach zu viel für ihn. Die Hitze ... die lodernden Flammen ... die Glasscherben, die immer noch um ihn herum herabregneten, gemischt mit einer Art schwarzem Konfetti.

Nach einigen Sekunden nahm Felix das Heulen von Sirenen wahr, dann die Schaulustigen, die sich versammelten. Ein paar Kids begannen Steine in das brennende Loch zu werfen.

»Felix!«

Er hörte seinen eigenen Namen, reagierte aber nicht.

»Felix!« Es war eine Frau, die da rief. Und dann riss ihn jemand an seine Brust. Immer noch konnte er den Blick nicht von der Zerstörung abwenden. Doch schließlich kamen seine erstarrten Gedanken in Bewegung. Wer umarmte ihn da? Es fühlte sich gut an – fast wie seine Mum.

Langsam kam er wieder zu Bewusstsein.

»Felix, Gott sei Dank, du bist unverletzt.«

Es war Helen Coates.

Felix verstand nicht, was sie sagte, aber er mochte den beruhigenden Klang ihrer Stimme und den tröstlichen Geruch ihrer Kleider.

»Komm, wir müssen hier weg.«

Sie nahm Felix bei der Hand und zog ihn die Straße entlang. Dort herrschte Chaos: Feuerwehrautos, Streifenwagen, Menschen, die aus Nachbarapartments evakuiert wurden.

Felix verrenkte sich den Hals, um weiter über seine Schulter auf das Geschehen zu spähen. Seine Augen waren weit aufgerissen. Schließlich gelang es ihm, mit den Lippen ein einzelnes Wort zu formen: *»Boom!«*

Zafis schweißnasses Hemd klebte ihr am Rücken. Was geschah mit ihr? Sie sprintete wie gewohnt mit Tempo und Eleganz durch die Gassen, trotzdem lastete ein gewaltiges Gewicht auf ihren Schultern.

Nur ein paar Hundert Meter weiter hörte sie die Explosion, doch sie blickte nicht zurück zu dem über den Gebäuden aufsteigenden Rauch. Stattdessen zwang sie sich, noch schneller zu rennen.

Was habe ich getan?, dachte sie. In ihrer Fantasie spielten sich zwei Szenen parallel ab – in einer schaffte Felix es lebend aus dem Apartment. In der anderen stolperte und fiel er auf dem Weg zur Tür und wurde von Flammen eingeschlossen.

Überall ertönten jetzt Sirenen, aber für Zafi schien das Geheule direkt aus ihrem Inneren zu kommen. Sie erreichte Camden und kletterte auf das Geländer der Kanalbrücke. Für einen Augenblick hockte sie zwischen den schmiedeeisernen Pfosten wie ein dämonischer Wasserspeier auf der Kirche von Notre-Dame und starrte hinunter ins Wasser.

Wie schnell würde Stovorsky erfahren, dass Jimmys Mutter, Schwester und Freund überlebt hatten? Dass Zafi versagt hatte. Würde er vermuten, dass sie absichtlich gescheitert war? *Nein*, beruhigte sich Zafi. *Es war nicht keine Absicht. Ich wollte sie in die Luft jagen. Ich bin gescheitert. Das ist alles.*

Dennoch zitterte ihr linker Zeigefinger. Sie versuchte wegzublicken, aber er schien förmlich zu leuchten. An seiner Spitze klebte immer noch Ketchup. *Ich habe diese Nachricht nicht geschrieben*, versicherte sie sich. *Das war nicht ich.* Sie zitterte und ballte die Hand zur Faust, um die Fingerspitze zu verbergen. *Wenn das so wäre, hätte ich gegen Befehle gehandelt … Wenn das so wäre, hätte ich gegen meine eigene Natur verstoßen …*

»Wenn ich es getan habe«, wisperte sie, »dann bin ich kein Killer.«

Etwas Warmes rann durch ihren Körper. Es erreichte ihren Kopf. In dem schmutzigen Wasser unter sich sah sie Felix lächeln.

Dann löste sich sein Gesicht auf zu schemenhaften Bildern der Leichen ihrer Zielobjekte. Waren sie lebendig oder tot?

Wenn ich kein Killer bin, was bin ich dann?

Nach einer Weile schloss Zafi die Augen und hechtete mit einem kraftvollen Sprung ins Wasser.

Ein Obdachloser wurde durch das Klatschen geweckt, aber in der Dunkelheit hätte er unmöglich die dunkle unter der Wasseroberfläche dahingleitende Gestalt erkennen können. Sie schoss mit der Schnelligkeit und Kraft eines Haies durch die Fluten.

Über viele Kilometer hinweg tauchte sie nicht mehr auf.

KAPITEL 31

Einen halben Kilometer von ihrem verwüsteten Apartment entfernt blieben Helen Coates und Felix vor einem Café stehen. Das Licht aus dem Lokal reichte für eine oberflächliche Untersuchung aus. Helen musterte Felix von Kopf bis Fuß, starrte ihm in die Augen und Ohren, bewegte seine Gliedmaßen, fragte ihn nach Schmerzen.

»Mir geht's gut«, beharrte Felix und machte sich los. »Ehrlich. Ich hab nur ein paar blaue Flecken.«

»Du wärst beinahe in die Luft gesprengt worden«, sagte Helen ernst. »Und ich kann dich nicht zu einem Arzt bringen, daher muss ich dich zumindest kurz anschauen.«

Felix kniff leicht die Augen zusammen und ließ sie gewähren.

»Kein Arzt?«, fragte er leise. Sie sahen einander kurz an. Beide wussten, dass das *Royal Free Hospital* gleich um die Ecke war. »Glaubst du, sie haben durch die Explosion unsere Spur verloren?«

»Entweder versucht der *NJ7* uns zu töten, oder es ist jemand anderes, der die *NJ7*-Überwachung umgehen konnte – vermutlich hat er sie sogar vorübergehend lahmgelegt, so wie Zafi es getan hat. Wir müssen auf jeden Fall so schnell wie möglich untertauchen.«

»Es war Zafi«, platzte es aus Felix heraus.

Helen starrte ihn verblüfft an.

»Im Apartment«, fuhr er aufgeregt fort.

»Hast du sie gesehen? War sie …?«

»Nein, aber sie hat eine Nachricht hinterlassen: dass unser Apartment nicht mehr sicher ist und ich verschwinden soll.«

»Warum hat sie das getan?«, murmelte Helen. »Warum sollte sie das Apartment in die Luft jagen, dich aber vorher warnen, damit du nicht verletzt wirst?«

»Hey«, protestierte Felix. »Ich *bin* verletzt.« Er setzte sein traurigstes Gesicht auf und rieb sich die Schulter.

»Komm drüber weg, Sonnenschein.«

Felix zuckte mit den Achseln. Das mangelnde Mitleid störte ihn nicht weiter. Er war einfach zu erleichtert, dass alles einigermaßen okay war – er hätte übel verletzt werden können.

»Wo ist Georgie?«, fragte er.

Helen deutete durch das Fenster des Cafés und tippte ans Glas, um ihre Tochter auf sie aufmerksam zu machen.

»Wir hatten Glück«, erklärte sie. »Wir haben uns auf dem Heimweg zufällig am Anfang der Straße getroffen. Wir haben beide die Explosionen gesehen. Und ich habe Georgie angewiesen, direkt hierherzugehen und auf uns zu warten.«

Georgie kam aus dem Kaffee gestürmt und schlang ihre Arme um Felix. »Bist du okay?«, fragte sie und drückte ihn fest an sich. »Wir haben gesehen, was passiert ist. Wie bist du rechtzeitig rausgekommen?«

»Zafi hat mir eine Warnung hinterlassen. Du wusstest nicht, dass ich fliegen kann, oder?«, witzelte er und befreite sich aus Georgies Umarmung.

»Und so eine graziöse Landung«, gab Georgie zurück.

»Genehmigen wir uns noch einen kleinen Snack, bevor wir untertauchen?«

Helen verdrehte die Augen.

»So wie es aussieht, Mum«, schaltete sich Georgie ein, »habe ich gerade einen Toast bestellt.«

Bevor Helen etwas erwidern konnte, griff Felix in seine Tasche.

»Genialer Plan, Georgie. Bring mir auch einen mit.« Er fischte ein paar Münzen heraus und wollte sie gerade abzählen, doch da fiel noch etwas anderes aus der Tasche – eine kleine Karte.

Georgie hob sie vom Gehweg auf und hielt sie dicht vors Gesicht, um sie zu studieren.

»Du hockst also zu Hause«, begann sie. »Und dann kriegst du eine Warnung von einem schrägen französischen Killer-Girl, dass du in die Luft gesprengt werden sollst. Aber das Einzige, was du bei deiner Flucht nach draußen mitnimmst, ist eine Besitzrechtkarte aus dem Monopoly-Spiel?«

»Was?« Felix zog eine Grimasse. »Lass mich mal sehen.« Er riss ihr die Karte aus der Hand. »Ich hab keinen blassen Schimmer, wie das in meine …« Er verstummte mitten im Satz und sein Mund stand weit offen. Jemand hatte etwas auf die Vorderseite der Karte gekritzelt, und plötzlich wusste er, wer sie in seine Hosentasche geschmuggelt hatte.« Wie hat sie das bloß …?«, schnaufte er.

»Was ist los, Felix«, fragte Helen mit ernster Miene. »Noch eine Nachricht von Zafi?«

»Was hat das zu bedeuten?«, fragte Georgie. »Und woher weißt du, dass sie von ihr ist?«

Felix konnte seinen Blick nicht von der Karte wenden. »Die Warnung war mit Ketchup auf den Küchenboden geschrieben«, erklärte er. »Riecht mal da dran.« Er hielt die Karte erst unter Georgies, dann unter Helens Nase. »Also entweder ist es ein neuer Trend, keine E-Mails mehr zu schicken und stattdessen Nachrichten in Tomatensoße zu schreiben, oder das hier stammt von Zafi.«

»Jetzt mal langsam, Felix«, bat Helen. Sie legte eine Hand auf seine Schulter. »Bist du sicher, dass du die Karte nicht vorher schon in deiner Tasche gehabt hast.«

»Vielleicht hast du sie heute Morgen mit in die Schule genommen«, schlug Georgie vor.

»Klar doch, vielleicht ist ja Monopoly-Karten-Tauschen der neue ultimativ angesagte Mega-Trend – besonders die Bahnhöfe.« Sein Gesicht spiegelte maximalen Zweifel. »Und als *ich* auf den Gehsteig geknallt bin, hast *du* möglicherweise etwas von deinem Verstand verloren.« Bevor Georgie reagieren konnte, schimpfte Felix weiter. »Warum sollte ich mir selbst ein mit Ketchup gemaltes Herz schicken? Vielleicht, weil ich vorhatte zu sterben und als Zombie zurückzukehren?«

Jetzt war Georgie an der Reihe, eine Grimasse zu ziehen. »Moment mal«, sagte sie, »das ist überhaupt kein Herz.«

»Natürlich ist es das«, beharrte Felix und schwenkte die Karte vor ihrer Nase. »Ich glaube, zwischen mir und Zafi hat es gefunkt, wir haben da ein echt heißes Ding am Laufen.« Er zwinkerte ihr vielsagend zu. »Nur nicht eifersüchtig werden.«

»Felix«, unterbrach ihn Georgie. »Das ist ein V.«

Sie nahm die Karte aus Felix' Fingern und drehte sie um, damit sie alle es sehen konnten.

»King's Cross Station«, schnappte Helen nach Luft. »V für …«

»Victoria?«, schlug Felix vor und wirkte jetzt immer verwirrter. »Vertikal? Vorspeisen?«

»Felix«, verkündete Helen. »Diese Nachricht ist nicht nur für dich. Sie ist für uns alle. Besonders für mich.« Sie richtete sich auf und blickte sich um, ob jemand sie beobachtet hatte. »Tut mir sehr leid wegen deines Toasts, Georgie«, sagte sie. »Aber wir sollten jetzt besser sofort los.«

Sie fasste Georgie und Felix um die Schultern und schob sie in Richtung Camden.

»Vandalismus?«, murmelte Felix.

Helen und Georgie ignorierten ihn.

»Aber wie hat sie Chris gefunden?«, fragte Georgie ihre Mutter.

»Chris?«, bemerkte Felix. »Aber Chris beginnt doch nicht mit …« Und dann kapierte er es endlich. »Ach, *Viggo*!«, rief er aus.

»Genial kombiniert, du Zombie!«, lachte Georgie.

»Das muss Christopher Viggo sein«, zischte Miss Bennett, während sie durch Camden rasten. Sie drehte sich zu Eva neben ihr auf dem Rücksitz, schien aber direkt durch sie hindurchzustarren.

Eva kannte diesen Gesichtsausdruck ihrer Chefin nur zu gut. Üblicherweise bedeutete er, dass sie einen Plan ausheckte.

Am liebsten wäre Eva Miss Bennetts Blick ausgewichen. Doch sie hatte keinen Bewegungsspielraum. Ihre Knie waren an ihre Brust gepresst, denn auf dem Beifahrersitz direkt vor ihr saß William Lee. *Menschen dieser Größe sollten eigentlich in Autos nicht zugelassen werden*, dachte Eva. Er hatte seinen Sitz ganz nach hinten geschoben, um maximale Beinfreiheit zu haben.

Als sie den Ort des Geschehens erreichten, war er mit Polizeiband abgesperrt. Aber einer der Beamten erkannte die schwarze Limousine mit ihrem dezenten grünen Streifen sofort und hob das Band an, damit sie passieren konnten.

Der Fahrer ließ den Wagen langsam weiterrollen.

Eva starrte auf die blauen Lichter der Streifenwagen, die über die Hauswände huschten und die Gesichter der Schaulustigen beleuchteten. Diese ganze Szenerie wirkte wie aus einem schlechten TV-Drama, auch wenn sie völlig real war.

Als Eva zwischen zwei riesigen Feuerwehrwagen hindurchspähte, sah sie das gähnende, schwarze Loch, wo vor einer Stunde noch ein Apartment gewesen war. Erneut stiegen heftige Gefühle in ihr auf, wie schon beim ersten Hören der Nachricht: ein ausgebranntes Apartment der Regierung. Keine Leichen.

Sie hätte sich vor Nervosität am liebsten übergeben. Doch sie durfte ihre Gefühle durch nichts verraten – die Panik, ihren Freunden könnte etwas zugestoßen sein, die Freude über ihr Überleben und die Sorge, dass sie nun wieder auf der Flucht waren. Das alles in sich verborgen zu halten, ließ ihre Innereien brodeln, aber sie hatte keine andere Wahl.

»Sieht nicht wie ein Unfall aus, oder?«, verkündete William Lee und neigte den Kopf, um das Chaos auf der Straße studieren zu können. »Schaut euch das an – keines der anderen Apartments ist beschädigt. Nur ein Profi kann den Gasstrom und die Temperatur der Zündung so einstellen, dass es zu einer derartig genau eingegrenzten Explosion kommt.« Er wartete nicht auf eine Antwort. »Wie hat er wohl diesmal unsere Überwachung ausgetrickst? Mit noch mehr Käse? Oder vielleicht mit Kaffee und Schokolade?«

Er warf einen Blick in den Rückspiegel, um Miss Bennetts Reaktion zu studieren. Doch die Frau verzog keine Miene. Sie sagte nur: »Wir werden es herausfinden.«

»Wann?«, knurrte Lee. »*Wann* werden Sie es herausfinden?«

Miss Bennett biss die Zähne aufeinander und ihre Augen wurden zu schmalen Schlitzen.

Die Limousine hielt jetzt mitten auf der Kreuzung, und der Fahrer sprang heraus, um Miss Bennett die Tür zu öffnen.

»Alle Beweismittel befinden sich dort«, betonte Miss Bennett und nickte mit dem Kopf in Richtung von *Gregor's Elbow*-Pub.

Die drei marschierten an einer Reihe von Feuerwehrleuten, Polizisten und Geheimagenten vorbei, die eilig kamen und gingen und Gegenstände aus dem Apartment bargen. Eva wurde beinahe von zwei kräftigen Männern mit einem verkohlten Sofa umgerannt.

Im Inneren des Pubs lag alles säuberlich auf der Bar und den Tischen ausgebreitet. Ständig kam neues Material hinzu und ein ganzes Team war mit Sortieren beschäftigt. Alles wurde mit kleinen weißen Zetteln versehen, fotografiert, unter die Lupe genommen und von der Spurensicherung diskutiert.

Zunächst erkannte Eva überhaupt keine Gesichter. Sie sah nur Dutzende von Händen, die alle eine leblose beige Farbe hatten, was von den Latexhandschuhen und dem schummrigen Licht im Pub herrührte.

Eva bemühte sich, mit Miss Bennett und William Lee Schritt zu halten, und ignorierte die fragenden Blicke der Polizisten und Geheimagenten. Als Miss Bennett und Lee sich Latex-Handschuhe aus einer Box nahmen, schnappte Eva sich instinktiv ebenfalls ein Paar, um nicht aufzufallen.

»Spielt es denn eine Rolle, wie er es getan hat?«, flüsterte Miss Bennett in William Lees Ohr, während sie die langen Reihen von Beweisstücken sichteten. »Fakt ist, er hat es getan – hat Kontakt zu der Familie hergestellt, sie aus dem Apartment geholt und vermutlich mit in seinen Unterschlupf genommen. Die Frage ist nur: Warum?«

»Nein«, erwiderte Lee. »Die entscheidende Frage lautet: Wo sind sie hin? Das Warum spielt keine Rolle – sofern Sie diese Leute finden und töten.«

»Sagen Sie mir nicht, wie ich meinen Job zu erledigen habe, Lee.« Miss Bennett wandte sich zu ihm und ihre Faust ballte sich um die Überbleibsel eines Kuscheltieres. Schaumstoff quoll heraus, während sie zudrückte. »Ich habe Mitchell angerufen. Er ist unterwegs.«

»Glauben Sie tatsächlich, er findet in diesem Chaos etwas, das alle andern übersehen haben?« Lee schnappte sich einen der verkohlten Gegenstände von der Bar und wedelte damit herum. Eva hielt es für den Überrest einer Spielkonsole. »Nichts von diesen Dingen hier verrät uns ihren Aufenthaltsort«, fuhr er fort. »Die Feuerwehr war in weniger als zwei Minuten hier. Das Spurensicherungsteam folgte kurz darauf. Sie haben sämtliche elektronischen Datenspeichergeräte unversehrt aus dem Apartment geborgen oder die Daten rekonstruiert.«

»Beruhigen Sie sich einfach«, empfahl Miss Bennett. »Wir werden etwas finden.«

»Sie haben nicht das Geringste in der Hand!«, polterte Lee weiter. »Keine Nachricht. Kein Signal. Nichts. Sie haben jeden Schnipsel Papier darauf untersucht, ob es handgeschriebene Notizen gab. Sehen Sie! Sie haben sogar dieses bescheuerte Brettspiel da gerettet.« Er deutete zum Ende der Bar. »Aber immer noch keine Spur!«

»Dann werden sie eben weitersuchen«, konterte Miss Bennett. »Irgendwo muss etwas sein.«

»Und niemand hat sie verschwinden sehen!«, rief William Lee.

Miss Bennett wirbelte herum und wandte sich an die versammelte Mannschaft im Pub.

»Gibt es keine relevanten Informationen der Überwachungsabteilung?«, verlangte sie zu wissen. Sie starrte in ausdruckslose oder leicht besorgte Gesichter. »Hat niemand irgendetwas gesehen?!«, schrie sie. Als keiner antwortete, drehte sie sich zurück zu Lee. »Er muss immer noch in der Nähe sein«, zischte sie. »Die ganze Gegend ist von Agenten umstellt. Viggo kann nicht unbemerkt an ihnen vorbeigekommen sein.«

Nervös strich sie sich mit den Händen übers Haar. Als sie bemerkte, dass sie immer noch ihre Latexhandschuhe trug und kleine Aschestückchen über ihre Frisur verteilt hatte, riss sie diese ärgerlich herunter und stürmte zum Ausgang. »Eva!«, donnerte sie. »Du bleibst hier und machst dir Notizen.«

Genau in diesem Moment flog die Tür auf und Mitchell kam herein. Er trug einen schweren Mantel mit hochgeschlagenem Kragen.

»Wo hast du gesteckt?«, fauchte Miss Bennett.

Mitchell zuckte mit den Achseln und blickte sich nervös um. »Ich war auf der Suche nach meinem Zielobjekt«, erwiderte er kleinlaut.

»Und währenddessen hat dein Zielobjekt in aller Ruhe ein Apartment der Regierung in die Luft gejagt«, erwiderte Miss Bennett. »Finde heraus, wo Viggo steckt, und mach diesem Spuk endlich ein Ende.« Mit diesen Worten stürmte sie hinaus. Eva hörte ihre schrille Stimme durch die ruhige Nacht tönen: »Wer ist hier zuständig?«

KAPITEL 32

Eva und Mitchell warfen sich mitfühlende Blicke zu. Jetzt, wo Miss Bennett gegangen war, schien sich die Spannung im Raum aufzulösen, und alle gingen wieder an ihre Arbeit.

»Ich war so dicht an ihm dran«, raunte Mitchell Eva zu. »Ich bin ihm bis in die Gegend von King's Cross gefolgt. Ich dachte schon, ich hätte ihn, wurde dann aber hierherbeordert.«

»Sie ist am Durchdrehen, seit dieser Typ da aufgetaucht ist«, sagte Eva und nickte in Richtung William Lees. Der Mann stand über einen Tisch gebeugt und beäugte einen verschmolzenen Klumpen roten Plastiks. Auf dem dazugehörigen weißen Zettelchen stand: *Ketchupflasche.* »Ich soll ihn beobachten. Etwas über ihn herausfinden.«

Mitchell zuckte mit den Achseln. »Das schaffst du«, sagte er. »Du bist richtig gut in diesem Geheimdienstkram. Es ist der perfekte Job für dich.«

Evas Herz machte einen Satz.

»Du bist ganz rot geworden«, prustete Mitchell.

Eva brachte keine Antwort heraus. In ihr brannte eine wilde Mischung aus Stolz und Schrecken. War die Arbeit beim *NJ7* wirklich der perfekte Job für sie? Was wäre, wenn das tatsächlich zuträfe?

Nach einem kurzen Schweigemoment wurde Mitchell selbst verlegen und schlurfte auf der Suche nach einem Sitzplatz durch den Raum.

Eva versuchte ihre Gedanken auszublenden. *Verhalte dich normal*, ermahnte sie sich.

Irgendwann folgte sie Mitchell, und sie saßen gemeinsam in der dunkelsten Ecke, hinter einem der Tische mit den Beweisstücken.

»Es ist so verrückt«, sagte Eva und spielte mit einem der Gegenstände vor ihr.

»Was?«

»Wenn ich überlege, dass Felix und Georgie diesen ganzen Kram hier benutzt haben.«

Sämtliche Teile der Brettspiele waren sorgfältig ausgebreitet und auf einem Clipboard notiert worden. Die Schachteln waren ziemlich verbrannt, aber ihr Inhalt war immer noch gut erkennbar – Schach, Cluedo, Scrabble … Eva blätterte das Monopoly-Geld durch und drehte dann die Spielfigur des kleinen Hundes in ihren Fingern.

»Vielleicht sogar Jimmy«, fügte sie mit brüchiger Stimme hinzu.

»Jimmy ist tot«, erwiderte Mitchell scharf.

Für Eva war das wie ein Weckruf. Sie setzte sich aufrecht hin und tat so, als würde sie den kleinen Hund betrachten. »Ja, na klar«, stotterte sie. »War nur so ein dummer Gedanke. Schon verrückt. Dass er tot ist, meine ich. Und Felix und Georgie mit all diesem Zeug spielen.«

Sie strahlte Mitchell an. Dass würde ihn ablenken. Sie schenkte ihm nur selten ein Lächeln, und wenn sie es tat, verwandelte er sich in ein gehorsames kleines Hündchen. Sie stellte die Monopoly-Spielfigur wieder ab und würfelte.

»Rate, wie viel Punkte?«, fragte sie. Die Würfel waren durch die Hitze außer Form und einige der Punkte waren verbrannt.

»Wen interessiert das?«, fragte Mitchell. »Man kann ja doch nicht spielen, weil die Hälfte von dem Kram völlig verschmort ist…

»Nein, schau mal«, protestierte Eva. »Man kann immer noch den Aufdruck einigermaßen lesen. Außerdem – hast du was Besseres vor?«

Mitchell zuckte mit den Achseln. »Ich schätze nicht«, brummte er. Er sah sich kurz im Raum um und ließ dann den Kopf wieder sinken. »Ich muss hier warten, bis diese ganzen Tüftler mit ihrem Tüftelkram fertig sind.«

»Ich glaube, man nennt das eigentlich forensische Untersuchungen.«

»Für mich schaut es aus wie Tüftelkram.« Er würfelte und nahm sich die Spielfigur des Kriegsschiffes. »Vierer-Pasch«, verkündete er und schob die Spielfigur über die schwarzen Flecken und das geschmolzene Plastik auf dem Spielbrett.

»Das ist keine Vier«, sagte Eva. Sie wischte etwas Staub von dem Würfel, aber das machte die Augenzahl auch nicht besser erkennbar.

»Wie auch immer«, brummte Mitchell. Er würfelte erneut. »Solltest du dir nicht besser Notizen über all das hier machen?«

Eva schnappte sich ihr Notizbuch und tat, als würde sie schreiben.

»9 Uhr 41«, verkündete sie mit ernster Miene. »Mitchell hat soeben einen Viererpasch gewürfelt und eine Ereigniskarte gezogen.« Sie nahm das Kriegsschiff und ließ es mit Höchstgeschwindigkeit einmal um das Brett sausen. »Er ist über Los gegangen und hat 200 £ eingezogen.«

Die beiden prusteten vor Lachen, aber als einige aus dem forensischen Team sie missbilligend anstarrten, fingen sie sich rasch wieder.

»Ihr dürft nicht damit spielen«, zischte ein Techniker quer durch den Raum. »Das sind Beweismittel.«

»Klar doch«, grunzte Mitchell. »Der Beweis, dass Felix und Georgie nicht mehr leben.« Er packte den Stapel Besitzkarten und wedelte damit vor Evas Gesicht herum. »Die gehören alle mir«, verkündete er.

»Das hättest du wohl gerne«, sagte Eva mit einem Lächeln.

»Tja, arme Eva. Also gut, du kannst meinetwegen die Bahnhöfe haben.« Er blätterte durch die Karten und zog die Londoner Bahnhöfe heraus: Liverpool Street, Marylebone, Fenchurch Street …

»Wo ist Euston?«, fragte er.

»Es gibt kein Euston, Blödmann. Der vierte Bahnhof heißt King's Cross.« Eva riss ihm die Karten aus den Händen. »Lass mich mal sehen.« Sie breitete die Karten langsam aus und entzifferte den Aufdruck.

»Vergiss es«, sagte Mitchell. »Der Bahnhof ist nicht dabei. Vermutlich in Flammen aufgegangen.«

»Unsinn«, protestierte Eva. »Warum sollte ausgerechnet diese Karte verbrannt sein, obwohl alle anderen noch da sind?«

»Vielleicht ist sie im Feuer verloren gegangen.«

Eva ignorierte ihn und legte die Besitzrechtkarten rund um das Spielbrett auf ihrem jeweiligen Platz aus. Als alle ausgeteilt waren, deutete sie mit dem Zeigefinger auf King's Cross, dem einzigen Bahnhof, dessen Karte fehlte.

»Wieso ist ausgerechnet die nicht da?«, wiederholte sie, während sie den Tisch und den Boden darunter absuchte. Als sie wieder zu Mitchell aufblickte, hatte sich sein Ausdruck verändert. Sein arrogantes Grinsen war einer nachdenklichen Miene gewichen.

»Was ist los?«, fragte Eva leise. Sie lächelte ihn an, aber er ignorierte es.

Seine Augen zuckten rasch über das Monopoly-Brett. Dann fixierte er den King's-Cross-Bahnhof.

»Ich muss los«, sagte er und sprang auf. Beinahe hätte er den Tisch mit umgerissen.

»Mitchell«, rief Eva. »Warte …«

Aber er ließ sich nicht aufhalten. Er wechselte ein paar Worte mit William Lee, dann eilten sie beide zur Tür.

Eva blieb alleine zurück, starrte auf das Monopoly-Spiel und hatte plötzlich das Gefühl, dass sie etwas schrecklich Dummes getan hatte.

Jimmy und Marla schossen durch den Nachthimmel wie ein Komet – mit zwei 1200-KW-Turbo-Motoren und zwei Mistral-Raketen bestückt.

»Wie hast du mich gefunden?«, fragte Jimmy über das Dröhnen des Helikopters hinweg.

Marla schnappte sich den Helm hinter ihrem Sitz, setzte ihn auf und sprach in das Headset. »Bin dir von Rom aus gefolgt«, erklärte sie. »Ich habe dich gewarnt, du sollst Browder nicht vertrauen, hatte aber das Gefühl, du hörst nicht auf mich.«

»Aber –« Jimmy unterbrach sich selbst. »Danke«, sagte er. Er blickte hinüber zu Marla und versuchte sich an einem Lächeln, aber es misslang. Er verzog lediglich das Gesicht zu einer schiefen Grimmasse.

»Was ist los?«, fragte Marla. »Bei dir ist doch alles in Ordnung. Du kannst jetzt nach England, so wie du es wolltest.«

»Bei mir ist nicht alles in Ordnung.« Jimmys Miene verfinsterte sich, und er drückte fest gegen den Steuerknüppel, sodass sie noch schneller flogen. »Stovorsky hat den Befehl gegeben, meine Mum, meine Schwester und meinen besten Freund zu töten.«

»Das tut mir leid, Jimmy.« Marlas Stimme klang plötzlich ernst.

»Und da ist noch mehr«, fügte Jimmy hinzu. »Noch Schlimmeres.«

»Noch schlimmer? Was kann noch schlimmer sein?« Marla blickte ihn verwirrt an, doch er konzentrierte sich auf die Kontrollinstrumente des Helikopters. Die LCD-Bildschirme beleuchteten sein Gesicht, das eine Mischung aus Mut und Verzweiflung spiegelte. Dann wanderte Marlas Blick seine Arme hinab. Sie sah auf seine Fingernägel.

Und sie bemerkte die sich dort ausbreitenden blauen Schatten. Zunächst hielt sie es für das Licht der Kontrollinstrumente, doch dann dämmerte ihr die Wahrheit.

»Jimmy, deine Hände ...«

Jimmy reagierte nicht.

»Ich dachte, du ...« Marla brachte ihren Satz nicht zu Ende.

»Stovorsky hat gelogen«, erklärte Jimmy ruhig.

»Aber, aber ... warum? Warum hat er das getan?«

»Weil Lügen ihre Wirkung tun«, flüsterte Jimmy kaum vernehmlich.

»Also bist du ...« Marla brachte es nicht übers Herz, es laut auszusprechen. Sie blickte auf ihre eigenen Finger hinab und ihr Gesicht wurde ganz hart. Das Mitleid verschwand und an seine Stelle trat wütende Entschlossenheit. »Du wirst überleben, Jimmy«, verkündete sie. »Nicht nur vielleicht – sondern ganz sicher. Du wirst einen Arzt finden. Genau wie ich.«

Jimmy schüttelte sanft den Kopf, aber Marla fuhr fort, als würde sie ihm Befehle erteilen. »Und deine Verseuchung ist viel geringer als meine. Ich habe in der Nähe dieses Ortes gelebt, schon vergessen? Die Radioaktivität hat meine Eltern getötet.«

»Sie hat deine Eltern getötet?«

»Ja, vor vielen Jahren. Sie haben dort gearbeitet. Für die Franzosen.« Sie blickte hinab auf ihren Schoß. »Aber du warst höchstens zwei Stunden dort. Nicht mehr. Du wirst überleben.«

»Das macht keinen Unterschied«, erwiderte Jimmy ausdruckslos. »Es ist tödlich, Marla.« Er sprach jetzt immer lauter. »Ich habe es berührt. Nicht genug, dass ich in der Nähe war – ich habe das Actinium auch noch mit meinen eigenen Händen angefasst! Und dann ...« Er unterbrach sich.

»Was?«

Jimmys Augen füllten sich mit Tränen. »Ich dachte, ich könnte sie damit retten«, erwiderte er. »Georgie, Mum und Felix.« Seine Worte wurden undeutlicher. »Aber ich habe es nicht geschafft. Und jetzt bin ich erledigt.«

»Jimmy, sag so was nicht. Du kannst sie immer noch rechtzeitig erreichen.«

Marla legte eine Hand auf seine Schulter.

»Fass mich nicht an!«, schnappte Jimmy und schüttelt ihre Hand ab. »Alles, was in meine Nähe kommt ...« Er verstummte. »Ich bin dafür geschaffen, zu töten, und ich kann es nicht verhindern. Selbst wenn ich dagegen ankämpfe. Begreifst du denn nicht, dass *ich* diese ganze Zerstörungswelle ausgelöst habe?«

»Was?«

»Ich zerstöre Leben!« Seine Stimme dröhnte durch den Höllenlärm des Helikopters. »Ich zerstöre alles!«

»Jimmy, hör auf!«, schrie Marla. »Du musst stark sein. Du zerstörst nicht! Du rettest! Du bist kein Killer!«

Jimmy reagierte nicht. Seine Fäuste umklammerten den Steuerknüppel und seine Lippen bebten.

»Du hast mich gerettet, oder?«, rief Marla. »Und du wirst auch deine Mutter, deinen Freund und deine Schwester retten!«

»Aber wie denn?«, schrie Jimmy zurück. »Wenn ich nicht mal mich selbst retten kann?«

»Was?«

»Nichts. Vergiss es. Du kannst mir nicht helfen. Niemand kann das.«

Marla fixierte ihn.

Ein Teil von Jimmy wollte ihren Blick erwidern, als könne ihr Mitleid und ihre Sympathie ihn von seinen Problemen erlösen. Aber er wusste, das war unmöglich. Er zwang sich, geradeaus durch die Glaskanzel des Cockpits zu sehen.

Dann wurden seine Sinne von einem neuen Geräusch alarmiert – ein Warnsignal. Er blickte hinunter auf den LCD-Monitor, schaltete auf Radaransicht und nahm blitzschnell die Informationen in sich auf.

»Sie kommen«, verkündete er grimmig.

»Was?«

Jimmy hieb seine Faust gegen das Steuerpult. Dann deutete er auf den Bildschirm und zeigte Marla die beiden blinkenden roten Punkte, die sich rasch dem schwarzen Balken in der Mitte näherten.

»Der schwarze Balken sind wir«, erklärte Jimmy trocken. »Und das hier sind zwei französische Kampfjets.«

Dann ertönte ein weiteres Signal, diesmal noch schriller, außerdem leuchteten sämtliche Kontrollfunktionen rot auf.

»Und was bedeutet das?«, fragte Marla.

Jimmy hob eine Augenbraue, warf einen raschen Blick auf die Monitore und sagte: »Das bedeutet, gut festhalten!«

KAPITEL 33

Felix, Georgie und Helen schlichen mit gesenkten Köpfen durch den Bahnhof von King's Cross und hielten nach irgendeinem Anzeichen von Zafi Ausschau. Sie hatten keine Ahnung, wie sie sich ihnen zeigen würde.

»Ich kann bei diesem Lärm überhaupt nicht denken!«, brummte Georgie.

Vier Männer schoben große Reinigungsmaschinen durch einen abgesperrten Bereich der Haupthalle, in dem sich offensichtlich ein Zusammenstoß zwischen zwei Transportwägelchen ereignet hatte. Auf dem Boden schwammen Pfützen irgendeiner Flüssigkeit.

»Sollen wir noch mal auf die Monopoly-Karte schauen?«, wisperte sie. »Vielleicht befindet sich ein weiterer Hinweis darauf?«

»Nein«, erwiderte ihre Mutter. »Was riecht ihr?«

Georgie und Felix blickten einander an.

»Keine Ahnung«, murmelte Felix. »Riecht wie ... Bahnhof halt.«

Georgie zuckte mit den Achseln, aber gleich darauf veränderte sich ihre Miene. »Moment«, sagte sie. »Riecht nach Frühstück, oder so was.«

»Es sind Milch und Fruchtsaft«, sagte Helen.

»Milch und Fruchtsaft?«, flüsterte Felix Georgie ins Ohr. »Ich glaube, deine Mum dreht langsam auch ein bisschen durch.« Er tippte sich mit dem Zeigefinger leicht an die Stirn.

Georgie kicherte, dann blickte sie wieder quer durch die Haupthalle und erneut veränderte sich ihr Gesichtsausdruck.

Felix folgt ihrem Blick. Die Reinigungskräfte bewegten sich um zwei Transportwägelchen herum – kleine Elektrokarren, die Waren zu den Läden und Lokalen im Bahnhof brachten.

Die Wägelchen lagen auf der Seite, etwa fünf Meter voneinander entfernt, mit ausgebrannten Motoren und verbogenen Transportregalen.

»Sieht aus, als wären sie explodiert!«, schlug Felix vor.

»Explosionen sind offenbar ziemlich angesagt heute Abend«, murmelte Helen.

Felix spähte erneut hinüber. Einer der beiden Elektrokarren war offensichtlich mit Milch beladen gewesen, der andere mit irgendeinem roten Fruchtsaftgetränk. Große Lachen beider Flüssigkeiten bedeckten den Steinboden und vermischten sich in der Mitte zu einem rosafarbenen Schleim.

»Es ist nur eine rote Pfütze und eine weiße Pfütze«, bemerkte Georgie. »Das ist sicher keine Botschaft oder ein Zeichen.«

Helen deutete auf einen Teil des Bodens neben dem abgesperrten Bereich. Dort wimmelte es im Augenblick von Pendlern aus den Zügen, aber dann lichtete sich die Menge für einen Augenblick und gab den Blick auf das Gesamtbild frei.

Die Fruchtsaft-Pfütze bildete einen roten Streifen und die Milch einen weißen. Aber direkt daneben war eine dritte Farbe – ein blaues Band im Muster der Bodenkacheln.

Drei Streifen: blau, weiß und rot.

»Es ist die französische Flagge!«, keuchte Felix.

»Aber es ist –« Bevor Georgie den Satz beenden konnte, rannten die drei bereits durch den Bahnhof. Beim Sturz der Elektrokarren hatten sich die Flüssigkeiten zu einem großen Pfeil geformt, dessen Spitze eindeutig in eine Richtung wies: der Durchgang zum St Pancras International Terminal nebenan.

Im Bahnhof von St Pancras, in dem die Züge aus dem Ausland ankamen, herrschte trotz der Reisebeschränkungen der neodemokratischen Regierung erstaunlich viel Betrieb. Helen, Georgie und Felix versuchten sich unauffällig unter die Menge zu mischen, allerdings waren dort kaum Jugendliche unterwegs.

»Wohin jetzt?«, fragte Georgie. Sie und Felix hoben unwillkürlich die Köpfe, um die wirklich erstaunliche Architektur des Bahnhofs zu beäugen. Sie wurde von einem gewaltigen neuen Denkmal für Ares Hollingdale dominiert, dem kürzlich ermordeten Premierminister. Einige Reisende blieben stehen, um mit ihren Mobiltelefonen die riesige Statue zu fotografieren. Sie war über dreißig Meter hoch und reichte fast bis zum unteren Rand der gewaltigen Stirnwand aus Stahl und Glas.

Etwa fünfzehn Meter über der Statue hing die verzierte

Bahnhofsuhr. Felix war wie hypnotisiert von den gewaltigen goldenen Uhrzeigern, die im Licht wie mittelalterliche Schwerter blitzten.

»Augen geradeaus«, befahl Helen. »Hier geht's lang.« Sie zog Felix und Georgie in Richtung von zwei Imbissständen am Ende der Halle. Eine bestand aus einem Tresen, Stehtischen und Barhockern und die Dekoration sollte den Eindruck eines altenglischen Pubs vermitteln. Der zweite Stand war mit Brettern verrammelt.

Erst konnte Felix es kaum glauben, aber als er dann erneut hinblickte, war es unverkennbar: Auf die Schiefertafel mit dem Tagesmenü des Pubs hatte jemand mit Kreide ein kleines Z gekritzelt.

»Die junge Dame hält sich wohl für Zorro?«, seufzte Georgie.

»Wer ist Zorro«, fragte Felix.

»Ach, vergiss es.«

Sie wollten sich um den Stand herumschleichen, doch die Bedienung trat ihnen in den Weg. »Was wünschen Sie?«, polterte sie.

Bevor Helen reagieren konnte, ertönte eine tiefe, leise Stimme.

»Schon in Ordnung, Steff. Die gehören zu mir.«

Jimmys Hände huschten über die Knöpfe und Schalter. Zu seiner eigenen Überraschung bewegte er sich völlig ruhig und kontrolliert, obwohl in ihm ein Sturm aus Wut, Verwirrung und Angst tobte.

Er ging im Sturzflug nach unten und schoss knapp über

den Hausdächern einer nordfranzösischen Stadt dahin. Er wusste, die Kampfjets würden niemals das Leben von französischen Zivilisten riskieren.

Das rote Licht im Cockpit hörte auf zu blinken, dann schaltete es sich vollständig aus. Der Bordcomputer zeigte an, dass die Lenkraketen der Jets deaktiviert worden waren und nicht länger auf sie zielten. Die Piloten warteten ab.

Rasch riss Jimmy die Maschine wieder nach oben. Der Helikopter schoss senkrecht in die Luft und dann zurück in die Richtung, aus der sie gekommen waren. Die zwei Kampfjets donnerten unter ihnen vorbei. Sie würden drehen müssen, um einen neuerlichen Angriff zu starten.

Jimmy beobachtete Marla aus den Augenwinkeln. Trotz der Gefahr blieb sie völlig ruhig und starrte Jimmy an wie ein unlösbares Rätsel.

»Jimmy«, sagte sie leise, »wenn sich das Actinium nicht in diesem Koffer in der Wüste befindet, wo ist es dann?«

Jimmy schwieg, als hätte er sie nicht gehört, und konzentrierte sich auf die Flugmanöver des Helikopters.

»Wo ist es, Jimmy?«, drängte Marla.

Jimmy holte tief Luft, konnte damit aber die in ihm brodelnde Wut nicht besänftigen. »Ich dachte, ich wäre immun, verstanden?«, schrie er. »Ich wusste es nicht!«

»Wo ist es?«

Auch Marla schrie jetzt und begegnete Jimmys Wut mit ihrer eigenen Willensstärke. Doch Jimmy wollte es nicht verraten.

Marla fragte nicht erneut. Stattdessen griff sie hinüber und packte Jimmy bei den Schultern. Sie riss ihn herum, sodass sich seine Hände von den Kontrollinstrumenten lösten und er ihr direkt in die Augen sah.

Was tut sie da?, dachte Jimmy verzweifelt. *Will sie, dass wir abstürzen?* Der Helikopter würde sicher für kurze Zeit stabil in der Luft bleiben, aber in weniger als einer Minute wären die französischen Kampfjets zurück und würden sie angreifen.

Und plötzlich, nach einem tiefen Luftholen, rammte Marla ihre Faust in Jimmys Bauch.

Der Schlag presste alle Luft aus seinem Körper, er klappte nach vorne zusammen und umklammerte seinen Bauch. Seine Agenteninstinkte ließen seinen gesamten Körper heftig vibrieren. Seine Handkante krümmte sich, bereit zum Gegenangriff. Eine Attacke wäre so einfach gewesen, denn beide Cockpittüren standen immer noch offen. In seinem Kopf visualisierte er bereits die Bewegungen – *wegdrehen, Marla packen, aus dem Helikopter schleudern.* Doch Jimmy rührte sich nicht. Er wollte nicht.

Er keuchte. Es fühlte sich an, als würde er nie wieder Luft bekommen.

Marla schlug ein zweites Mal zu, diesmal mit den Fingerknöcheln. Der Schlag war schärfer, härter und zielte genau auf seinen Magen.

Für Jimmy fühlte es sich an, als wollte sie mit ihren Fingern seine Bauchdecke durchdringen und ihm die Eingeweide herausreißen.

In seinen Lungen war nicht mehr das geringste bisschen Atemluft verblieben. Er zwang sich, die Umklammerung seiner Hände zu lösen. *Richte dich auf,* befahl er sich selbst.

Biete ihr ein Ziel. Wenn Sie dich schlagen will, lass es zu. Er streckte die Arme zu beiden Seiten aus, soweit das in der engen Kabine möglich war, und präsentierte Marla seine Vorderseite. Der Schmerz ließ Tränen in seine Augen steigen, aber er würde sich nicht wegducken.

Marla hämmerte ihre Fäuste abwechselnd in seinen Magen: links, rechts, links, rechts ... jedes Mal härter und härter. Sie weinte jetzt und stieß bei jedem Schlag ein wildes Stöhnen aus.

Dann hob Jimmy die Hand, um sie zu stoppen. Es war genug. Er konnte es fühlen. Sie hatte instinktiv das Richtige getan. Und nun konnte er sein Geheimnis nicht länger vor ihr verbergen.

Jimmy sackte in sich zusammen und legte den Kopf auf das Steuerpult. Dann würgte er zwei Mal heftig. Er drehte sich zu Marla, die er durch seine tränenverschleierten Augen kaum sehen konnte, und erbrach sich vor ihren Füßen.

Marla verzog keine Miene. Genau das war ihre Absicht gewesen und Jimmy wusste es.

Er hatte in den letzten vierundzwanzig Stunden kaum etwas gegessen, daher kam zunächst nichts. Doch dann würgte er in schneller Folge mehrere von gelber Gallenflüssigkeit bedeckte, leuchtend blaue Steine hervor: das Actinium.

Jimmy hing jetzt nur noch halb auf seinem Sitz und musste sich am Boden abstützen. Der Helikopter schwankte bedrohlich. Die ganze Kabine vibrierte. Der Rotor über ihren Köpfen flatterte. Doch Marla und Jimmy waren wie erstarrt. Sie blickten erst einander an und dann den Haufen Actinium zu Marlas Füßen.

Marla, unfähig zu sprechen, bewegte nur stumm die Lippen: *Warum?*

Jimmy konnte zuerst nicht antworten. Das Atmen fiel ihm immer noch schwer, außerdem gab es eine Aufgabe mit höherer Priorität. Er hievte sich zurück in seinen Sitz und legte entschlossen die Hände auf den Steuerknüppel, gerade als der Helikopter endgültig abzuschmieren drohte. Er packte ihn fest und brachte die Maschine rasch wieder auf Kurs.

»Du verstehst nicht«, keuchte Jimmy. Er wischte sich mit seinem Ärmel über den Mund. Seine Worte kamen stoßweise, die Sätze wurden von verzweifeltem Luftschnappen unterbrochen. »Stovorsky sollte glauben ... ich hätte es in der Wüste versteckt ... damit er Mum ... und Georgie in Sicherheit bringt.«

Marla konnte den Blick nicht von dem Actinium wenden. Sie presste sich in ihrem Sitz ganz nach hinten und versuchte jede Berührung mit den strahlenden Steinen zu vermeiden, obwohl sie wusste, dass es ohnehin zu spät für sie war.

»Es war der einzige Weg ...« Jimmys Stimme kehrte jetzt langsam zurück. »Auf die Art habe ich wenigstens nicht alle um mich herum verseucht ... mein Körper sollte es isolieren ... wie der Bleikoffer ...« Er stemmte sich mit ganzer Kraft gegen den Steuerknüppel, worauf der Helikopter rasant beschleunigte.

»Idiot!«, schrie Marla. »Du hast alle anderen beschützt, aber dich selbst vergiftet!«

»Ich dachte, das Zeug kann mir nichts anhaben!« Jimmy versuchte ebenfalls zu schreien, aber ihm fehlte die nötige Kraft.

»Du hast vergessen, dass du menschlich bist.«

»Ich bin *nicht* menschlich!«

»Doch, das bist du!« Marla knuffte ihn leicht gegen die Schulter und Tränen strömten über ihr Gesicht. »Du bist vielleicht ein bisschen anders als wir Übrigen, aber … aber … schau dich doch an! Du handelst und denkst und fühlst wie jeder andere Mensch. Nein – stimmt nicht. Du bist einer der besten Menschen, denen ich begegnet bin.«

Jimmy blickte zu ihr hinüber, doch sie wandte den Blick ab.

»Du bist menschlich. Wenn du das vergisst, dann zerstörst du dich selbst.«

Jimmy wusste nicht, was er erwidern sollte. Ihre Worte hallten in seinem Kopf wider.

Draußen senkte sich die Dunkelheit um sie herab. Sie hatten die Lichter der französischen Städte hinter sich gelassen und flogen jetzt über dem Wasser. Nebelfetzen huschten an ihnen vorbei wie aus der Hölle entkommene Geister.

Jimmy biss die Zähne zusammen und drückte ein paar Knöpfe auf dem Steuerpult. Er aktivierte das *Saphir-M-Täuschkörper-System* – die eingebaute Raketenabwehr des *Tigers*.

»Aber meine DNA …«, flüsterte Jimmy kaum vernehmlich.

»Wen kümmert denn deine DNA?«, schrie Marla.

»MICH!«

Sein Schrei ging in einer gewaltigen Explosion unter. Eine französische Rakete hatte die Wolke von Täuschkörpern hinter dem Helikopter getroffen und detonierte keine zwei Meter neben ihnen. Der Helikopter wurde zur Seite geschleudert und Jimmy verlor die Kontrolle über die Maschine.

Hinter dem Pub-Stand im Bahnhof von St Pancras tauchte ein Mann in einem schäbigen braunen Mantel, zu weiten Trainingshosen und mit einer tief in die Stirn gezogenen Kappe auf.

»Viggsy!«, flüsterte Felix.

Christopher Viggos unfreundliche Miene schmolz zu einem Lächeln. Er hob eine Hand und Felix klatschte ihn begeistert ab.

»Mir war klar, dass ich euch nicht auf Dauer loswerden würde«, sagte Viggo.

»Warum wolltest du uns überhaupt loswerden?« Helen lächelte nicht. »Weißt du eigentlich, was wir auf der Suche nach dir durchgemacht haben?« Sie stieß ihn gegen die Brust.

Er stolperte rückwärts und hob zur Selbstverteidigung die Hände.

»Ich habe euch geschützt«, protestierte er leise, während er beständig die Haupthalle des Bahnhofs auf mögliche Beobachter hin kontrollierte. »Ihr hättet lieber weiter in eurer –«

»Uns geschützt?« Helen schubste ihn erneut, diesmal noch fester.

»Das hat den Armen ja so viel Mühe gekostet«, spottete Felix leise und schüttelte den Kopf.

»Du hast echt keinen Schimmer, oder?«, fuhr Helen fort und konnte nur mit Anstrengung ihre Stimme dämpfen. »Glaubst du vielleicht, du kannst die Welt alleine verändern? Ist dir überhaupt klar, dass Felix' Eltern entführt worden sind?«

»Entführt?« Viggo wirkte geschockt. »Von wem? Wo ist das passiert?«

»Siehst du!« Helen schubste ihn erneut, diesmal noch fester.

Viggo packte ihr Handgelenk und zog sie hinter den Stand.

Felix und Georgie folgten.

»Wir brauchen dich, Chris«, flüsterte Helen. Sie sah ihm tief in die Augen. Ihre Stimme wurde sanfter. »Und du brauchst uns.«

»Was glaubt ihr denn, was ihr hier bewirken könnt?«, zischte Viggo. »Selbst wenn Felix' Eltern entführt wurden. Der einzige Weg, das alles in Ordnung zu bringen, ist, diese Regierung abzusetzen. Und das kann ich nicht, solange Kinder in meiner Nähe sind.«

»Hey!«, protestierte Felix.

»Er hat recht«, sagte Georgie. »Wir sind immer nur im Weg.«

»Aber schließlich können wir nirgendwo sonst hin, oder?«, erinnerte sie Felix. »Jemand hat heute Abend versucht, mich in die Luft zu sprengen.«

Bevor Viggo reagieren konnte, schaltete sich Helen ein.

»Geht es dabei wirklich um die Kinder?«, fragte sie bitter. »Oder geht es nicht eher um mich?«

Viggo schwieg verblüfft. Die beiden fixierten einander und Viggo hielt Helen dabei immer noch an den Handgelenken fest. Langsam lockerte sich sein Griff.

»Es tut mir leid«, flüsterte er mit heiserer Stimme. »Wie geht es …«

»Jimmy?« Helen schüttelte den Kopf. »Wir wissen es nicht.« Sie senkte den Blick zu Boden. »Er hat einige sehr erstaunliche Dinge vollbracht, damit wir hierher zurückkommen konnten, ohne gleich vom *NJ7* getötet zu werden.«

»Das scheint aber nicht lange gewirkt zu haben.«

Sie blickten einander erneut tief in die Augen, die Gesichter nur wenige Zentimeter voneinander entfernt, als würden sie ein langes Gespräch ohne Worte führen.

»Also«, schaltete sich Felix vergnügt ein. »Wenn du nicht gerade im Alleingang gegen das Böse kämpfst, hängst du also hinter falschen Pubs ab, richtig?«

Viggo versuchte zu lachen, doch es klang mehr wie ein trockenes Husten.

»Wie geht's eigentlich Saffron?«, erkundigte sich Georgie. Die Frage galt eigentlich Viggo, doch sie sah dabei ihre Mutter an.

»Sie ist –« Viggo erstarrte. Er hatte etwas gehört. Rasch spähte er hinter dem Stand hervor und seine Augen wurden weit. »Ist euch jemand gefolgt?«

»Nein«, erwiderte Helen. Durch die Anspannung in ihrem Hals sprach sie etwas zu laut. »Ich –«

Urplötzlich segelte eines der Metalltischchen des Pubs wie ein Geschoss auf ihre kleine Gruppe zu.

Viggo riss im letzten Moment den Arm hoch, um seinen Kopf zu schützen, doch der Tisch traf ihn voll, sodass er zu Boden ging.

»Raus aus dem Bahnhof«, schrie er. »Sofort!« Dabei sprang er auf und sprintete hinaus in die Haupthalle.

Felix spähte ihm hinterher und war verblüfft über den Anblick, der sich ihm dort bot. Die Gäste vor dem Pub wichen erschrocken zurück. In ihrer Mitte stand ein kräftiger 14-jähriger Junge, der einen Metallstuhl schwenkte.

»Mitchell!«, schnaufte Felix.

Viggo rannte auf den jungen Agenten zu, der ruhig dastand wie ein Baseballplayer, der vor dem alles entscheidenden Schlag auf den perfekten Moment wartete.

Und dann schleuderte Mitchell den Stuhl in Richtung von Viggos Kopf.

Im allerletzten Augenblick ging Viggo in die Knie, schlitterte aber stark zurückgelehnt weiter über den Boden. Er befand sich dabei in einem so extremen Winkel, dass er unter dem Stuhl hindurchglitt. Mitchells Gesicht verzog sich zu einer Grimasse ungläubiger Enttäuschung.

Und dann bemerkte Felix, dass Viggos Turnschuhe Räder in den Absätzen hatten.

»Das ist so cool«, flüsterte er.

»Kommt jetzt«, mahnte Helen. »Lasst uns von hier verschwinden.«

KAPITEL 34

Jimmy kam es vor, als würde die ganze äußere Welt gewaltsam in seinen Schädel eindringen und sein Gehirn zum Explodieren bringen. Er war aus seinem Sitz geschleudert worden und hatte keine Ahnung, wo er sich befand. Schließlich gelang es ihm, seinen Blick zu fokussieren – er saß auf dem Boden des Cockpits und starrte direkt auf den Haufen mit Actinium. Erneut überfiel ihn Panik.

»Jimmy!«, hörte er. »Hilf mir!«

Er blickte auf. Marla kämpfte mit dem Steuerknüppel und drückte hektisch irgendwelche Schalter. Aber Jimmys Bewusstsein war zu träge. Irgendetwas hielt ihn zurück, verlangsamte seine Gedanken und sog die Energie aus seinen Muskeln. *Es ist die radioaktive Vergiftung*, dachte er. *Sie tötet mich und ich kann es nicht aufhalten.*

Gleichzeitig wusste er, dass das nicht stimmen konnte. Noch nicht. Sein Körper kämpfte gegen sich selbst. Seine Agenteninstinkte schalteten sich ein, vibrierten in seiner Brust und drängten ihn zum Handeln. Sie würden niemals aufgeben. Das Einzige, was ihn zurückhielt, war das Gefühl absoluter Hoffnungslosigkeit.

»Mach schon!«, schrie Marla.

Jimmy hörte ihren Ruf wie aus weiter Ferne. Er schloss

die Augen. Vor sich sah er die Gesichter seiner Schwester, seiner Mutter und von Felix. Was geschah mit ihnen? Dann erschien ein weiteres Gesicht – das seines Vaters.

»Jimmy!«, brüllte Marla. »Du musst zurück nach Großbritannien!«

Jimmy sprang auf und beugte sich über das Steuerpult. Durch die Glaskanzel des Cockpits sah er die gewaltigen Wellen, die sich wie schwarze Schlangen in ihre Richtung aufbäumten.

Jimmy riss den Steuerknüppel nach hinten und zur Seite und veränderte die Richtung der Rotoren. Der Luftwirbel warf den Helikopter zur Seite, aber genau im richtigen Sekundenbruchteil hieb Jimmy seine Hand erneut gegen den Steuerknüppel, und die ganze Maschine sauste ein Stück nach oben und dann im richtigen Kurs weiter voran.

»Alles okay?«, rief Jimmy.

Marla klammerte sich an ihren Sitz, aber sie lächelte.

»Ich werde sie abschütteln«, rief Jimmy, während sie dicht über die Wasseroberfläche dahinsurrten. Ohne einen Blick auf die Monitore zu werfen, wusste er, dass die beiden Flugzeuge dicht über ihnen waren und sich feuerbereit machten. Jimmy öffnete die Abdeckung des Raketenauslösers, und bevor Marla reagieren konnte, legte er den Schalter um.

Eine Rakete fauchte aus der Halterung auf der linken Seite des Hubschraubers. Kaum eine Sekunde später tauchte sie ins Wasser ein. Drei Sekunden später detonierte sie auf dem Meeresgrund. Eine gewaltige Wasserfontäne schoss vor ihnen in die Luft, doch sie flogen direkt hindurch. Der gewaltige Druck von unten hob sie noch weiter nach oben. Jimmy verlor keinen Augenblick die Kontrolle.

»Was machst du da?«, schrie Marla.

»Ich will so dicht an die Flugzeuge ran wie möglich«, erwiderte Jimmy. »Sie sollen mich sehen.«

Mitchell wirbelte herum und rannte durch die Bahnhofshalle auf Viggo zu. Er pflügte die Schaulustigen beiseite.

Plötzlich stand er einem Polizeibeamten gegenüber.

»Verlass sofort den Bahnhof!«, befahl ihm der Polizist.

Mitchell blieb stehen und blickte sich um.

Die Polizisten zogen sich wie ein Netz in der Mitte der Haupthalle zusammen und drängten die Reisenden und Passanten beiseite.

Viggo war eingekreist, doch er hatte bereits eine Fluchtroute entdeckt. Ohne sein Tempo zu verlangsamen, kletterte er an der gewaltigen Statue Ares Hollingdales empor zur gläsernen Stirnseite der Bahnhofshalle.

»Was ist auf der anderen Seite dieser Glaswand?«, schrie Mitchell.

»Du musst augenblicklich den Bahnhof verlassen!«, wiederholte der Polizist.

Mitchell knirschte mit den Zähnen und zog den Ärmel seines Mantels hoch. An der Unterseite seines Handgelenks befand sich auf der noch rot entzündeten Haut ein frisches Tattoo: ein grüner Streifen.

»Ich habe gefragt, was auf der anderen Seite dieser Glaswand ist?«, wiederholte er.

Das Verhalten des Polizisten veränderte sich schlagartig. »Dort ist nur das Dach des nächsten Gebäudes und die Leiter zur Uhr«, erklärte er rasch.

»Dann erschießen sie ihn!«, befahl Mitchell. »Denn wenn er die Uhr erreicht, entwischt er uns durch die Servicetür für das Wartungspersonal.«

»Ihn erschießen?«, schnaufte der Polizist. »Vor all diesen Leuten? Menschen mit Handykameras? So machen wir ihn zum Märtyrer. Er wird populärer als je zuvor.«

»Tun Sie es einfach!«

»Tut mir leid, aber –«

»Aber *was?*« Mitchell spähte an dem Polizisten vorbei und sah, dass Viggo sich bereits dem Kopf der Statue näherte.

»Ich brauche einen Schießbefehl von meinen Vorgesetzten«, erwiderte der Beamte.

»Ich *bin* Ihr Vorgesetzter!«, brüllte Mitchell, aber der Polizist senkte bereits den Mund zu seinem Walkie-Talkie.

»Das wird weniger als zwei Minuten dauern«, erklärte er Mitchell. »Wir schießen, sobald wir –«

»Wir haben keine zwei Minuten.«

Mitchell rannte zu der Statue und kletterte an ihrem Sockel empor. In kürzester Zeit hatte er Hollingdales Hüfte erreicht, doch Viggo war bereits bei der Glaswand unterhalb der Uhr. Und dann sah Mitchell aus den Augenwinkeln, wie Helen, Felix und Georgie unbemerkt von der Polizei den Bahnhof verließen.

Mitchell wurde klar, wie clever Viggo vorgegangen war. Indem er inmitten der Bahnhofshalle einen Tumult erzeugt hatte, zog er die Aufmerksamkeit der Sicherheitskräfte auf sich und ermöglichte seinen Freunden die Flucht.

Die können warten, dachte Mitchell. *Viggo ist das Ziel. Jetzt bringe ich es zu Ende.* Er spürte den überwältigenden Drang, seine Mission erfolgreich abzuschließen.

Mitchells Finger krallten sich in jede noch so kleine Falte der Bronzestatue und er kletterte in einem raschen, regelmäßigen Rhythmus. Oben angekommen stellte er sich auf Hollingdales Kopf. Er hörte die Schreie und das erstaunte Luftschnappen der Menge unter sich, doch das hielt ihn nicht auf. Er sprang nach oben, packte den untersten Stahlträger und zog sich hinauf.

Viggo war direkt über ihm und kletterte an den Glasscheiben zur Uhr hinauf. Jede Scheibe war etwa dreißig Zentimeter hoch und hatte einen dünnen Holzrahmen.

Mitchell kletterte an diesen Rahmen so geschmeidig empor wie an einer Leiter. Nach wenigen Sekunden war er bereits nahe genug herangekommen, um Viggos Fußgelenk zu packen. Doch der Mann hatte ihn kommen sehen. Viggo trat nach unten aus. Mitchell beschleunigte sein Tempo noch.

Viggo war jetzt nur noch wenige Zentimeter vom unteren Rand der Uhr entfernt, aber Mitchell hangelte sich blitzschnell auf gleiche Höhe mit ihm und rammte dann seinen Handballen in Viggos Gesicht.

Viggos Kopf wurde zurückgeschleudert. Seine Kappe fiel hinunter in die Menge und Blutstropfen aus seiner Nase sprenkelten die weiße und goldene Uhr. Seine Füße verloren den Halt und er krallte sich jetzt nur noch mit den

Fingerspitzen an dem Holzrahmen fest. Sein Hinterkopf war ungeschützt und in Mitchells unmittelbarer Reichweite. Ebenso gut hätte dort eine Zielscheibe aufgemalt sein können. *Ein einziger gezielter Schlag*, dachte Mitchell. *Beende die Mission. Erledige ihn.*

Er holte mit dem Arm aus, doch Viggo gab noch nicht auf. Er trat mit beiden Beinen seitlich aus und traf mit den Knien Mitchells Solarplexus. Der junge Agent krümmte sich. Seine Finger lösten sich von der Glaswand. Doch seine Instinkte veranlassten ihn zu einem gewaltigen Sprung, und es gelang ihm, sich an den Verzierungen am Unterteil der Uhr festzuklammern.

Mitchell befand sich jetzt auf einer höheren Position als seine Zielperson. Und Viggo war nach seinem Tritt in einer instabilen Lage. Mit dem Rücken zum Glas hielt er sich nur noch mit einer Hand fest und die Vorderseite seines Körpers war wehrlos. Mitchell holte tief Luft und hob den rechten Arm über den Kopf.

»Genau hierhin zielen, richtig?«, sagte Viggo plötzlich und deutete auf die Unterseite seiner Kehle. Seine Worte schienen durch den gesamten Bahnhof zu hallen. »Darauf wurden wir doch trainiert, richtig?«

Mitchell fühlte das Blut in seinen Fingerspitzen pulsieren. Er krümmte die Finger für den Handkantenschlag und fixierte den kleinen Bereich direkt über Viggos Schlüsselbein. Mit einem guten Treffer konnte er die Sauerstoffversorgung zum Gehirn unterbrechen.

»Komm schon«, provozierte ihn Viggo, zog den Hemdkragen herunter und reckte die Brust vor, um Mitchell den

Schlag noch leichter zu machen. »Genau hierhin. Bring es jetzt zu Ende.«

Mitchells Blick zuckte zu Viggos Gesicht. Was tat dieser Mann? Wollte er denn nicht überleben?

»Ohne mich wird diese Regierung niemals abgesetzt werden, richtig?«, zischte Viggo. »Lang lebe die Neodemokratie und der Krieg, es liegt ganz in deiner Hand.«

Mitchell starrte dem Mann in die Augen. Er sah dort nicht die geringste Furcht. Mitchell hatte nie zuvor eine so beherrschte Leidenschaft und so einen kontrollierten Zorn erlebt.

»Aber die Diktatur wird sich nicht mehr lange halten, Mitchell«, fuhr Viggo fort. »Nicht, wenn du jedem da unten gezeigt hast, zu was diese Regierung imstande ist.«

Stoppe ihn, befahl Mitchell sich selbst. *Bringe es zu Ende*. Sein Gehirn sagte ihm, dass er nie wieder eine bessere Gelegenheit erhalten würde. Und doch fühlte es sich an, als würde Beton durch seine Adern fließen, seine Bewegungen verlangsamen und die Gedanken erstarren lassen.

»Schau nach unten«, flüsterte Viggo. »Ich kämpfe für meinen Glauben und dafür werde ich sterben. Großbritannien braucht mich jetzt nicht mehr als Kämpfer. Nach dieser Aktion hier werden die Menschen meine Reden nicht mehr nötig haben. Sie werden wissen, was zu tun ist. Sie werden selbst für ihre Rechte eintreten.«

Mitchell versuchte Viggos Worte zu ignorieren. Politik interessierte ihn nicht. Das hier war sein Job, seine Mission. Der *NJ7* war sein Leben. Ohne den Geheimdienst hatte er keine Perspektive. Das war es, woran er glaubte.

Er zwang sich, neue Hitze und Energie in seine Muskeln zu pumpen. Ein heißer Funke zuckte durch seinen Arm und explodierte in reiner Kraft.

»Die Menschen wissen überhaupt nichts«, knurrte Mitchell. Sein Arm schoss nach unten.

Viggo schloss die Augen.

Aber genau in diesem Sekundenbruchteil krachte ein Gewehrschuss. Eine Kugel surrte an Mitchells Ohr vorbei und seine Hand verfehlte knapp ihr Ziel.

Miss Bennett hat den Schießbefehl erteilt!, dachte er unwillkürlich.

KRACH!

Glas splitterte.

Mitchell sah Viggo in einem Regen aus Scherben, Holzsplittern und Blut nach hinten stürzen. Die Augen des Mannes waren immer noch geschlossen. Gleich darauf war er in der Dunkelheit verschwunden.

Mitchells Füße hatten den Halt auf dem Holzrahmen verloren. Er baumelte an einer Hand von der Uhr und blickte in die Tiefe. In der Bahnhofshalle herrschte Chaos. Menschen waren durch die herabfallenden Glassplitter verletzt worden und bluteten, andere schrien, rannten weg oder starrten einfach hinauf zu Mitchell, während die Polizei versuchte wieder Ordnung herzustellen.

Auf der anderen Seite der Glaswand konnte Mitchell das Dach des angrenzenden Gebäudes sehen.

»Wo bist du?«, flüsterte er.

Aber nirgendwo bewegte sich etwas. Außer dunklen Schatten konnte er nichts erkennen.

»Du willst, dass sie dich sehen?« Marla war fassungslos.

Sie stiegen nach oben und schossen durch die Wolken, bis sie auf einer Ebene mit den Cockpits der zwei Kampfjets waren.

»Halte den Steuerknüppel«, befahl Jimmy.

»Was?«, staunte Marla.

»Halte ihn einfach nur in Position. Mehr brauchst du nicht zu tun.« Er nahm seinen Helm ab und schaufelte das Actinium hinein.

»Was machst du da?« Marla umklammerte ängstlich den Steuerknüppel. »Ich glaube, sie werden feuern. Das Raketenwarnsystem blinkt –«

Doch Jimmy hangelte sich bereits an einem der seitlichen Pylonen, an denen die Raketen befestigt waren, aus dem Helikopter. Sie standen zu beiden Seiten wie Stummelflügel vom Rumpf des Helikopters ab. Jimmy hielt den Riemen seines Helmes zwischen den Zähnen, damit er sich mit den Händen festhalten konnte. Der Wind zerrte gewaltig an seinen Schultern, seine Muskeln und Knochen schmerzten. Innerlich zählte er alle Verletzungen der letzten Zeit auf, die sein System geschwächt hatten und die es wahrscheinlicher machten, dass sich sein Griff lockern und er in die Tiefe stürzen würde.

Sein Helm baumelte gegen seine Brust. In dem dämmrigen Licht, dem ganzen Dunst und Nebel, glühten die Actinium-Steine wie ein Leuchtfeuer. Jimmy hatte das Gefühl, als würden sie sich durch den Helm, sein Hemd und seine Haut brennen. *Beachte es nicht weiter*, dachte er. Dieses Zeug konnte ihm ohnehin nicht mehr viel anhaben.

Aber es konnte ihm helfen, nach Großbritannien zu gelangen.

Als er die Rakete erreichte, riss er eine Klappe auf, wobei er mit einer Hand arbeitete und sich mit der anderen an dem Stummelflügel festklammerte.

Im Inneren der Rakete kam ein Gewirr von Drähten und elektronischen Vorrichtungen zum Vorschein, aber Jimmys besondere Fähigkeiten erlaubten es ihm, die Stromkreise und Details der Schaltpläne problemlos zu verstehen. Die komplexe Elektronik war für ihn so einfach lesbar wie das Menü eines Fast-Food-Lokals.

Jimmy löste den Sprengkopf aus seiner Halterung – ein rot-blauer Zylinder in der Form einer großen Batterie – und warf ihn hinunter in den Nebel. Dann kippte er sorgsam die leuchtenden Actinium-Steine in die leere Kammer an der Spitze der Rakete.

Als er fertig war, kletterte er zurück zur Seite des Helikopters. Selbst in dieser Höhe konnte er die salzige Seeluft schmecken. Nachdem Jimmy zurück ins Cockpit geschlüpft war, ließ er den Helm zu Boden fallen und übernahm wieder den Steuerknüppel.

»Glaubst du, er hat mich gesehen?«, keuchte er und spähte durch den Nebel hinüber zu einem der beiden Kampfjets.

»Ich glaube, du bist verrückt«, rief Marla zurück. »Wir sitzen in der Falle, haben nicht die geringste Möglichkeit, uns zu verteidigen, und werden demnächst einfach abgeknallt.«

Jimmy blickte von Marla hinüber zu den Kampfjets und

wieder zurück. Die roten Reflexe der Warnlichter auf dem Kontrollpult leuchteten auf Marlas dunkler Haut. Der Helikopter befand sich jetzt im Lenkraketenvisier der Kampfjets.

»Und warum haben sie dann noch nicht gefeuert?«, fragte Jimmy ruhig. »Auf was warten die wohl?«

Hoch oben im Kontrolltower der Sauvage-Militärbasis hockte Uno Stovorsky und hielt einen Kaffeebecher umklammert. Seine Hände zitterten noch immer. Vor ihm saß ein Team aus drei Fluglotsen und überwachte die Ereignisse über dem Ärmelkanal.

Aber Stovorsky war innerlich abwesend. Er starrte auf die Wand über den Computermonitoren und nickte abwesend, während ihn sein Team auf dem Laufenden hielt.

Das Porträt eines älteren Mannes blickte auf ihn herab – Dr. Memnon Sauvage. Der Mann, nach dem dieser Flughafen benannt war. Ein Held des Nachrichtendienstes, der sein Leben geopfert hatte, um französische Geheimnisse zu schützen. Der Mann, der Zafi geschaffen hatte.

Stovorskys Kopf dröhnte und seine Augen waren schwer vor Müdigkeit. Er hörte die eigene Stimme in seinem Schädel widerhallen. Jimmys Mutter, Schwester und dessen bester Freund – er hatte persönlich den Befehl gegeben, sie zu töten.

Zwei Kinder, dachte er. Er nahm einen Schluck Kaffee, doch das konnte den bitteren Geschmack in seiner Kehle nicht beseitigen. *Er hat mich dazu gezwungen*, dachte er, aber das linderte nicht den bohrenden Schmerz in seinem

Schädel. Er hielt den Blick unverwandt auf Dr. Sauvages ernstes Gesicht gerichtet. »Es war die einzige Möglichkeit!«, rief er auf Englisch.

Die anderen Männer im Kontrolltower fuhren herum und blickten ihn an.

»Sir?«, erwiderte einer von ihnen, obwohl er kaum Englisch beherrschte. Aber egal, welche Sprache sein Chef auch verwendete, er würde nach Möglichkeit versuchen, ihm ebenso zu antworten.

Stovorsky schüttelte den Kopf, peinlich berührt über seinen eigenen Ausbruch.

Dann meldete sich eine knisternde Stimme über Funk.

»Hier ist Hawk 7«, ertönte die Stimme eines der Kampfjetpiloten auf Französisch. »Wir haben das Ziel im Visier und sind feuerbereit.«

Stovorsky sprang auf. Er konnte es jetzt beenden. Aber der Pilot kannte doch seine Befehle – warum feuerte er denn nicht einfach? Gleichzeitig hämmerten in Stovorskys Kopf die Worte – *zwei weitere Kinder.*

Der Pilot fuhr mit seinem Funkspruch fort: »*Zielobjekt deponiert etwas in seiner zweiten Rakete. Es sieht aus wie eine Anzahl leuchtender Steine. Möglicherweise eine radioaktive Substanz. Erbitten weitere Befehle.*«

Das Knistern der Funkübertragung verstummte und im Kontrolltower herrschte Stille.

Die drei Fluglotsen blickten Stovorsky fragend an.

Stovorsky war wie erstarrt.

»Wie hat er nur …«, murmelte er. »Er muss es … irgendwie …«

»Was ist denn nun, Sir?«, fragte einer der Techniker. »Sollen sie ihn abschießen?«

Stovorsky wurde aus seinen Gedanken geschreckt. »*Non!*«, rief er. »*Non!*« Er schubste den Techniker beiseite und bellte auf Französisch ins Mikrofon: »Zurückziehen! Nicht feuern!« Kalter Schweiß rann ihm über den Nacken. »Ich wiederhole: Operation abbrechen! Augenblicklich zurückkehren und NICHT FEUERN!«

»Verstanden«, ertönte die Antwort.

Stovorsky ließ sich in seinen Stuhl zurücksinken.

»Aber so wird er es bis nach England schaffen«, protestierte einer der Fluglotsen.

»Der Junge transportiert radioaktives Material in einer Rakete«, erklärte Stovorsky.

Nach einer kurzen Pause wiederholte der Fluglotse seinen Vorschlag. »Möglicherweise ist es sicherer, ihn doch abzuschießen. Normalerweise braucht es ein ziemlich ausgefeiltes Equipment und viel technisches Know-how, um eine nukleare Kettenreaktion in Gang zu setzen. Selbst bei hochgradig instabilem Material …«

Stovorsky schnitt ihm das Wort ab. »Dieser Junge ist nicht … normal!« Er barg seinen Kopf zwischen den Händen. »Wer weiß schon, zu was der alles imstande ist?«

»Aber was ist mit Zafi? Die Briten werden herausfinden, dass sie immer noch lebt. Sie wird –«

»Dann ist das eben so.« Stovorsky stürmte zur Tür des Kontrollcenters. »Ich bin schließlich nicht der *NJ7*«, verkündete er mit hängendem Kopf. »Mir reicht es mit dem Töten für heute.«

In der Tür blieb er noch einmal stehen. Er blickte über die Schulter zurück zu dem Porträt über den Computern. »Besser ihr informiert Zafi, dass sie sich in Sicherheit bringen soll.«

Dann ging er, ohne auf eine Antwort zu warten.

KAPITEL 35

Helen, Felix und Georgie rannten die St Pancras Road hinauf. Die Straße war voller Menschen, einige liefen neugierig auf den Tumult im Bahnhof zu, andere flüchteten von dort.

Und dann hörten sie den Schuss.

Georgie und Felix blieben wie angewurzelt stehen.

»Was war das?«, keuchte Georgie.

»Weiter«, drängte Helen. »Wir müssen hier weg.«

»War das ein Gewehrschuss?«, fragte Felix.

Die drei blickten einander besorgt an. Dann hörten sie Schreie aus dem Bahnhof. Erst waren sie kaum zu verstehen, doch dann eilte eine verängstigte Frau an ihnen vorbei, und ihr Ausruf war klar und deutlich: »Sie haben ihn erschossen!«

»Nein!«, kreischte Felix.

Seine Sinneswahrnehmungen spielten verrückt und schienen sich gegenseitig auszulöschen. Er bekam kaum noch mit, was um ihn herum geschah, außer dass Georgie laut aufschluchzte. Seine Füße bewegten sich automatisch über das Pflaster, während Helen ihn weiter die Straße entlangzerrte.

Endlich schlüpften sie in den Schatten der großen Eisenbahnbrücke hinter dem Bahnhofsgebäude.

Durch seine Tränen hindurch sah Felix, wie Georgie an dem Brückenbogen zusammensackte. Helen kniete sich vor ihr nieder und hielt sie in den Armen. Dann forderte sie Felix mit ausgestreckter Hand auf, zu ihnen zu kommen.

»Keine Sorge«, sagte sie und hielt dabei nur mit Mühe ihre eigenen Tränen zurück. »Wir wissen es ja noch nicht sicher.«

»Aber was, wenn er …« Plötzlich verstummte Felix verdutzt. Im Schatten des Brückenbogens war die Silhouette einer Frau aufgetaucht.

Felix bewegte sich auf sie zu und traute kaum seinen Augen.

»Saffron!«, rief er entgeistert.

Helen und Georgie fuhren herum und Saffron Walden trat hinaus ins Licht. Ihr Arm lag immer noch in einer Schlinge, aber ansonsten wirkte sie kräftig und gesund. Sie stand hoch aufgerichtet und in einem langen schwarzen Mantel da.

»Saffron!«, rief Helen aus. »Geht es dir gut?«

Felix stürzte auf die Frau zu, blieb aber einen halben Meter vor ihr plötzlich wie erstarrt stehen. Ihr Mantel war von der Brise aufgeweht worden, und Felix hatte einen Blick auf etwas metallisch Blitzendes erhascht: der lange Lauf eines Gewehrs.

»Du …«, sagte er und bekam kaum ein Wort heraus. »*Du* hast Chris erschossen?«

Saffron strahlte ihn an. »Keine Sorge«, erwiderte sie leise. »Er hat gute Chancen, es zu überleben.«

»Was?«, rief Helen, sprang auf und stellte sich zu Felix. »Saffron? Du warst das?«

Bevor sie noch weiter fragen konnte, hörten sie Schritte hinter sich. Alle wirbelten herum, und Felix glaubte, sein Kopf würde gleich endgültig vor Verwirrung explodieren.

Dort stand, leicht außer Puste und sich den Nacken reibend, Christopher Viggo. Als er Felix' Gesichtsausdruck bemerkte, stieß er ein raues Lachen aus.

Felix erwiderte das Lachen, in das sich ebenso viel Schrecken wie Erleichterung mischte.

»Du hast dir ziemlich Zeit gelassen, oder?«, rief Viggo in Saffrons Richtung. »Wenn ich noch ein Stückchen höher geklettert wäre, hätte ich mir beim Sturz den Hals brechen können.«

»Tut mir leid«, erwiderte Saffron. »Andererseits wäre eine kleine Vorwarnung über deine Absichten ganz nett gewesen. Außerdem bin ich ein bisschen außer Form.« Sie hob den Arm in der Schlinge ein Stück an.

»Du siehst aber gar nicht so aus«, murmelte Helen und wischte sich die Tränen von den Wangen. »Ihr schaut beide wunderbar aus.« Sie wusste nicht, wen sie als Erstes umarmen sollte, und am Ende wurde Felix inmitten einer einzigen großen Gemeinschaftsumarmung beinahe zerquetscht.

»Es ist so gut, euch zu sehen«, flüsterte Helen.

»Es ist auch gut, euch zu sehen«, erwiderten Saffron und Viggo gleichzeitig.

»Nächstes Mal zielst du bitte nicht so dicht neben mich«, fügte Viggo hinzu und deutete mit dem Finger auf Saffron.

»Nächstes Mal?« Saffron stieß ein spöttisches Lachen aus. »Wenn du noch einmal so eine Nummer durchziehst, dann ziele ich gleich zwischen deine Augen, alles klar?«

»Und was geschieht, wenn sie nach deiner Leiche suchen?«, fragte Georgie und klopfte sich den Staub von ihrem Hosenboden.

»Vermutlich haben sie bereits das Dach abgesucht, auf dem ich gelandet bin«, erwiderte Viggo und wischte einen kleinen Blutstropfen von seiner Nase. »Außerdem werden sie inzwischen herausgefunden haben, dass es kein Polizeischütze war, der mich erschossen hat.«

»Der dich *beinahe* erschossen hat«, verbesserte ihn Felix.

»Also los«, verkündete Viggo mit einem Lächeln. »Wir können hier nicht bleiben.«

Unter Viggos Führung marschierten sie alle weiter die Straße entlang.

»Wohin gehen wir?«, fragte Felix.

»Keine Sorge«, erwiderte Viggo. »Ich kenne einen sicheren Ort. Also, du wärst beinahe in die Luft gejagt worden, habe ich das richtig verstanden?«

»Oh Mann, das war so was von cool, ehrlich. Ich saß da und hatte ein bisschen Hunger …«

Felix' weit ausholender Bericht dauerte, bis sie alle ein ganzes Stück von Kings Cross entfernt in der Londoner Nacht untergetaucht waren.

Die beiden französischen Kampfjets schienen aus dem Himmel zu fallen.

In Wahrheit gingen sie einfach nur nach unten, wo sie in

einer dichten Nebelbank verschwanden, umdrehten und dann nach Paris zurückkehrten.

Marla und Jimmy lächelten sich an, aber Jimmy empfand keinen Triumph.

»Was wirst du jetzt tun?«, fragte Marla leise.

Jimmy verstand sie nicht, denn er hatte seinen Helm nicht wieder aufgesetzt. Allerdings ahnte er, was sie ihn fragen wollte.

»Wir müssen eine Lösung dafür finden«, fuhr sie fort, diesmal lauter. »Wir dürfen uns anderen Menschen nicht nähern, solange wir es haben. Wir müssen es entweder zerstören, vergraben oder irgendetwas anderes. Was hast du vor?«

Jimmy bekam nur mit Mühe Luft. Der schwarze Nebel draußen schien in seinen Körper einzudringen und sich dort zu einer schrecklichen Düsternis auszubreiten.

Zerstören – dieses Wort heizte Jimmys Wut an. Er stellte sich den Schaden vor, den das Actinium anrichten könnte. Und in sich spürte er immer noch die Hitze der Steine … die gewaltige Explosion der Ölbohrplattform … den donnernden Untergang von Mutam-ul-it …

Zerstören.

Plötzlich streckte sich seine Hand nach dem Auslöseknopf für die Raketen.

»Nein!«, keuchte Marla. Sie legte ihre Hand über seine und stoppte ihn.

Die Berührung schien Jimmy durch und durch zu gehen. Sie fühlte sich so sanft an – viel zu sanft für diese Situation. Jimmy spürte, wie das Eis in seiner Brust schmolz.

»Die Rakete wird nicht detonieren«, sagte er heiser. »Ich habe den Sprengkopf entfernt. Wenn wir tief genug gehen, können wir sie bis auf den Meeresgrund schließen. Die Rakete wird sich dort hineinbohren.«

Er hörte seine eigenen Worte, und sie ergaben durchaus Sinn, trotzdem war das nicht der Grund, warum seine Finger kurz zuvor in Richtung der Auslöser gezuckt waren.

»Ich werde das nicht zulassen«, beharrte Marla. Sie griff nach dem Fallschirm auf der Rückseite ihres Sitzes und schnallte ihn sich um.

»Was hast du vor?«, fragte Jimmy verwundert.

»Geh nach England, Jimmy. Finde deine Familie. Ich werde diese Steine wegbringen. Weit weg.«

»Aber wohin? Was hast du mit ihnen vor?«

»Ich weiß es noch nicht.« Marla kletterte über Jimmy hinweg zu der Seite des Helikopters mit der noch verbliebenen Rakete. Ihr langes Haar hing unter ihrem Helm hervor und streifte über Jimmys Gesicht. Ihre plötzliche Nähe überrumpelte Jimmy. Er wünschte, sie würde länger andauern. Doch dann entdeckte er die roten, entzündeten Stellen auf ihrem Nacken.

»Vielleicht vergrabe ich es«, fuhr sie fort. »So wie du es eigentlich hättest tun sollen.« Sie hielt sich am Rand des Cockpits fest, um sich dann vorsichtig an dem Stummelflügel entlangzuhangeln, so wie Jimmy es zuvor getan hatte.

Aber noch bevor sie weit gekommen war, streckte Jimmy den Arm aus und packte ihre Schulter. »Die haben dich getötet«, schrie er. »Willst du denn nicht –«

Marla schüttelte den Kopf. »Noch nicht, Jimmy«, lächelte sie. »Noch haben sie mich nicht getötet.«

»Aber wir sind beide radioaktiv verseucht. Wir werden ...« Angst regte sich tief in Jimmys Innerem. Er betastete seinen Nacken und suchte nach Verbrennungen. Sein Körper zitterte und seine Lippen bebten.

»Wenn ich sterbe«, sagte Marla, »dann will ich für eine gerechte Sache sterben. Du hast mir das ermöglicht, Jimmy.« Ihre großen braunen Augen leuchteten im Licht des Helikopters. Sie schienen weit wie Seen und Jimmy versank förmlich darin. Er wünschte, für immer in diese Augen blicken zu können.

»Du hast dafür gesorgt, dass ich nicht umsonst sterbe«, fuhr Marla fort. »Du hast Mutam-ul-it zerstört und jetzt können es meine Leute für sich selbst wieder aufbauen. Frankreich und Großbritannien werden uns nicht mehr kontrollieren.«

Jimmy wollte protestieren, doch seine Kehle war wie zugeschnürt. Die eiskalte Luft draußen schien sich in sein Herz zu bohren. *Geh nicht*, wollte er schreien. *Rette mich.*

Marla kletterte weiter hinaus. Als sie noch einmal zurückblickte, bemerkte sie die Panik in Jimmys Augen. »Nutze das, was du hast«, schrie sie, und ihre Worte wurden von dem gewaltigen Lärm beinahe ausgelöscht. »Lebe oder sterbe für eine gute Sache, Jimmy.«

Jimmy suchte nach einem Gefühl in seinem Inneren. Doch da war – nichts. Er fühlte sich vollständig leer und das war erschreckend. Er konnte nicht einmal mehr weinen.

Kurz darauf hing Marla nicht mehr am Helikopter, sondern an der Rakete selbst.

Jimmys Hände wanderten jetzt wie ferngesteuert über die Kontrollinstrumente. Seine Bewegungen schienen vom Gehirn abgekoppelt. Und plötzlich öffnete sich die Halterung der verbleibenden Rakete und ließ sie los, ohne sie abzufeuern.

Als Jimmy zur Seite blickte, sah er Marla zusammen mit der Rakete fallen. Sie hielt die Rakete mit den Armen fest umklammert vor der Brust. Und gerade als sich die Kuppel ihres Fallschirms öffnete, verschwanden sie im Nebel.

»Viel Glück, Marla«, flüsterte Jimmy.

Der Strand von Hastings war dunkel und verlassen. Heftiger Wind fegt über den Sand und hinterließ tiefe Rillen, die von den Wellen überschwemmt und in kleine Wasserläufe verwandelt wurden.

Etwa hundert Meter von der Wasserlinie entfernt reihten sich ein paar Lokale und Imbissbuden. Auch sie wirkten verlassen. Nur wenige Paare trotzten dem abendlichen Nieselregen und stocherten mit hölzernen Gäbelchen in ihren durchweichten Fisch und Chips.

Doch plötzlich ertönte im Heulen des Windes ein Dröhnen. Ein älteres Ehepaar an einer Bushaltestelle sah hinauf in den Himmel.

»Da ist nichts«, grummelte der Mann und stopfte sich eine weitere Pommes in seinen Mund.

»Doch«, erwiderte seine Frau. »Schau. Dort.«

Ihr Ehemann hielt mit der Hand seine Mütze fest und

legte den Kopf in den Nacken. Er lauschte und spähte. Da war unverkennbar ein leises Grollen. Und dann tauchte in den schwarzen Wolken ein Lichtpunkt auf. Aus dem Geräusch wurde ein beständiges Dröhnen. Ein weiteres Paar gesellte sich zu ihnen. Dann erschien eine Gruppe Teenager und blieb in der Nähe der Haltestelle im Regen stehen.

Langsam schälte sich ein einzelnes Licht aus dem Nebel und nahm Gestalt an. Die Rotoren eines Helikopters fegten die Wolke beiseite.

»Lass uns gehen«, knurrte der alte Mann seiner Frau zu. »Es ist sicher nur ein reicher Fußballspieler.«

Seine Frau packte seinen Arm. Ihre Fisch und Chips fielen herunter und klatschten auf den Gehweg.

Alle hielten jetzt ihre Mäntel und Hüte fest. Sie blinzelten gegen den Sandsturm an, der von den Rotoren aufgewirbelt wurde.

Der Helikopter landete vorsichtig auf dem Strand.

Inzwischen war die Menge noch weiter angewachsen – sicher an die fünfzig Menschen. Jedenfalls mehr, als die Restaurantbesitzer in den letzten paar Monaten auf der Straße gesehen hatten, daher kamen auch sie neugierig herausgelaufen.

»Das ist kein Fußballspieler«, keuchte die alte Dame.

In der Menge machte sich Verwirrung breit. Alle traten trotz des Regens unter den Dächern hervor, gebannt von dem Anblick, der sich ihnen bot.

Ein Junge kam den Strand heraufmarschiert, in einem zerrissenen Trainingsanzug, das Gesicht von Ruß verschmiert. Er konnte kaum älter als dreizehn sein.

Als er sich näherte, erhob sich ein Murmeln in der Menge. Der Junge fixierte die Menschen und hatte seinen Unterkiefer vorgereckt. Als er noch ein paar Meter entfernt war, wischte er sich mit dem Ärmel etwas von dem Schmutz aus seinem Gesicht. In seinen Augen funkelte wilde Entschlossenheit.

Einige in der Menge schnappten nach Luft. »Das ist der Junge aus den Nachrichten!«, rief die alte Dame. »Der den Premierminister ermordet hat!«

Die Menge wich zurück, doch der Junge kam immer näher. Die Unruhe in der Menge wuchs.

»Sie hat recht, er ist es«, bestätigte ein Mann.

»Dieses Gesicht – ich hab's auch im Fernsehen gesehen«, schrie ein weiterer Mann. »Er ist ein Killer, haben sie gesagt.«

»Aber es hieß doch, er wäre tot.«

Plötzlich schien sich die Miene des Jungen zu verdüstern und er blieb stehen. »Sehe ich für Sie etwa tot aus?«, rief er.

»Nein, aber … aber …«

Die Menge wich weiter zurück, verängstigt und gebannt zugleich.

Der Junge holte tief Luft und plötzlich herrschte Stille. »Sehen Sie sich mein Gesicht genau an«, befahl er. »Telefonieren Sie mit all Ihren Bekannten und erzählen Sie ihnen, dass Sie mich gesehen haben.« Seine Stimme vibrierte vor Leidenschaft. »Erzählen Sie jedem von dieser Begegnung und dass ich am Leben bin. Und sagen Sie ihnen, dass es vor meinem Ableben tief greifende Veränderungen in diesem Land geben wird.«

Mit diesen Worten machte er kehrt und sprintete zurück zum Helikopter.

Die Menge war so gebannt, dass sie sich erst wieder zu rühren begann, als der Junge schon im Cockpit saß. Die Motoren heulten auf. Dann flog der *Tiger* über den Strand, direkt auf die Menge zu. Erst im letzten Augenblick schoss er nach oben und hätte beinahe die Kappe vom Schädel des alten Mannes gerissen.

Während er über die Köpfe der Menschen hinwegglitt, beugte sich Jimmy Coates aus dem Cockpit und brüllte: »Erzählen Sie es allen: Ich bin zurück.«

JOE CRAIG

AGENT ZWISCHEN DEN FRONTEN

– VORAB-LESEPROBE –

IN LONDON

Das metallene Rollgitter knallte auf den Beton, schloss das Tageslicht aus und sperrte Jimmy in der Parkgarage ein. Schmale Lichtstreifen warfen sanfte Schatten zwischen die Wagenreihen. Jimmy erhob sich, klopfte den Staub ab, doch das Erste, was er erblickte, ließ seine Knie weich werden.

Neben der Einfahrt stand das Häuschen des Parkwächters. Auf dem Tisch im Inneren stand eine Teetasse und dampfte noch. Doch vom Kopf des Wachmannes war nicht mehr viel übrig.

Panisch drehte Jimmy sich weg und versuchte Luft zu holen. Doch mit jedem Atemzug schien er den Geruch von frischem Blut einzusaugen. Er wollte schreien, brachte aber nur ein verzweifeltes Keuchen heraus.

Er stolperte nach hinten, umklammerte mit der Hand Mund und Nase, als könnte er den üblen Geschmack auf die Art herauszerren. Nach schier endlosen Sekunden schalteten sich endlich seine Agentenkräfte ein. Sie vibrierten durch seinen Körper, verdrängten den Schock, doch es war zu spät. Jimmy beugte sich vor und gab seinen spärlichen Mageninhalt von sich.

Ein Teil von ihm hätte sich am liebsten in eine Ecke verkrochen, um wieder zur Besinnung zu kommen, doch das war keine echte Option. Stattdessen richtete er sich zu seiner vollen Größe auf und ging zurück zu dem Häuschen. Diesmal ignorierte er das Blut, das immer noch in einem Rinnsal aus dem Hals des Wachmannes sickerte. Er sah sich um, suchte nach einem Telefon oder Walkie-Talkie. Beides war da. Doch beides war vollständig zertrümmert worden – vermutlich von demselben Mann, der den Parkwächter auf dem Gewissen hatte.

Ich habe ihn gesehen, wurde Jimmy klar, und erneut wurde ihm übel. *Er ist auf diesem Moped an mir vorbeigefahren. Ich hätte ihn aufhalten können.*

Jimmy drohte ohnmächtig zu werden, doch seine Konditionierung schaltete noch einen Gang hoch. Sie schien sich wie ein breiter, enger Gürtel um seinen Körper zu legen, seine Gedanken zu beruhigen und alle ängstlichen Gefühle auszublenden.

Nach kurzer Suche fand er den Transporter. Es war nicht schwer – er war gleich in der mittleren Reihe abgestellt, neben einer der Säulen des Parkdecks. Die Hecktür war verschlossen, doch Jimmy donnerte seinen Ellbogen gegen das Schloss und riss sie auf.

Im Fahrzeug waren Kisten gestapelt, jeweils drei übereinander, und darüber lag eine graue Decke. Jimmy hob eine Seite der Decke an und beinahe hätte er sich erneut übergeben. Es war noch schlimmer als befürchtet.

Als er das Nitroglyzerin anfänglich gerochen hatte, war er davon ausgegangen, dass sich ein oder zwei der Kisten hochexplosiven Materials für den Bombenbau in dem

Transporter befinden könnten. Doch nun waren da Dutzende von Kisten, randvoll mit schmalen Glasröhrchen, die eine klare puddingartige Substanz enthielten und durch ein Netz schwarzer Drähte verbunden waren. Der ganze Transporter war eine einzige gigantische Bombe.

Jimmy wollte losrennen, um die Menschen zu warnen. Er dachte an die vielen Bewohner des Hochhauses über ihm und an die Kinder auf dem Spielplatz neben dem Gebäude. Sie mussten alle sofort evakuiert werden. Doch Jimmys Füße bewegten sich keinen Zentimeter. Stattdessen blieb er wie angewurzelt stehen, während er die Sprengladung musterte. Er folgte dem Gewirr von Drähten, als wäre es die Karte eines Labyrinths, und verbrachte mehrere wertvolle Sekunden damit, die Kistenstapel zu untersuchen. Wie viel Zeit ihm wohl noch bliebe, bevor das ganze Ding in die Luft flog?

Komm schon, hau ab, ermahnte Jimmy sich und fühlte den kalten Schweiß in seinem Nacken. *Es ist unmöglich, diese Bombe zu entschärfen.* Es gab weder eine tickende Uhr noch irgendwelche roten Ziffern, die einen Countdown zählten. Und ganz bestimmt war da kein einfacher *Aus*-Schalter. Zudem hatten alle Drähte dieselbe Farbe – schwarz.

Jimmy fühlte seine Augen aus den Höhlen quellen, so rasch zuckten sie umher, ohne zu blinzeln. Er bemerkte die Tröpfchen von Kondenswasser auf den Glasröhren. *Natürlich. Nitro gefriert bei 14 Grad Celsius.* Üblicherweise war die Chemikalie flüssig, aber offenbar war sie gekühlt worden, um sie leichter transportieren zu können. Gleichzeitig war ihm klar, dass Nitroglyzerin mit dem Auftauen noch instabiler wurde.

Vor Jimmys innerem Auge erschien ein anderes Bild des Kistenstapels. Einige der Kisten wurden für ihn sozusagen transparent. Blitzartig verstand er, wie diese Bombe konstruiert war.

Gegen seinen Willen spürte er eine Art heimlicher Bewunderung. Irgendetwas in ihm begeisterte sich geradezu für diese kunstvolle Konstruktion. Nur ein einziger Auslösemechanismus war notwendig. Dieser würde eine elektrische Ladung durch die Drähte jagen, die Temperatur in jeder Glasröhre erhöhen und das Nitro in einer bestimmten Reihenfolge zum Schmelzen bringen. Diese geschickt aufgebaute Kettenreaktion würde die Gewalt der Explosion noch um das Hundertfache erhöhen.

Das Geniale daran war, dass die Bombe auf diese Art quasi sabotagesicher war. Der Auslöser war nirgendwo zu sehen – vermutlich lag er in der Mitte des Kistenstapels verborgen. Dann bemerkte Jimmy die winzigen goldenen Ringe an den Verbindungsstellen zwischen den Drähten und den Glasröhren. *Offenbar ein zweiter Auslösemechanismus,* dachte er. Jeder Versuch, die Drähte zu entfernen oder an den Zünder im Inneren zu gelangen, würde die Kettenreaktion vorzeitig starten. Es gab keinen Weg, das Ganze zu stoppen, und es war unmöglich zu sagen, wann es explodieren würde. Selbst seine außergewöhnlichen Agenteninstinkte verrieten ihm in diesem Moment nur eines: Diese Bombe konnte jederzeit hochgehen!

Weiter geht es mit Jimmy Coates'
sechstem Abenteuer in:
J. C. – Agent zwischen den Fronten

Joe Craig, geboren 1981 in London, arbeitete als erfolgreicher Songwriter, bevor er seine Leidenschaft für das Schreiben von Jugendbüchern entdeckte. Mit »J. C. – Agent im Fadenkreuz« schaffte er den internationalen Durchbruch. Wenn er nicht schreibt, liest er an Schulen, spielt Klavier, erfindet Snacks, spielt Snooker, trainiert Kampfsport oder seine Haustiere. Er lebt mit seiner Frau, Hund und Zwergkrokodil in London.

Von Joe Craig bereits erschienen:

J. C. – Agent im Fadenkreuz (Band 1; 17393)
J. C. – Agent auf der Flucht (Band 2; 17461)
J. C. – Agent in höchster Gefahr (Band 3; 17461)
J. C. – Agent in geheimer Mission (Band 4; 16507)
J. C. – Agent zwischen den Fronten (Band 6; 16544)
J. C. – Agent gegen den Rest der Welt (Band 7; 16551)

Mehr über cbj auf Instagram unter @hey_reader